Laure Portail s'est
réalisée dans ce livre,
et est devenue écrivaine.
Elle vous l'a
conseillée pour votre
satisfaction personnelle

Libérez votre créativité

En vous remerciant

Gisèle

D0900637

Julia CAMERON

Libérez votre créativité

Osez dire oui à la vie !

Traduit de l'anglais (États-Unis)
par Chantal Duchêne-Gonzalez

*Collection dirigée
par Ahmed Djouder*

Titre original
THE ARTIST'S WAY
A SPIRITUAL PATH TO HIGHER CREATIVITY

Éditeur original
Jeremy P. Tarcher/Perigee, Los Angeles

Ce livre source est dédié à mon compagnon, Mark Bryan. Mark m'a persuadée de l'écrire, m'a aidée à ce qu'il prenne forme et a enseigné ce cours avec moi. Sans lui, il n'aurait jamais existé.

« *C'est un livre qui aborde un sujet délicat et complexe. Pour ceux qui vont l'utiliser, c'est un outil précieux qui les mettra en contact avec leur propre créativité.* »

Martin SCORSESE, metteur en scène.

Remerciements

Je voudrais remercier mon collègue des ateliers de créativité, Edmund Towle, qui a testé fidèlement ces principes, et dont les remarques m'ont été très précieuses.

— Les révérends Sara et Mike Matoin de Unity, Chicago.

— Michele Lowrance, Laura Leddy Waldron, Ginny Weissman, Michelle Citron, Kathy Churay et Marilyn Lieberman ; Howard Mandel et Gayle Seminara de la librairie *Transitions* de Chicago.

— Je voudrais remercier plus spécialement encore mes étudiants et Jan Johnson, Rick Benzel et Jeremy Tarcher, éditeur et faiseur de pluie, dont les conseils m'ont éclairée pour la rédaction du texte.

Je crois que le Grand Créateur nous conduit tous.

INTRODUCTION

L'art d'une vie créative

Quand on me demande ce que je fais, je réponds en général : « Je suis écrivain-réalisateur et j'anime des ateliers de créativité. » Ce dernier point semble beaucoup intéresser.

— Comment peut-on enseigner la créativité ? m'interroge-t-on, avec un air empreint de défi et de curiosité.

— Je ne peux pas, leur dis-je. J'enseigne aux gens à *s'autoriser à devenir créatifs.*

— Oh ! Vous voulez dire que nous sommes tous créatifs ?

C'est alors l'incrédulité et l'espoir qui se livrent bataille sur le visage de mes interlocuteurs.

— Oui.

— Vous y croyez *vraiment* ?

— Oui.

— Alors que faites-vous ?

Ce livre explique ce que je fais. Depuis une dizaine d'années maintenant, je dirige un atelier spirituel destiné

« *Pour moi, l'imagination principale, c'est la Puissance de Vie.* »

Samuel Taylor Coleridge.

9

à libérer la créativité des gens. J'ai formé des artistes, des non-artistes, des peintres, des réalisateurs de films, des maîtresses de maison, des juristes... tous ceux qui recherchent une vie plus créative grâce à la pratique d'un art et, à un niveau plus large, tous ceux qui désirent pratiquer **l'art d'une vie créative.** C'est en enseignant et partageant les outils que j'avais découverts, imaginés, devinés et utilisés que j'ai vu les blocages se dissoudre et des vies se transformer, simplement en faisant appel au Grand Créateur afin de découvrir et de reconquérir notre puissance créative.

« Le Grand Créateur ?... Cela ressemble à un Dieu américain indigène. Cela sonne trop chrétien, trop New Age, aussi... » Stupide ? Simple d'esprit ? Menaçant ?... Je sais. Pensez juste à un exercice d'ouverture d'esprit. Dites-vous seulement : « D'accord, Grand Créateur », *quoi que cela puisse signifier...* et continuez à lire. Permettez-vous d'affronter l'idée qu'il y ait un Grand Créateur et, si vous y croyez, cette idée peut vous être utile pour libérer votre propre créativité.

Les « chemins de la créativité » étant essentiellement un guide spirituel, l'initiative et la pratique reposent sur la créativité ; j'utiliserai donc le mot *Dieu* dans ce livre. Il peut paraître explosif à certains d'entre vous : mettez de côté les vieilles idées, difficiles à manier, déplaisantes ou simplement incroyables concernant Dieu, car vous avez été élevé pour « Le » comprendre. Je vous demande une certaine ouverture d'esprit.

Il faut garder à l'esprit que pour bénéficier de ce cours, nul besoin d'avoir une conception de Dieu. En fait, la plupart des concepts que nous avons sur Dieu

> « *On demande à l'Homme de faire de lui ce qu'il est supposé advenir pour accomplir son destin.* »
> **Paul Tillich.**

sont des obstacles. Ne laissez pas la sémantique devenir pour vous un blocage supplémentaire.

Tout au long de ces pages, il est possible de remplacer le mot Dieu par d'autres termes, tels que *ordre logique des choses* ou *flux* exprimant l'idée d'une énergie créatrice. Pour beaucoup d'entre nous, le mot *Dieu* est une expression abrégée utile, qui pourrait tout aussi bien être *Déesse, Esprit, Univers, Source* ou *Puissance Suprême*... L'important, ce n'est pas le nom utilisé, mais le fait de vouloir l'utiliser. Pour nombre d'entre nous, y penser comme à une forme d'électricité spirituelle a constitué un tremplin fort utile.

Grâce à l'approche simple et scientifique que constituent l'expérimentation et l'observation, il est facile de retrouver un courant qui suit une direction bien établie. Cet ouvrage ne cherche pas à expliquer, discuter, ni définir ce courant. Il n'y a pas besoin de comprendre l'électricité pour s'en servir.

N'appelez pas ce courant – cette forme d'électricité spirituelle – *Dieu* si cela ne vous convient pas. Il n'est pas forcément nécessaire de nommer ce dieu, ce courant, cette énergie à moins qu'il ne soit utile de réduire ce que vous éprouvez à un seul mot. Ne faites pas semblant de croire si vous ne croyez pas. Vous pouvez rester à tout jamais athée, agnostique, ça ira et ne vous empêchera pas de voir votre vie transformée si vous suivez les principes de ce livre.

J'ai travaillé d'artiste à artiste avec des potiers, des photographes, des poètes, des scénaristes, des danseurs, des romanciers, des acteurs, des réalisateurs... et

> « *Je ne fais rien. L'Esprit Sacré accomplit tout à travers Moi.* »
>
> **William Blake.**

avec des gens qui savaient seulement ce qu'ils rêvaient d'être ou qui rêvaient simplement d'être, d'une manière ou d'une autre, plus créatifs. J'ai vu des peintres bloqués se mettre à peindre, des poètes brisés s'exprimer dans des langues inconnues, des écrivains boiteux, estropiés et mutilés s'affoler pour les dernières épreuves. Je ne suis pas seulement parvenue à *croire*, mais aussi à *savoir*.

Peu importe votre âge ou votre cheminement personnel, que l'art soit pour vous carrière, passe-temps ou rêve ; il n'est ni trop tard, ni trop égotiste, ni trop prétentieux, ni trop bête de travailler sur votre créativité. Un étudiant de cinquante ans qui « avait toujours voulu écrire » a utilisé ces outils et s'est distingué en remportant un prix décerné aux auteurs dramatiques. Un juge les a utilisés pour accomplir un rêve de jeunesse : celui d'être sculpteur. À la fin de ce cours, les étudiants ne sont pas tous devenus des artistes à temps plein. En fait, de nombreux artistes à temps plein disent ou expliquent que, une fois leur créativité rendue plus harmonieuse, ils sont devenus des *personnes* à temps plein.

De par ma propre expérience – et par les innombrables autres que j'ai partagées – j'en suis arrivée à penser que la créativité est notre vraie nature, que les blocages représentent une entrave contre nature à un processus à la fois aussi normal et aussi miraculeux que la floraison d'une fleur au bout d'une frêle tige verte. J'ai trouvé ce moyen d'établir un contact spirituel à la fois simple et direct.

> « *Pourquoi donc "Dieu" doit-il être un nom ? Pourquoi pas un verbe... le plus actif et dynamique de tous ?* »
>
> **Mary Daly (théologienne).**

Si vos blocages vous empêchent de créer – et je crois que, jusqu'à un certain point, nous sommes tous dans ce cas –, il est possible, et même vraisemblable, qu'en utilisant les outils proposés par cet ouvrage – si vous y êtes disposé – vous pourrez apprendre à **créer plus librement.** Tout comme la pratique du yoga modifie la conscience alors qu'on ne fait que s'étirer, suivre les exercices de ce livre modifiera votre conscience alors que vous ne ferez qu'écrire et jouer. Faites ces exercices et vous constaterez le résultat, que vous y croyiez ou non, que vous l'appeliez « éveil spirituel » ou non.

En résumé, la théorie a moins d'importance que la pratique. Il s'agit de *créer dans sa propre conscience des chemins permettant aux forces créatives d'opérer.* Une fois que l'on s'est mis d'accord avec soi-même pour dégager ces chemins, la créativité émerge. D'une certaine manière, la créativité, c'est comme le sang. De même que le sang est une réalité du corps physique et non pas quelque chose d'inventé, la créativité est une réalité du corps spirituel et non pas quelque chose que l'on doit inventer.

Mon propre parcours

J'ai commencé à diriger des ateliers de créativité à New York. Je me suis engagée dans cette voie parce qu'on m'avait *demandé* de le faire. Un jour, par une belle lumière d'après-midi, je marchais dans une rue pavée de West Village. À cet instant, j'ai soudain su que

> « *Le pinceau, en faisant ce qu'il fait, trébuchera sur ce qu'on ne peut pas faire seul.* »
> **Robert Motherwell.**

je devais commencer à enseigner à des gens, à des groupes de gens, comment se libérer de leurs blocages. Peut-être s'agissait-il d'un souhait qui émanait d'une autre personne se promenant elle aussi ? Il est toutefois certain que Greenwich Village doit contenir une plus grande densité d'artistes – avec blocages, ou pas – que n'importe quel autre lieu aux États-Unis.

« J'ai besoin de surmonter mes blocages », aurait pu dire une personne.

« Je sais comment le faire », aurais-je pu répondre, en captant le signal. Ma vie a toujours comporté des directives intérieures fortes. Je les appelle des « ordres de marche ».

En tout cas, j'ai su tout d'un coup que je pouvais libérer les blocages et que je devais le faire, en commençant sur-le-champ par les leçons que j'avais moi-même apprises.

D'où venaient ces leçons ?

En janvier 1978, j'ai arrêté de boire. Je n'avais jamais pensé que boire fasse de moi un écrivain, mais je me suis dit que ne pas boire pourrait m'empêcher d'écrire. Pour moi, boire et écrire allaient ensemble comme, disons, le scotch et le soda. Pour moi, la ruse, c'était de surmonter l'angoisse de la page blanche. Je me battais contre la montre – en essayant d'écrire avant que l'alcool ne tombât comme un brouillard, bloquant à nouveau ma fenêtre de créativité.

À trente ans, complètement sobre, j'avais un bureau dans les studios Paramount et j'avais fait toute une carrière à partir de cette sorte de créativité. Créative par spasmes. Créative par volonté et ego. Créative au nom des autres. Créative, oui, mais par jaillissements, tel le sang jaillissant d'une artère carotide endommagée. Dix ans passés à écrire, et tout ce que je savais, c'était me précipiter tête baissée et me jeter, malgré le sort, contre le mur de ce que j'écrivais. Si, en un sens, la créativité était spirituelle, c'était uniquement par sa ressemblance avec la crucifixion. J'étais tombée sur les épines de la prose. Je saignais.

Si j'avais pu continuer à écrire ainsi, dans la souffrance, je serais très certainement encore en train de le faire. La semaine où je suis devenue sobre, deux de mes pièces étaient publiées dans deux magazines nationaux, je venais d'inventer un script important et je ne parvenais plus à maîtriser mon alcoolisme.

Je m'étais dit que si sobriété signifiait absence de créativité, je ne voulais pas être sobre. Pourtant, je reconnaissais que la boisson me tuerait moi et ma créativité. Je devais apprendre à écrire en étant sobre – ou alors abandonner définitivement l'écriture. La nécessité, et non la vertu, a été au commencement de ma spiritualité. Je devais trouver un nouveau chemin de créativité. Et c'est comme ça qu'ont commencé mes leçons.

J'ai appris à tourner ma créativité vers le seul dieu en qui je pouvais croire, le dieu de la Créativité, la force de vie que Dylan Thomas a appelée « la force qui, à partir du bourgeon, conduit à la fleur ». J'ai appris à m'ôter du chemin et à faire en sorte que ce travail de force créative opère à travers moi. J'ai simplement appris à me présenter devant la page et à noter ce que j'entendais. L'écriture a consisté davantage à tendre une oreille indiscrète plutôt qu'à inventer une bombe nucléaire. Ce n'était pas si compliqué et cela ne m'a plus explosé à la figure. Je n'avais pas à être bien disposée. Je ne devais plus prendre ma température émotionnelle pour voir si l'inspiration était en souffrance. Simplement j'écrivais. Pas de négociations. Bon, mauvais ? Cela ne me concernait pas. Ce n'était pas *moi* qui le faisais. En ne voulant plus être un auteur conscient de lui-même, je me suis mise à écrire plus librement.

Après coup, je suis ébahie de constater que j'ai pu me dégager de ce drame : être un artiste en souffrance. Rien ne meurt plus difficilement qu'une mauvaise idée. Et certaines idées sont pires que celles que nous avons sur l'art. Nous pouvons rejeter la responsabilité d'un grand nombre de maux sur notre identité d'artiste en souffrance : alcoolisme, promiscuité, problèmes fiscaux, intolérance ou autodestruction sur le plan affectif. Nous savons tous à quel point les artistes sont fauchés, fous, peu sérieux et ont de nombreux partenaires sexuels. Et si ce n'est pas le cas, alors quelle est mon excuse ?

L'idée que je puisse être saine, sobre et créative me terrifiait, impliquant, comme cela a été le cas, la possibilité d'une certaine responsabilité personnelle. « Vous voulez dire que si je possède ces dons, je dois les utiliser ? » Oui.

Par une grâce du ciel, à cette époque-là on m'envoya un autre artiste bloqué pour travailler avec lui sur ses blocages. J'ai commencé par lui enseigner ce que j'étais en train d'apprendre : « Va-t'en de là. Fais en sorte que cela fasse son chemin en toi. Accumule les pages, et non pas les jugements. » Lui aussi a fini par se libérer de ses blocages. À partir de là, nous étions deux.

Peu de temps après, j'ai eu une autre « victime », cette fois un peintre. Les mêmes outils marchent aussi pour les artistes plasticiens.

> « *La position de l'artiste est humble. Il est essentiellement un canal.* »
> **Piet Mondrian.**

C'était très intéressant pour moi. Pendant les moments les plus intenses, j'imaginais que je me convertissais en une « cartographe de la créativité », traçant un chemin pour sortir de ma confusion et qui pourrait servir à tous ceux qui voudraient me suivre dans cette voie. Je n'avais *jamais* projeté de devenir professeur. J'étais seulement très en colère à l'idée de n'avoir pas eu de professeur moi-même. Pourquoi ai-je dû apprendre ce que j'ai appris comme je l'ai appris : par essais et erreurs, en me cognant aux murs ? Nous, artistes, on devrait nous apprendre davantage, ai-je pensé. Les raccourcis et les risques de la piste devraient être signalés !

Telles étaient les pensées qui m'assaillaient au cours des promenades de l'après-midi : apprécier la lumière de l'Hudson, penser à ce que j'allais écrire très prochainement. « Suis les ordres de marche » : je devais enseigner.

En l'espace d'une semaine, on me proposa un poste de professeur et un lieu au *New York Feminist Art Institute* – dont je n'avais jamais entendu parler auparavant. Mon premier groupe se composait de peintres, romanciers, poètes et metteurs en scène en panne de création. J'ai commencé à leur donner les cours présentés dans cet ouvrage. Après cette session il y en eut beaucoup d'autres, et bien d'autres encore.

Les « chemins de la créativité » ont vu le jour de manière informelle, à partir d'un cours préparé avec les notes de mon compagnon, Mark Bryan. Comme le bouche à oreille va vite, j'ai commencé à expédier des colis de matériel. Un jungien itinérant, John Giannini,

> *« Dieu doit devenir une activité dans notre conscience. »*
> **Joël S. Goldsmith.**

parlait de ces techniques dans toutes les conférences qu'il donnait – un peu partout. S'ensuivaient toujours des demandes de matériel. Ensuite, un réseau de personnes intéressées par la spiritualité de la création eut vent de l'affaire, et on m'écrivit de Dubuque, de Colombie-Britannique et d'Indiana. Des étudiants se sont manifestés du monde entier. « Je suis en Suisse au ministère des Affaires étrangères. Je vous prie de bien vouloir m'envoyer... » Et je le faisais.

Le nombre de colis augmentait de même que le nombre d'étudiants. Finalement, après avoir été habilement poussée par Mark qui me disait : « Mets tout par écrit... Tu peux aider beaucoup de personnes... Cela devrait faire un livre... », j'ai commencé à rassembler de manière formelle mes idées. J'ai écrit et Mark, qui était à ce moment-là mon adjoint et mon tyran, me faisait part de ce que j'avais omis. J'écrivis de plus en plus et Mark me disait ce que j'avais *encore* laissé de côté. Il m'a rappelé que j'avais assisté à de nombreux miracles qui soutenaient mes théories et m'a aussi incitée à les inclure dans ce livre. J'ai mis par écrit ce que j'avais mis en pratique depuis dix ans.

Il est sorti de ces pages une sorte de schéma directeur pour la reconquête du « faites-le par vous-même ». Comme la réanimation par le bouche-à-bouche ou la technique de Heimlich, les outils décrits dans ce livre doivent être considérés comme des bouées de sauvetage. Utilisez-les et divulguez-les, je vous prie.

J'ai souvent entendu des paroles soulignant cet effet bénéfique : « Avant de suivre votre cours, j'étais complètement coupée de ma créativité. Les années d'amertume et de deuil avaient fait leurs dégâts. Puis, peu à peu, le miracle a commencé à se produire. Je suis retournée à l'université pour passer un diplôme de théâtre, j'auditionne pour la première fois depuis des années, j'écris de façon régulière et, chose plus importante, j'arrive enfin à être à l'aise en me définissant moi-même comme artiste. »

Je doute de pouvoir vous communiquer l'impression de miracle dont j'ai pu faire l'expérience en tant que professeur, en étant témoin d'un avant et d'un après dans la vie des étudiants. Tout au long du cours, la simple transformation physique peut être surprenante, me faisant réaliser que l'expression « devenir lumineux » a un sens littéral. Les visages des étudiants se mettent souvent à rayonner sous l'impact de leur énergie créatrice. La même atmosphère chargée de spiritualité qui entoure un grand travail artistique peut aussi devenir celle d'un cours sur la créativité. En un sens, en devenant des êtres créatifs, notre vie devient notre œuvre d'art.

L'électricité spirituelle

1. Principes de base

Pour la plupart d'entre nous, l'idée que le Créateur encourage la créativité est révolutionnaire. Nous avons tendance à penser – ou du moins nous le craignons – que les rêves créatifs sont égotistes, désapprouvés par Dieu. Après tout, **notre artiste créateur est notre enfant intérieur** ; il est donc enclin à une pensée enfantine. Si nos parents doutaient de nos rêves de création ou les désapprouvaient, peut-être projetons-nous la même attitude sur un dieu parental ? Nous devons nous défaire de cette pensée.

Ce dont nous parlons, c'est d'une expérience spirituelle induite – ou provoquée. Je parlerai de ce processus comme d'une *chiropraxie spirituelle*. Nous nous engageons à faire certains exercices spirituels pour être en harmonie avec l'énergie créatrice de l'univers.

> « *La musique de cet opéra* [Madame Butterfly] *m'a été dictée par Dieu ; je n'étais qu'un instrument qui la transcrivait sur le papier et la communiquait au public.* »
>
> **Giacomo Puccini.**

Imaginez que l'univers soit une vaste mer électrique dans laquelle vous êtes immergé et à partir de laquelle vous vous êtes formé ; en vous ouvrant à votre créativité, vous changerez : vous ne serez plus un objet flottant sur cette mer, mais vous deviendrez un élément plus opérant, plus conscient, plus coopérant de cet écosystème.

En tant que professeur, je sens souvent la présence de quelque chose de transcendant – une électricité spirituelle, si vous voulez – et j'en suis venue à m'appuyer sur elle pour transcender mes propres limites. Je prends l'expression *professeur inspiré* pour un compliment dont j'accepte la signification littérale. Une main plus puissante que la mienne nous entraîne. Le Christ a dit : « Dès que deux d'entre vous ou plus se rassembleront, je serai là au milieu de vous. » Le dieu de la Créativité semble ressentir la même chose.

Être au cœur de la créativité est une expérience d'union mystique ; le cœur de l'union mystique est une expérience de la créativité. Ceux qui parlent en termes spirituels désignent en général Dieu comme le Créateur, mais ils voient rarement que le sens littéral de *créateur* est *artiste*. Je vous suggère donc de considérer le terme *créateur* quasi littéralement. Il faut chercher à forger une alliance créative, d'artiste à artiste, avec le

---

« *Les idées coulent directement dans moi, en provenance de Dieu.* »

Johannes Brahms.

« *Nous devons accepter que cette impulsion créatrice, qui est en nous, est l'impulsion créatrice même de Dieu.* »

Joseph Chilton Pearce.

« *C'est le potentiel créatif lui-même présent chez les êtres humains qui représente l'image de Dieu.* »

Mary Daly.

Grand Créateur. L'acceptation de ce concept augmentera de façon substantielle vos possibilités créatrices.

Tandis que vous travaillerez avec les outils de cet ouvrage, tandis que vous entreprendrez les exercices hebdomadaires, bien des changements surviendront. Le plus important de ces changements sera celui de l'élan donné par la *synchronie* : nous changeons et l'univers favorise et amplifie ce changement. À ce propos, une formule irrévérencieuse est toujours écrite près de mon bureau : « Saute, et le filet apparaîtra. »

Mon expérience de professeur et d'artiste m'a enseigné que lorsque nous croyons davantage à l'acte créatif, l'univers lui-même avance. C'est un peu comme ouvrir la vanne située en amont d'un système d'irrigation. Une fois les blocages enlevés, le flux se répand partout.

Encore une fois, je ne vous demande pas d'y croire. Pour que cette émergence créatrice se produise, il n'est pas nécessaire de croire en Dieu. Je vous demande simplement d'observer et de noter ce processus tout au long de son déroulement. En effet, vous accoucherez et témoignerez de votre propre progression créatrice.

La créativité est, à mes yeux, une expérience spirituelle. Peu importe comment vous pensez les choses : la créativité conduisant à la spiritualité ou la spiritualité conduisant à la créativité. En fait, je ne fais pas de différence entre les deux. Face à une telle expérience, toute la question de la croyance devient obsolète. Ainsi Jung a-t-il répondu, au soir de sa vie, à la question de la croyance en disant : « Je ne crois pas ; je sais. »

« *Chaque brin d'herbe possède son Ange qui se penche et murmure : grandis, grandis.* »
Le Talmud.

« *Les grands improvisateurs sont comme les prêtres. Ils ne pensent qu'à leur Dieu.* »
Stéphane Grappelli (musicien).

Principes de base

1. La créativité est l'ordre naturel de la vie. La vie est énergie : une pure énergie créatrice.

2. Il y a une force créatrice sous-jacente, énergisante, imprégnant chaque vie – y compris les nôtres.

3. Quand nous nous ouvrons à notre créativité, nous nous ouvrons à la créativité du Créateur qui est en nous et dans nos vies.

4. Nous sommes nous-mêmes des créations. Et, à notre tour, nous sommes censés maintenir la créativité en étant créatifs nous-mêmes.

5. La créativité, c'est le don que Dieu nous a fait. Utiliser notre créativité, c'est rendre ce don à Dieu.

6. Le refus d'être créatif est un choix volontariste et va à l'encontre de notre véritable nature.

7. Quand nous acceptons d'explorer notre créativité, nous nous ouvrons à Dieu ; c'est dans le bon ordre des choses.

8. Ouvrir les voies de notre créativité au Créateur entraînera beaucoup de changements, subtils certes, mais puissants.

9. C'est sans danger que nous pouvons nous ouvrir à une créativité de plus en plus large.

10. Nos rêves créatifs et nos désirs les plus profonds proviennent d'une source divine. Au fur et à mesure que nous nous dirigeons vers nos rêves, nous nous dirigeons vers notre divinité.

« Ce que nous jouons, c'est la vie. »
Louis Armstrong.

« La créativité exploite l'universalité et la fait couler dans vos yeux. »
Peter Koestenbaum.

Les principes spirituels qui précèdent sont les fondations de la reconquête et de la découverte créatives. Lisez-les une fois par jour et prêtez une oreille intérieure, attentive, à tout changement dans vos attitudes ou dans vos croyances.

2. Votre reconquête créatrice

Il y a plusieurs façons d'utiliser ce livre. Plus que tout, je vous invite à l'utiliser de *manière créative*. Ce chapitre vous présente une sorte de carte routière de cette méthode et quelques idées spécifiques sur la façon de procéder. Certains étudiants ont suivi cette méthode seuls ; d'autres, à partir de ce livre, ont formé des cercles de travail (en annexe I, vous trouverez des directives sur la manière de faire le travail en groupe). Peu importe le choix de votre méthode de travail, « les chemins de la créativité » travailleront pour vous.

Vous souhaiterez peut-être d'abord jeter un œil sur ce livre pour avoir une idée du champ qu'il couvre (lire le livre, ce n'est pas la même chose que l'utiliser). Chaque chapitre comprend des essais, des exercices et un

---

« *Je ne peins pas en voyant, mais en croyant. La foi vous donne la vue.* »

Amos Ferguson.

« *Pourquoi devons-nous tous utiliser notre puissance créatrice ?... Parce qu'il n'y a rien qui ne rende les gens si généreux, si gais, si vivants, si hardis et si compatissants, si indifférents à la guerre et à l'accumulation d'objets et d'argent.* »

Brenda Ueland.

contrôle hebdomadaire. Ne soyez pas découragé par la quantité de travail que cela semble impliquer. La majeure partie du travail n'est que jeu, et la méthode prend à peu près une heure par jour.

Quand j'enseigne officiellement, je suggère aux étudiants d'établir leur emploi du temps sur la semaine. Par exemple, si vous travaillez du dimanche au dimanche, commencez à lire le chapitre de la semaine le dimanche soir. Une fois le chapitre lu, dépêchez-vous de faire les exercices. Les exercices hebdomadaires sont très importants, tout comme « les pages du matin » et « le rendez-vous avec l'artiste » (vous en saurez plus au chapitre suivant). Vous n'aurez sans doute pas, chaque semaine, le temps de faire tous les autres devoirs. Essayez d'en faire la moitié environ. Sachez que le reste est là pour que vous l'utilisiez, lorsque vous serez en mesure d'y revenir. Prenez deux principes directeurs pour vous guider dans le choix des devoirs à faire. Optez d'une part pour ceux qui vous attirent et, d'autre part, pour ceux envers lesquels vous éprouvez une forte résistance. Remettez à plus tard les devoirs les plus neutres. Au moment de choisir, souvenez-vous d'une chose : souvent, nous résistons à ce dont nous avons le plus besoin.

Globalement, engagez-vous à y consacrer entre sept et dix heures par semaine, c'est-à-dire une heure par jour ou un peu plus. Le respect de ce modeste engagement – utiliser les outils de cette méthode – peut, au bout des douze semaines, donner des résultats étonnants. Ces mêmes outils, utilisés sur une période plus longue, peuvent modifier la trajectoire de toute une vie.

*« **Le but de l'art n'est pas une chose trop raffinée, un distillat intellectuel – c'est la vie, intensifiée, une vie brillante.** »*

Alain Arias-Misson.

Lorsque vous travaillerez avec ce livre, conservez présent à l'esprit que « les chemins de la créativité » sont des chemins *en spirale*. Vous aborderez certains problèmes à plusieurs reprises, chaque fois à un niveau différent. En avoir fini avec sa destinée d'artiste est chose impossible. Les frustrations et les récompenses existent à tous les niveaux de ce chemin. Notre but est ici de trouver la piste, de déterminer notre rythme et de commencer à grimper. Les perspectives qui s'offriront à vous vous enthousiasmeront très rapidement.

3. Ce qu'il faut en attendre

Nous sommes nombreux à souhaiter être plus créatifs. Nous sommes nombreux à avoir l'intuition que nous sommes plus créatifs, mais incapables d'exploiter réellement cette créativité. Nos rêves nous échappent. Nos vies nous apparaissent, pour une raison ou pour une autre, plates. Souvent nous avons de grandes idées, des rêves merveilleux, mais nous sommes incapables de les réaliser pour nous-mêmes. Quelquefois, nous avons des désirs de création spécifiques que nous aimerions pouvoir concrétiser : apprendre à jouer du piano, peindre, suivre des cours d'art dramatique, écrire… Parfois notre objectif est plus flou. Nous désirons ardemment ce qui pourrait s'appeler « vivre de façon créative », c'est-à-dire avoir un sens accru de la créativité dans nos vies professionnelles et dans le partage avec nos enfants, notre conjoint, nos amis.

Il n'y a pas de solution facile pour une accession instantanée et indolore à la créativité, mais la reconquête (ou la découverte) créative est un processus spirituel qui peut être identifié et enseigné. Chacun d'entre nous est un être complexe et hautement individuel ; cependant, en ce qui concerne le processus de reconquête créative, des dénominateurs communs à tous ont été définis.

Travaillant en ce sens, j'ai remarqué une certaine méfiance et une sorte d'étourdissement au cours des premières semaines. Cette étape d'entrée est suivie de près par une colère explosive à mi-parcours. La colère fait place à la douleur, ensuite des vagues de résistance et d'espoir alternent. Cette période de croissance – faite de hauts et de bas – débouche sur une série de mouvement d'expansions et de contractions, processus de renaissance au cours duquel les étudiants éprouvent un sentiment d'exaltation assorti de scepticisme défensif.

Cette phase de croissance un peu agitée est suivie d'un violent désir d'abandonner et de retourner à une vie déjà connue, en d'autres termes une « période de marchandage ». À ce stade-là, les gens sont souvent tentés de laisser tomber. J'appelle cela un *revirement créatif*. Ensuite, un nouvel engagement dans le processus déclenche, en chute libre, la reddition d'un ego trop fort. Puis, à la phase finale, le Moi se caractérise par plus d'autonomie, de souplesse, d'espoir et d'intérêt – et aussi par une plus grande capacité à concevoir et à réaliser des projets créatifs concrets.

Cela vous semble peut-être créer un grand tumulte émotionnel, et c'est bien le cas. L'engagement dans la reconquête de la créativité nous fait prendre du recul par rapport à la vie que nous menions. Retrait est une autre façon de dire *détachement* ou *non-attachement*, ce qui est emblématique d'un travail cohérent lié à toute pratique méditative.

En termes cinématographiques, nous faisons un « zoom arrière » en reculant et en nous élevant au-dessus de nos vies engoncées jusqu'à atteindre une vue d'ensemble. Cette vue d'ensemble nous permet de faire des choix créatifs valables. Pensez-y comme à un voyage sur un terrain difficile, varié et fascinant. Vous vous déplacez vers les hauteurs. Vous devez concevoir le fruit de ce retrait comme un processus positif, à la fois douloureux et grisant.

Beaucoup pensent qu'ils ont gaspillé leur propre énergie créatrice en investissant de façon disproportionnée dans la vie, les espoirs et les projets des autres. La vie d'autrui a voilé et détourné la nôtre. En construisant un noyau dur au cours de notre processus de retrait, nous devenons à même d'articuler clairement nos propres frontières, nos rêves, nos objectifs authentiques. Notre souplesse personnelle s'accroît en même temps que notre malléabilité face aux caprices des autres diminue. Nous ressentons un sentiment accru de l'autonomie et du possible.

Normalement, quand nous parlons de retrait, nous pensons à une substance qui nous est enlevée. Nous arrêtons l'alcool, les drogues, le sucre, les graisses, la caféine, la nicotine… et nous subissons une perte. Il est utile de voir de façon un peu différente le retrait créatif. Nous sommes la substance *vers laquelle* nous nous retirons, et non pas la substance *dont* nous nous écartons, lorsque nous réintégrons notre énergie créatrice dispersée et mal placée en notre sein.

Nous commençons par déterrer nos rêves enfouis. Ce processus est plein de pièges. Certains de nos rêves sont très fugaces, et le simple fait de les entrevoir déclenche une montée d'énergie massive qui, brusque-

> *« Ce qui s'étend derrière nous, et ce qui s'étend devant nous n'est pas important, en comparaison avec ce qui se trouve en nous. »*
> **Ralph Waldo Emerson.**

ment, fait irruption à travers notre système de dénégation. Quelle douleur ! Quelle perte ! Quelle peine ! C'est à ce stade-là du processus de reconquête que nous faisons ce que Robert Bly appelle « un retour vers les cendres ». Nous prenons le deuil du Moi que nous avons abandonné. Nous accueillons ce Moi comme nous accueillerions un amant à la fin d'une guerre longue et coûteuse.

Pour réussir une renaissance créatrice, nous devons traverser une période de deuil. Confrontés au suicide du Moi « agréable » dont nous nous contentions, nous découvrons qu'une certaine quantité de douleur est essentielle. Nos larmes préparent le terrain pour notre croissance future. Sans cette humidité créatrice, nous pourrions rester stériles. Nous devons laisser la souffrance nous assaillir. Souvenez-vous-en, c'est une souffrance utile ; l'éclair illumine.

Comment savoir que l'on est bloqué sur le plan créatif ? La jalousie en est un excellent indice. Y a-t-il des artistes qui vous irritent ? Vous dites-vous : « Je pourrais aussi le faire, si seulement... » ? Est-ce que vous vous dites que si seulement vous preniez votre potentiel créateur au sérieux, vous pourriez :

— Arrêter de vous dire : « C'est trop tard. »

— Arrêter d'attendre d'avoir gagné assez d'argent pour faire ce qui vous tient vraiment à cœur.

— Arrêter de vous dire : « Ce n'est que mon ego », chaque fois que vous désirez une vie plus créative.

— Arrêter de vous dire que les rêves n'ont pas d'importance, que ce ne sont que des rêves et que vous devriez être plus sensé.

— Arrêter de craindre que votre famille et vos amis puissent vous prendre pour un fou.

— Arrêter de vous dire que la créativité est un luxe et que vous devriez être reconnaissant de ce que vous avez.

Au fur et à mesure que vous apprendrez à reconnaître, à nourrir et à protéger l'artiste qui est en vous, vous serez capable d'aller au-delà de la douleur et de l'étroitesse créatrice. Vous allez apprendre à reconnaître et à surmonter la peur, à effacer vos cicatrices émotionnelles et à renforcer votre confiance en vous. Vous allez sonder et abandonner les vieilles idées préjudiciables sur la créativité.

En travaillant avec ce livre, vous vivrez une rencontre guidée et intense avec votre propre créativité – vos traîtres intérieurs, vos champions, vos souhaits, vos peurs, vos rêves, vos espoirs et vos triomphes. L'expérience vous rendra exalté, déprimé, en colère, apeuré, joyeux, plein d'espoir et, enfin, plus libre.

Les outils de base

IL y a deux outils essentiels dans la reconquête de sa créativité : « les pages du matin » et « le rendez-vous avec l'artiste ». Pour que le réveil de votre créativité soit durable, il vous faudra utiliser en permanence ces deux outils. Je vais vous les présenter dès maintenant, et assez longuement afin de pouvoir répondre à la plupart de vos questions.

Ce chapitre donne une explication minutieuse et approfondie de ces outils. Veuillez le lire avec une attention toute particulière et commencez dès maintenant à utiliser ces outils.

1. Les pages du matin

Afin de retrouver votre créativité, vous avez besoin de la trouver. Je vous demande de le faire par un procédé apparemment sans objet que j'appelle *les pages du matin*. Vous ferez ces pages chaque jour pendant toute la durée de la méthode et, je l'espère, bien plus longtemps encore. Cela fait maintenant dix ans que je les écris. Certains de mes étudiants les font depuis à peu près aussi longtemps et ils ne voudraient pas plus les abandonner qu'arrêter de respirer.

Ginny, écrivain et productrice, attribue aux pages du matin l'inspiration de ses récents scénarios et la clarté dans la planification de ses émissions spéciales sur les chaînes nationales. « J'en suis devenue superstitieuse, dit-elle. Quand je montais ma dernière émission spéciale, je me levais à 5 heures du matin pour les rédiger avant de me rendre au travail. »

Que sont ces pages du matin ? Disons simplement que ce sont trois pages d'écriture manuscrite dans lesquelles on donne libre cours à ses pensées : « Oh ! Mon Dieu ! encore un matin... Je n'ai RIEN à dire... Je dois laver les rideaux... Est-ce que j'ai fait ma lessive hier ?... Bla-bla-bla... » On pourrait aussi, moins glorieusement, les appeler *lavage de cerveau,* car c'est bien là une de leurs fonctions principales.

Il n'y a pas de façon incorrecte de faire ces pages du matin. Ces vagabondages quotidiens ne sont pas censés être de l'art. Ni même de l'écriture. J'insiste sur ce point afin de rassurer ceux qui ne sont pas écrivains et qui veulent travailler à partir de cet ouvrage. Écrire n'est que l'un des outils. Dans ces pages, vous devez laisser votre main glisser le long de la feuille et noter *tout* ce qui vous vient à l'esprit. Rien n'est trop insignifiant, trop bête, trop stupide ou trop étrange pour être exclu.

« *Les mots sont une forme d'action, capables d'influencer le changement.* »

Ingrid Bengis.

« *Vous avez besoin de revendiquer les événements de votre vie pour les faire vôtres.* »

Anne-Wilson Schaef.

Les pages du matin n'ont pas à paraître intelligentes – bien que, parfois, ce puisse être le cas. La plupart du temps elles ne le seront pas et personne n'en saura rien, sauf vous. Personne n'est autorisé à lire vos pages du matin, sauf vous. Et vous-même, vous ne devez même pas les lire avant huit semaines environ. Écrivez seulement trois pages et glissez-les dans une enveloppe que vous cachetterez. Ou écrivez trois pages dans un cahier à spirale et ne feuilletez plus les pages écrites. *Écrivez simplement trois pages...*

Et trois pages de plus, le jour suivant...

> *Le 30 septembre 1991...*
> Pendant le week-end, pour le projet de biologie de Domenica, nous sommes allées à la chasse aux insectes à Rio Grande et Pott Creek. Nous avons collecté des araignées d'eau et des papillons. J'ai fabriqué un filet à papillons de couleur cramoisie qui s'est avéré tout à fait fonctionnel bien que les libellules nous aient évitées, à notre grande consternation. Nous n'avons pas attrapé la tarentule qui descendait nonchalamment le chemin de terre situé près de notre maison. Nous nous sommes simplement amusées à la regarder.

Même si parfois les pages du matin sont hautes en couleur, elles sont fréquemment négatives et fragmentées. Souvent, elles ne livrent que l'apitoiement sur soi-même ou des enfantillages ; elles sont répétitives, empruntées ; il peut aussi s'en dégager de la colère ou de la mollesse ; elles peuvent même paraître bêtes. Très bien !

> *Le 2 octobre 1991...*
> Je me suis levée avec la migraine, j'ai pris de l'aspirine et je me sens un peu mieux bien que je ne sois pas très en forme. Après tout, il se peut que j'aie la grippe. J'arrive au bout d'un grand déballage et je

n'ai pas encore la théière de Laura, dont l'absence m'est douloureuse. Quel immense chagrin...

Tous ces propos que vous notez le matin et qui expriment de la colère, des gémissements, des choses insignifiantes s'érigent entre vous et votre créativité. Vos préoccupations à propos de votre travail, de la lessive, de l'étrange accrochage de votre voiture, du regard bizarre de votre amant tourbillonnent dans votre inconscient et gâchent vos journées. Couchez tout cela sur la page.

Les pages du matin sont l'outil principal de la reconquête créative. En tant qu'artistes bloqués, nous avons tendance à nous critiquer sans merci. Même si nous paraissons aux yeux des autres fonctionner comme des artistes, nous avons le sentiment que nous n'en faisons jamais assez et que ce que nous faisons n'est pas bien. Nous sommes victimes de notre propre critique, perfectionniste intériorisé, ce méchant critique intérieur et éternel – le Censeur – qui réside dans notre cerveau (hémisphère gauche) et maintient constamment un flot de remarques destructrices qui, souvent, se déguisent en vérité. Le Censeur dit des choses merveilleuses du genre : « Tu appelles cela écrire ? Quelle bonne blague !... Tu ne sais même pas mettre la bonne ponctuation !... Si tu ne l'as pas fait jusqu'à maintenant, tu ne le feras jamais... Tu fais des fautes d'orthographe... Qu'est-ce qui te laisse penser que tu peux être créatif ?...» Et ainsi de suite.

Voici la règle à suivre : avoir toujours à l'esprit que les opinions négatives du Censeur ne sont pas la vérité.

« *Un esprit trop actif, ce n'est pas un esprit.* »
Theodore Roethke.

Cela exige de l'entraînement. Si chaque matin, dès le saut du lit, vous vous déversez directement sur la page, vous apprendrez à échapper à votre Censeur. Puisqu'il n'existe pas de façon bonne ou mauvaise d'écrire les pages du matin, l'opinion du Censeur n'est pas à prendre en compte, même s'il parle sans cesse (n'ayez crainte, il le fera). Laissez seulement glisser votre main le long de la page. Notez les pensées du Censeur si vous le désirez. Remarquez comme il aime porter des coups fatals à votre créativité. Ne faites pas d'erreur : le Censeur est en marche pour vous rattraper. C'est un ennemi rusé. Chaque fois que vous devenez plus brillant, lui aussi. Vous avez écrit une bonne pièce ? Le Censeur vous dira péjorativement : « Ce n'est que cela... » Vous avez dessiné votre premier croquis ? Il vous dira : « Ce n'est pas Picasso ! »

Imaginez votre Censeur sous les traits d'un serpent de dessin animé, ondulant dans votre éden créatif, vous sifflant des choses viles pour vous faire relâcher votre vigilance. Si l'image du serpent ne vous plaît pas, vous voudriez peut-être choisir comme Censeur un personnage bien caricatural, tel le requin dans *Les Dents de la mer*... Tracez ensuite une grande croix au milieu de l'image et affichez-la à l'endroit où vous écrivez d'habitude ou sur la couverture intérieure de votre cahier. Il suffit de voir le Censeur comme le petit personnage méchant et intelligent qu'il est, pour qu'il perde un peu de son pouvoir sur vous et votre créativité.

> « *Les événements de nos vies arrivent dans la séquence du temps, mais dans ce qu'ils nous signifient, ils trouvent leur propre ordre... le fil continu de la révélation.* »
>
> **Eudora Welty.**

L'installation du Censeur dans la psyché de nombreux étudiants est due, sans doute, à l'image peu flatteuse que pouvait leur renvoyer un parent dont ils ont fait, par la suite, leur propre Censeur. Le but, c'est de cesser de considérer votre Censeur comme la voix de la raison et d'apprendre à le concevoir comme un dispositif de blocage, ce qu'il est. Les pages du matin vont vous aider à faire ce pas.

Les pages du matin ne sont pas négociables. Ne les oubliez pas et ne les bâclez jamais. Votre humeur n'a pas d'importance. Les terribles choses que dit votre Censeur n'ont pas d'importance. Nous avons dans l'idée qu'il faut en avoir envie pour écrire. Ce n'est pas vrai.

Les pages du matin vont vous apprendre que votre humeur n'a pas vraiment d'importance. Certaines œuvres, parmi les plus créatives, sont réalisées les jours où vous avez l'impression que tout ce que vous faites ne vaut absolument rien. Les pages du matin vous apprendront à vous arrêter de juger et vous permettront d'écrire. Et alors, que se passe-t-il les jours où vous êtes fatigué, grincheux, affolé, stressé ? Votre artiste est un enfant qui a besoin d'être nourri. Les pages du matin nourrissent votre artiste en herbe. Donc, écrivez-les.

Trois pages de tout ce qui vous passe par la tête, c'est tout ce qu'il y a à faire. Si vous ne savez pas quoi écrire, alors écrivez : « Je ne sais pas quoi écrire… » Faites-le jusqu'à ce que vous ayez noirci trois pages. *Faites n'importe quoi jusqu'à ce que vous ayez écrit ces trois pages.*

Quand on me demande : « Pourquoi écrivez-vous les pages du matin ? », je plaisante en répondant que c'est

---

> « *La poésie souvent entre par la fenêtre du manque d'à-propos.* »
>
> **M. C. Richards.**

pour aller de *l'autre côté*[1]. Les gens pensent que je les fais marcher, mais en fait non. Il est vrai que les pages du matin nous emmènent *de l'autre côté* : de l'autre côté de notre peur, de notre négativisme, de nos humeurs. Surtout, elles nous emmènent au-delà de notre Censeur. Hors d'atteinte de son babillage, nous trouvons notre propre centre serein, un lieu où nous entendons la petite voix calme, qui est à la fois celle de notre Créateur et la nôtre.

Il faut parler, à ce stade, du cerveau logique et du cerveau artiste :

Le **cerveau logique** est notre cerveau par excellence, dans l'hémisphère gauche. C'est le cerveau catégorique. Il pense selon un schéma clair et linéaire. En règle générale, le cerveau logique perçoit le monde selon des catégories connues. Un cheval est une certaine combinaison de parties d'un animal qui constitue un cheval. Une forêt en automne est visualisée comme une série de couleurs qui constituent une forêt en automne. Le cerveau logique regarde une « forêt en automne » et note : rouge, orange, jaune, vert, or.

Le cerveau logique était et est notre cerveau de survie. Il fonctionne selon des principes connus. Tout ce qui est inconnu est perçu comme inadéquat et éventuellement dangereux. Le cerveau logique aime que les choses soient comme de petits soldats bien propres défilant en ligne droite. Le cerveau logique est le cerveau que nous écoutons habituellement, surtout lorsque nous nous intimons d'être sensés.

Le cerveau logique est notre Censeur, notre pensée seconde (et troisième et quatrième). Face à une phrase

---

1. Cela fait sans doute référence à la blague : « *Why did the chicken cross the road? – To get to the other side.* » *(N.d.T.)*

neuve, à des mots, à un coloriage, il dit : « Qu'est-ce que ça peut bien être ? Ce n'est pas comme il faut ! »

Le **cerveau artiste** est notre inventeur, notre enfant, notre très intime et très distrait professeur. Il dit : « C'est vraiment un beau travail ! » Il relie des choses disparates (un bateau équivaut à vagues et à promeneur). Il aime dire d'une voiture rapide lancée à toute allure que c'est un animal sauvage : « Un loup noir hurlant, arrivant sur la route. »

Le cerveau artiste est notre cerveau créatif, holistique. Il procède par ensembles et nuances. Il voit une forêt d'automne et se dit : « Oh ! Bouquet de feuilles ! Joli ! Or-doré-chatoyant-peau de la terre… tapis de roi ! » Le cerveau artiste est libre et fonctionne par associations. Il établit des liens nouveaux, reliant des images pour créer du sens, comme les mythes nordiques qui nomment un bateau un « cheval-vague ». Dans *La Guerre des étoiles*, le nom Skywalker[1] est un bel éclair du cerveau artiste.

Pourquoi toute cette discussion au sujet du cerveau logique et du cerveau artiste ? Parce que les pages du matin apprennent au cerveau logique à se tenir à l'écart et à laisser jouer le cerveau artiste.

Le Censeur fait partie des résidus de notre cerveau de survie. Il lui incombait de décider si on pouvait quitter la forêt en toute sécurité et aller dans la savane. Notre Censeur passe au scanner notre brousse créative pour détecter les bêtes féroces. Toute pensée originale peut sembler un vrai danger pour lui.

Les seules phrases/peintures/sculptures/photographies qu'il aime sont celles qu'il a déjà vues maintes

---

1. « Marcheur du ciel ». *(N.d.T.)*

fois. Des phrases sécurisantes. Des peintures sécurisantes. Et non des propos impulsifs, des gribouillis ou des notes exploratoires. Écoutez votre Censeur et il vous dira que toute originalité est fausse/dangereuse/mauvaise.

Qui ne serait pas bloqué si, chaque fois qu'il sort au grand jour, même sur la pointe des pieds, quelqu'un (son Censeur) se moquait de lui ? Les pages du matin vous apprendront à ne plus entendre cette moquerie. Elles vous permettront de vous détacher de ce Censeur négatif.

Il vous sera peut-être utile de considérer que les pages du matin sont un *exercice de méditation*. Ce ne sera peut-être pas le genre de méditation que vous pratiquez habituellement. En fait, peut-être n'êtes-vous pas du tout habitué à la pratique de la méditation ? Ces pages peuvent vous paraître ni spirituelles, ni même méditatives – et même plutôt négatives et matérialistes – mais elles sont une forme valable de méditation qui favorise la « vision intérieure » qui nous aide à effectuer des changements dans notre vie.

Regardons ce que nous avons à gagner par la méditation. Il y a de nombreuses façons de penser la méditation. Les scientifiques en parlent en termes d'hémisphères cérébraux et de techniques de dérivation. Nous passons du cerveau logique au cerveau artiste, du lent au rapide, du peu profond au profond. Les consultants en management, à la recherche d'une santé

> « *L'inspiration peut être une forme de conscience trop aiguisée ou alors le fait de l'inconscient – je ne saurais dire. Mais je suis sûre que c'est l'antithèse de la conscience de soi.* »
>
> **Aaron Copland.**

physique professionnelle, se sont mis à utiliser la méditation, principalement comme une technique de gestion du stress. Les personnes en quête de spiritualité préfèrent considérer cette méthode comme une porte ouverte sur Dieu. Les artistes et les experts en créativité approuvent la méditation parce qu'elle peut améliorer leur vision intérieure en matière de créativité.

Toutes ces notions sont vraies, aussi loin qu'elles aillent. Et elles ne vont jamais assez loin. Oui, nous allons modifier notre hémisphère cérébral, diminuer notre stress, découvrir un contact intérieur avec une source créatrice et avoir de nombreuses visions intérieures en matière de créativité. Pour toutes ces raisons, cela vaut la peine de continuer. Même si ces notions s'entremêlent, elles restent néanmoins des constructions intellectuelles pour rendre compte de ce qui est d'abord une expérience de totalité, de rigueur et de puissance.

Nous méditons pour découvrir notre propre identité, notre propre place dans l'arrangement de l'univers. Grâce à la méditation, nous apprenons – et finalement prenons conscience – de notre connexion à une puissance intérieure qui peut transformer notre monde réel. En d'autres termes, la méditation nous procure non seulement la lumière de la vision intérieure, mais aussi la force pour un changement important.

La vision intérieure en tant que telle est un confort intellectuel. La puissance en tant que telle est une force aveugle qui peut détruire aussi bien que bâtir. Ce n'est que lorsque nous apprenons consciemment à lier la puissance et la lumière que nous commençons à res-

---

« Cela revient toujours à la même nécessité : aller assez profondément et il y a toujours un fondement de vérité, si dur soit-il. »

May Sarton.

sentir notre identité légitime en tant qu'être créateur. Les pages du matin nous aident à forger ce lien. Elles nous fournissent un équipement radio permettant d'entrer en contact avec le Créateur intérieur. C'est pourquoi elles sont une pratique spirituelle.

Il est impossible d'écrire les pages du matin sur une longue période sans entrer en contact avec une puissance intérieure inattendue. Bien que je les aie utilisées pendant de nombreuses années avant de le réaliser, les pages nous conduisent à avoir un clair et fort sentiment de soi. Elles sont une piste qui, si nous la suivons, nous emmènera vers notre propre intérieur, là où nous rencontrons, à la fois, notre propre créativité et notre Créateur.

Les pages du matin forment la carte de notre propre intérieur. Sans elles, nos rêves peuvent rester *terra incognita*. Je sais que ce fut le cas pour les miens. En utilisant les pages du matin, la vision intérieure se double de la force nécessaire à un changement important. Il est très difficile de se plaindre d'une situation matin après matin, mois après mois, sans être conduit à une action constructive. Les pages nous sortent du désespoir et nous amènent à des solutions que nous n'aurions pas pu imaginer.

La première fois que j'ai fait les pages du matin, je vivais à Taos, au Nouveau-Mexique. J'étais allée là-bas pour essayer d'y voir clair – dans quoi, je ne sais pas. Pour la troisième fois d'affilée, un de mes films avait été refusé à cause de la politique du studio. Ce genre de désastre n'est que routine pour un scénariste mais, pour moi, ce furent comme des fausses couches. Accumulées, elles ont eu un effet désastreux. Je voulais abandonner le cinéma. Ces films m'avaient brisé le cœur. Je ne voulais plus que les enfants issus de mon cerveau connaissent des morts prématurées. Je m'étais rendue au Nouveau-Mexique pour raccommoder mon cœur et voir ce que je pourrais faire d'autre, si cela était possible.

Je vivais dans une petite maison en pisé, située au nord du mont Taos, et c'est là que je me suis mise à écrire les pages du matin. Personne ne m'avait dit de le faire. Je n'avais jamais entendu dire que quelqu'un le faisait. J'ai eu juste le sentiment intérieur et pressant que je devais le faire et donc je les ai faites. Je m'asseyais à une table en bois face au mont Taos et j'écrivais.

Les pages du matin étaient mon passe-temps, quelque chose à faire au lieu de fixer la montagne tout le temps. La montagne, une merveille bossue différente selon le temps, soulevait plus de questions que je ne le faisais. Enveloppée de nuages un jour, sombre et mouillée le lendemain, cette montagne dominait ma vue et aussi mes pages du matin. Que cela signifiait-il, si cela devait signifier quelque chose ? J'ai questionné la page, page après page, matin après matin. Aucune réponse.

Et puis, par un matin humide, un personnage nommé Johnny vint flâner dans mes pages. Sans avoir eu l'intention de le faire, j'étais en train d'écrire un roman. Les pages du matin m'avaient indiqué le chemin.

Quiconque écrit de façon fidèle les pages du matin tissera un lien avec une source de sagesse intérieure. Lorsque je me sens bloquée dans une situation douloureuse ou face à un problème que je ne sais pas par quel bout prendre, je me dirige vers les pages pour deman-

---

« *Il en est de même de la sagesse intérieure que d'une compétence ou d'un muscle ; l'écouter la renforce.* »

Robbie Gass.

---

der conseil. Pour le faire, j'écris « P. J. » (abréviation de « Petite Julie ») et ensuite je pose ma question.

> *P. J. :* Que dois-je leur dire à propos de cette sagesse intérieure ? (Ensuite, j'écoute la réponse que je note aussi.)
> *Réponse :* Tu devrais leur dire que tout le monde a une communication directe avec Dieu. Personne n'a besoin de passer par un standardiste. Dis-leur d'essayer cette technique avec un de leurs problèmes. Ils le feront.

Parfois, comme indiqué ci-dessus, la réponse peut sembler irrévérencieuse ou trop simple. J'en suis arrivée à croire que le mot *sembler* est le mot qui marche. Très souvent, lorsque j'agis selon le conseil que j'ai reçu plus haut, cela s'avère tout à fait juste, beaucoup plus juste que ne l'aurait été quelque chose de plus compliqué. Donc, pour les archives, je dirai : les pages sont pour moi une façon de méditer ; je les fais parce que ça marche.

❧

Assurance finale : les pages du matin seront opérantes pour les peintres, les sculpteurs, les poètes, les acteurs, les avocats, les maîtresses de maison… pour tous ceux qui veulent essayer de créer. N'allez pas penser que cet outil n'est que pour les écrivains. Allons donc ! Ces pages ne leur sont pas uniquement destinées. Les avocats qui les utilisent jurent qu'elles les rendent plus efficaces au tribunal. Les danseurs proclament que leur équilibre s'améliore – et pas uniquement leur équilibre

> « *C'est dans la connaissance des conditions authentiques de nos vies que nous devons puiser notre force, nos raisons de vivre.* »
> **Simone de Beauvoir.**

émotionnel. Ce sont peut-être les écrivains – qui expriment le désir regrettable d'*écrire* les pages du matin au lieu de les *faire* simplement – qui éprouvent les pires difficultés à en voir l'impact. Ce qui serait seulement susceptible de se produire c'est que, soudain, leur autre écriture semble beaucoup plus expansive, plus libre et en quelque sorte facilitée. En bref, peu importe vos réserves ou votre profession, les pages du matin marcheront pour vous.

Timothy, millionnaire acariâtre conformiste et taciturne, a commencé ses pages du matin avec un mépris sceptique. Il ne voulait pas les faire sans avoir la preuve qu'elles marcheraient. Ces foutues pages n'avaient pas d'étiquette, pas de classement Dun & Bradstreet[1]. Elles avaient l'air franchement bête et Timothy avait horreur des choses bêtes.

Timothy était, en langage de la rue, un sacré joueur. Son visage impassible était si grave qu'il ressemblait à un tisonnier, portant plus qu'un simple masque de tricheur. Pour s'être entraîné pendant des années dans la salle de conférences du conseil d'administration, Timothy s'était forgé une façade impénétrable, aussi sombre, brillante et chère que l'acajou. Aucune émotion ne venait égratigner la calme apparence de cet homme. À lui seul, il était la personnification du monument érigé en l'honneur de la mystique du Masculin.

« Oh ! bien entendu… », Timothy était d'accord sur les pages, mais uniquement parce qu'il avait payé beaucoup d'argent pour qu'on lui dise de les faire. Au bout de trois semaines, tiré à quatre épingles et boutonné de haut en bas, il s'est transformé en avocat des pages du matin. Les résultats de son travail, grâce à ces pages, l'ont convaincu. Il a commencé – bon gré, mal gré – à éprouver un peu le plaisir de créer. « J'ai acheté des cor-

---

1. Classement des sociétés américaines. *(N.d.T.)*

des pour cette vieille guitare qui traînait », raconta-t-il une semaine. Et puis : « J'ai refait l'installation électrique de ma stéréo. J'ai acheté des enregistrements italiens merveilleux. » Bien qu'il eût du mal à se l'avouer, le blocage créatif de Timothy commençait à fondre. Debout à l'aube, il écrivait librement en écoutant des chants grégoriens.

Tout le monde n'entreprend pas les pages du matin avec une hostilité aussi claire. Phyllis, personnalité en vue de la haute société, cheval de course haut sur pattes qui, durant des années, avait caché son intelligence derrière sa beauté et sa vie derrière celle de son mari, a essayé les pages du matin dans la bonne humeur, mais persuadée qu'elles ne marcheraient pas pour elle. Cela faisait dix ans qu'elle ne s'était pas permis d'écrire, sauf des lettres et des listes pour les courses. Après un mois de pages du matin, issues apparemment de nulle part, Phyllis a rédigé son premier poème. Au cours des trois années où elle a utilisé les pages du matin, elle a écrit des poèmes, des discours, des émissions pour la radio et un livre.

Anton, renfrogné mais élégant dans l'utilisation des pages, réussit à débloquer son talent d'acteur. Laura, douée mais bloquée en tant qu'écrivain, peintre et musicienne, a trouvé que les pages du matin lui ont permis de reprendre son piano, sa machine à écrire et ses peintures.

« *Peindre, c'est une autre façon de tenir son journal.* »

Pablo Picasso.

« *L'expérience, même pour un peintre, n'est pas exclusivement visuelle.* »

Walter Meigs.

Peut-être vous engagerez-vous dans cette méthode en connaissant les blocages dont vous voulez vous défaire ; toutefois, il est possible que ces outils libèrent des zones créatives ignorées depuis longtemps ou dont l'existence vous était inconnue. En utilisant les pages du matin pour s'attaquer à ses blocages d'écriture, Ingeborg est passée de plus grande critique musicale d'Allemagne à compositeur pour la première fois depuis vingt ans. Elle en a été fort surprise.

Souvent, les étudiants qui, au départ, sont les plus récalcitrants aux pages du matin sont ceux qui finissent par les aimer le plus. En fait, haïr les pages du matin est un très bon signe. Les aimer est un bon signe aussi, si vous continuez à les écrire même lorsque vous ne les aimez plus. La troisième position : l'attitude neutre n'est, en fait, qu'une stratégie défensive pouvant masquer l'ennui.

L'ennui se camoufle sous la question : « À quoi ça sert ? » Et « À quoi ça sert ? » renvoie à la peur, signifiant que vous désespérez en votre for intérieur. Mettez donc vos peurs sur la page. Mettez n'importe quoi sur la page. *Mettez-en trois pages !*

2. Le rendez-vous avec l'artiste en soi

Vous serez peut-être étonné de l'autre outil de base des « chemins de la créativité » qui peut vous apparaître non pas comme un outil, mais comme une distraction. Même si l'efficience des pages du matin vous semble évidente, il est possible que vous émettiez des

> « *La plus puissante des muses, c'est notre enfant intérieur.* »
> **Stephen Nachmanovitch.**

doutes sérieux envers ce que j'appelle les « rendez-vous avec l'artiste ». Je vous rassure, ils marchent aussi.

Pensez à cette combinaison d'instruments comme si c'étaient des récepteurs et des émetteurs radio. C'est un processus en deux étapes et à deux directions : *vers l'extérieur* et ensuite *vers l'intérieur*. En faisant vos pages du matin, vous émettez – en exprimant, pour vous-même et pour l'univers – vos rêves, vos insatisfactions et vos espoirs. En prenant votre rendez-vous avec l'artiste, vous recevez – en vous ouvrant à la vision intérieure – à l'inspiration et aux conseils.

Mais au juste, qu'est-ce donc que le rendez-vous avec l'artiste ? C'est une plage de temps, par exemple deux heures hebdomadaires, spécialement réservée pour nourrir votre conscience créative et l'artiste que vous avez en vous. Le rendez-vous avec l'artiste est essentiellement une excursion, un moment de récréation que vous planifiez à l'avance et que vous défendez contre tous les intrus. Lors de ce rendez-vous, vous n'emmenez personne d'autre que vous et l'artiste que vous avez en vous, connu aussi sous le nom de l'*enfant créatif*. Cela signifie nul amant, nul ami, nulle épouse, nul enfant… nulle entrave d'aucune sorte. Si cela vous semble stupide ou si vous pensez que vous ne pourrez jamais vous permettre d'avoir le temps, considérez cette réaction comme de la résistance. Vous ne pouvez pas vous permettre de *ne pas* trouver du temps pour ces rendez-vous avec l'artiste.

« Passez-vous de bons moments ensemble ? » demande souvent le thérapeute à un couple en proie à des

---

« *À la hauteur du rire, l'univers est jeté dans un kaléidoscope de nouvelles possibilités.* »
Jean Houston.

---

difficultés. La même question est posée aux parents d'enfants perturbés.

— Eh bien... que voulez-vous dire par bons moments ? est l'habituelle réponse évasive. Nous passons beaucoup de temps ensemble, oui.

— Oui... mais est-ce que ce sont de *bons* moments ? Avez-vous du plaisir à être ensemble ? peut insister le thérapeute.

— Du plaisir ? (Qui a entendu parler de plaisir dans une relation aussi mauvaise que celle-ci ?)

— Est-ce que vous vous donnez des rendez-vous ? Juste pour parler, pour vous écouter l'un l'autre ?

— Des rendez-vous ? Mais nous sommes mariés, trop occupés, trop fauchés, trop...

— Trop effrayés, peut interrompre le thérapeute (eh ! n'adoucissez pas les choses !).

Il est angoissant de passer des bons moments avec un enfant ou un amant, et l'artiste que nous avons en nous peut nous apparaître à la fois comme un enfant ou comme un amant. Un rendez-vous hebdomadaire avec l'artiste est terriblement effrayant... et remarquablement productif.

Un rendez-vous ? Avec *mon* artiste.

Oui, l'artiste en vous a besoin de sortir, d'être choyé, d'être écouté. Il y a autant de façons d'échapper à cet engagement qu'il y a de jours dans votre vie. « Je suis trop fauché » est l'une des excuses les plus courantes, bien que personne ne vous ait dit que ce rendez-vous allait être très onéreux.

Votre artiste est un enfant. Le temps passé avec un parent a plus de poids que l'argent dépensé par celui-ci pour l'enfant en question. Une visite à une superbe brocante, un voyage en solitaire à la plage, un vieux film regardé seul et ensemble, une visite à un aquarium, à une galerie d'art... cela prend du temps mais n'est pas onéreux. Souvenez-vous, *c'est l'engagement de s'accorder du temps qui est sacré.*

Pour faire une comparaison, pensez à un enfant du divorce qui ne voit le parent aimé que les week-ends (pendant la plus grande partie de la semaine, l'artiste qui est en vous est sous la surveillance d'un adulte, sérieux et travailleur). Ce que veut cet enfant, c'est de l'attention et non pas des sorties coûteuses. Cet enfant ne veut pas partager le parent précieux avec quelqu'un comme le nouveau partenaire.

Passer du temps seul à seul avec votre artiste enfant est essentiel pour l'*autonourrissage*. Une longue promenade dans la campagne, une expédition solitaire à la plage pour un lever ou un coucher de soleil, une visite à une église étrange pour écouter des negro spirituals ou une promenade dans un quartier d'ethnie différente pour goûter au plaisir d'un spectacle et d'odeurs qui vous sont étrangers… votre artiste en vous pourrait apprécier tout cela. Ou votre artiste intérieur pourrait aimer jouer au bowling ?

Engagez-vous à avoir un rendez-vous hebdomadaire avec l'artiste qui est en vous, et essayez de faire attention à votre côté rabat-joie qui essaie de s'en dégager. Examinez comment ce temps sacré s'agrippe à vous. Soyez vigilant à toute irruption soudaine d'un tiers. Apprenez à vous protéger de ces invasions.

Mais surtout, apprenez à écouter ce que l'enfant artiste a à dire sur les expéditions que vous faites ensem-

---

« La création de quelque chose de nouveau n'est pas accomplie par l'intellect, mais par l'instinct du jeu qui surgit de nos nécessités intérieures. L'esprit créatif joue avec l'objet de son amour. »
Carl Gustav Jung.

ble. Par exemple : « Oh ! je déteste ce truc sérieux !... » si vous persistez à l'emmener uniquement dans des endroits d'adultes qui sont pour lui édifiants et bons sur le plan culturel.

Écoutez ça ! Il vous dit que votre art a besoin d'apports plus ludiques. Vous divertir peut vous conduire à prendre votre travail davantage comme un jeu. Nous oublions que *jouer avec son imagination est au centre de tout bon travail*. Et justement, le propos de ce livre est d'augmenter nos capacités à fournir du bon travail créatif.

Il y a de fortes chances pour que vous oubliiez vos rendez-vous avec l'artiste. Comprenez cette résistance comme une peur de l'intimité, de votre propre intimité. Souvent, dans nos relations perturbées, nous nous enfonçons dans un *schéma d'évitement* avec notre entourage. Nous ne voulons pas entendre ce qu'il pense parce que cela peut tout simplement nous blesser. Donc, nous les évitons, tout en sachant que, dès qu'ils en auront l'occasion, nos proches vont sans doute laisser échapper quelque chose que nous ne voulons pas entendre. Il se peut qu'ils veuillent une réponse que nous n'avons pas et que nous ne pouvons leur donner. Il est possible aussi que nous puissions leur rendre la pareille et, alors, chacun de nous dévisagera l'autre avec étonnement, disant : « Mais, je ne savais pas que tu ressentais ça ! »

Il est probable que ces révélations que l'on se fait à soi-même, si effrayantes qu'elles puissent paraître, conduiront à la construction d'une relation authentique, une relation où les participants sont libres d'être ce qu'ils sont et de devenir ce qu'ils désirent. C'est cette possibilité qui rend profitables les risques dus à la révélation que l'on se fait à soi-même et à cette intimité authentique. Afin d'avoir une relation authentique avec notre créativité, nous devons prendre le temps et le soin de la cultiver. Notre créativité va utiliser ce temps pour nous faire face, nous faire confiance, prendre des engagements envers nous et faire des projets.

Les pages du matin nous permettent d'entrer en contact avec ce que nous pensons et avec ce dont nous pensons avoir besoin. Nous identifions des zones à problèmes et des préoccupations. Nous nous plaignons, nous énumérons, identifions, isolons, nous tourmentons… C'est une première étape, analogue à celle de la prière. Par la libération engendrée par le rendez-vous avec l'artiste – qui est la seconde étape –, nous commençons à entrevoir des solutions. Voici un autre point aussi important peut-être : nous commençons à alimenter les réserves créatrices où nous allons puiser pour réaliser notre côté art.

3. Remplir le puits, peupler la mare

L'art est un système qui fait appel à des images. Pour créer, nous utilisons les ressources de notre « puits intérieur ». Ce puits intérieur, ce réservoir artistique ressemble, dans l'idéal, à une mare où abondent les truites. Nous avons du gros poisson, du petit poisson, du poisson gras, maigre – une abondance de poisson artistique à faire frire. En tant qu'artiste, il nous faut pren-

---

« Tous les enfants sont des artistes. Le problème, c'est de rester artiste, une fois adulte. »
Pablo Picasso.

« Pendant les périodes de relation faisant suite à une activité intellectuelle concentrée, l'esprit intuitif semble prendre le dessus et peut produire soudainement des "insights" de clarté, ce qui donne tant de joie et de plaisir. »
Fritjof Capra (physicien).

dre conscience que nous devons entretenir cet écosystème artistique. Si nous ne restons pas vigilants, notre puits peut se dépeupler, stagner ou s'obstruer.

Si nous travaillons pendant longtemps, nous nous alimentons énormément de notre puits artistique. Surexploiter le puits ou trop pêcher dans la mare diminue nos ressources. Nous pêchons, en vain, les images dont nous avons besoin. Notre travail se dessèche et nous nous demandons pourquoi, « précisément quand cela allait si bien ». La vérité est que le travail peut devenir sec parce que cela va si bien.

En tant qu'artiste, nous devons apprendre à nous nourrir nous-mêmes, à devenir assez diligents pour approvisionner consciencieusement nos ressources créatives au fur et à mesure que nous les exploitons… pour repeupler la mare aux truites, pour ainsi dire. J'appelle ce processus « remplir le puits ».

Remplir le puits implique la recherche active d'images pour rafraîchir notre réservoir artistique. L'art naît de l'attention, son accoucheuse est le détail. L'art semble surgir de la douleur, mais peut-être est-ce parce que la douleur permet de focaliser l'attention sur des détails

> « *Le Moi plus jeune – qui peut être aussi récalcitrant et têtu que le plus acariâtre des enfants de trois ans – n'est pas impressionné par les mots. Comme une personne originaire du Missouri, il veut être montré. Pour susciter son intérêt, nous devons le séduire avec de jolies images et des sensations agréables, l'inviter à dîner et à danser comme il se doit. Ce n'est qu'ainsi que le Moi profond peut être atteint.* »
>
> **Starhawk (théologien).**

(par exemple, la courbure atrocement belle du cou d'un amant perdu). L'art peut sembler impliquer d'amples mouvements, de grands projets, de vastes plans. Mais c'est l'attention au détail qui demeure le lot quotidien ; l'image singulière, c'est ce qui nous hante et qui devient art. Même en pleine douleur, l'image singulière est source de délectation. L'artiste qui vous dit le contraire ment.

Afin d'utiliser le langage de l'art, nous devons apprendre à l'employer avec aisance. Le langage de l'art est image, symbole. C'est un langage sans mots, même si l'art que nous pratiquons est celui de capturer les mots. Le langage de l'artiste est un langage sensuel, le langage de l'expérience vécue. Quand nous travaillons à notre art, nous plongeons dans le puits de notre expérience et recueillons des images. C'est pourquoi il faut apprendre à y remettre des images. Comment remplir ce puits ?

Nous l'alimentons d'images. L'art est une chasse du cerveau artiste. Ce cerveau artiste est un cerveau d'images, la maison et le havre de nos meilleures impulsions créatrices. Le cerveau artiste ne peut être atteint – ou activé – de manière efficace par des mots seuls. Le cerveau artiste est le cerveau sensoriel : vue et ouïe, goût et odorat, toucher. Voilà les éléments du magique, et le magique constitue l'ingrédient élémentaire de l'art.

En remplissant le puits, pensez *magique*. Pensez *délice*. Pensez *divertissement*. Ne pensez pas devoir. Ne faites pas ce que vous *devriez faire* : rester assis en quête de spiritualité en lisant un texte de critique, ennuyeux

> « *Personne ne voit les fleurs – vraiment – elles sont trop petites et cela prend du temps – nous n'avons pas le temps – et voir prend du temps, comme avoir un ami prend du temps.* »
> **Georgia O'Keeffe.**

mais recommandé. Faites ce qui vous intrigue, explorez ce qui vous intéresse ; pensez mystère et non maîtrise.

Un mystère nous attire, nous conduit, nous séduit (un devoir nous engourdit, nous dégoûte, nous déséquilibre). En remplissant le puits, laissez-vous guider par votre sens du mystère et non par l'idée que vous devriez en savoir plus sur tel ou tel sujet. Un mystère peut être très simple : si j'emprunte cette route au lieu de ma route habituelle, que vais-je trouver ? Quitter une route connue nous confronte au présent. Nous devons recentrer notre attention sur le monde visible, visuel. La vue mène à la vision intérieure.

Un mystère peut même être plus simple que ça : si j'allume ce bâton d'encens, que vais-je ressentir ? Les senteurs permettent souvent des associations puissantes et la guérison. L'odeur de Noël à n'importe quel moment de l'année – ou l'odeur du pain frais ou d'une soupe maison – peut nourrir l'artiste qui se sent affamé intérieurement.

Certains sons nous bercent, d'autres nous stimulent. Écouter pendant dix minutes de la bonne musique peut constituer une méditation très efficace. Danser pieds nus pendant cinq minutes au rythme des tambours peut relancer notre artiste, tout frais, dans la bagarre.

Remplir le puits ne signifie pas nécessairement que tout doit être nouveau. Cuisiner peut remplir le puits. Quand nous épluchons et coupons les légumes, nous en faisons de même avec nos pensées. Souvenez-vous :

« *Vous voyez donc, l'imagination a besoin d'une longue oisiveté, inefficace et heureuse, de flâneries et de vie tranquille.* »

Brenda Ueland.

---

l'art est une recherche du cerveau artiste. L'intelligence peut être atteinte par le rythme – par la rime et non par la raison. Gratter une carotte, peler une pomme, ces actions sont, au sens littéral du terme, de la nourriture pour les pensées.

Toute action régulière et répétitive peut amorcer le puits. Les écrivains ont entendu beaucoup d'histoires malheureuses sur les sœurs Brontë et sur la pauvre Jane Austen qui se voyaient obligées de cacher leurs nouvelles dans la corbeille à couture. Faire un peu de raccommodage peut jeter une lumière tout à fait nouvelle sur ces activités. Le travail d'aiguille, régulier et répétitif par définition, à la fois adoucit et stimule notre artiste intérieur. Des intrigues entières peuvent être brodées tout en cousant. En tant qu'artiste, nous pouvons, au sens propre, récolter ce que nous semons[1]. « Pourquoi est-ce que les meilleures idées me viennent quand je suis sous la douche ? » dit-on à propos d'un Einstein exaspéré qui l'avait remarqué lui-même. Les recherches actuelles sur le cerveau nous disent que c'est ainsi parce que se doucher est une activité du cerveau artiste.

Se doucher, nager, frotter, se raser, conduire une voiture sont des activités régulières et répétitives qui peuvent nous faire passer de notre cerveau logique à notre cerveau artiste, plus créatif. Il se peut que des solutions à des problèmes de création très épineux apparaissent comme les bulles dans l'eau de vaisselle, émergent alors que nous sommes sur la voie express en train de faire une insertion difficile dans le flot des véhicules.

Apprenez à connaître quels sont les travaux qui vous conviennent le mieux et utilisez-les. Beaucoup d'artistes ont jugé très utile d'avoir toujours à portée de main

---

1. Le jeu de mots se perd en français, *sewn* : « cousu » ; *sown* : « semé ». *(N.d.T.)*

un bloc-notes ou un magnétophone lorsqu'ils conduisent. Steven Spielberg clame que ses meilleures idées lui sont venues en conduisant sur les autoroutes. Ce n'est pas par hasard. Au milieu de la circulation, il est un artiste immergé dans un flux d'images venant à sa rencontre et sans cesse en mouvement. Les images activent le cerveau artiste. Les images remplissent le puits.

Notre attention focalisée est essentielle pour remplir le puits. Nous devons nous confronter aux expériences de notre vie et non pas les ignorer. Nombre d'entre nous lisent de manière compulsive pour faire écran à notre prise de conscience. Dans un train bondé (intéressant), nous canalisons notre attention sur un journal, perdant ainsi le spectacle visuel et sonore qui nous entoure, autant d'images pour le puits.

« Blocage de l'artiste » est une expression tout à fait littérale. On doit prendre conscience des barrières et les faire sauter. Remplir le puits est la façon la plus sûre d'y parvenir.

L'art, c'est l'imagination à l'œuvre dans le domaine du temps. Jouez.

4. Le contrat de créativité

Quand j'enseigne « les chemins de la créativité », je demande aux étudiants de passer un contrat avec eux-mêmes en s'engageant à faire le travail du cours. Pouvez-vous vous offrir ce cadeau ? Dites oui dans le

> « *Le vrai mystère du monde, c'est le visible, non l'invisible.* »
>
> **Oscar Wilde.**

cadre d'une petite cérémonie. Achetez un joli cahier pour vos pages du matin ; prévenez la baby-sitter à l'avance pour vos rendez-vous avec l'artiste. Lisez le contrat ci-après. Modifiez-le si vous le souhaitez ; ensuite, datez et signez. Consultez-le à nouveau lorsque vous avez besoin d'encouragement pour continuer.

<u>CONTRAT</u>

Moi, ..., je suis conscient que je m'achemine vers une rencontre intense et guidée avec ma propre créativité. Je m'engage pour les douze semaines que dure cette méthode. Je m'engage à une lecture hebdomadaire, à faire mes pages chaque matin, à un rendez-vous hebdomadaire avec l'artiste, et à exécuter les devoirs de chaque semaine.

Moi, ..., je comprends par ailleurs que cette méthode soulèvera en moi des problèmes et des émotions que je devrai gérer. Je m'engage à prendre excessivement soin de moi : sommeil, régime, exercice, chouchoutages adaptés... pendant toute la durée de ce cours.

(Signature)

(Date)

« En vous, il y a un artiste que vous ne connaissez pas... Dites vite oui, si vous savez, si vous le connaissez d'avant le commencement de l'univers. »

Jalai Ud-Din Rumi.

SEMAINE 1

Retrouver le sentiment de sécurité

A *U cours de cette semaine, vous allez démarrer la reconquête de votre créativité. Vous pourrez vous sentir à la fois saisi de vertige et rebelle, plein d'espoir et sceptique. Les lectures, les devoirs et les exercices ont pour but de vous permettre de conquérir un sentiment de sécurité, ce qui vous donnera la possibilité d'explorer votre créativité avec moins de crainte.*

1. Les « artistes fantômes »

Un de nos besoins primordiaux, en tant que créateur, c'est le soutien. Il peut, malheureusement, être très difficile à obtenir. L'idéal serait d'abord d'être materné, encouragé par la famille nucléaire et ensuite par le cercle sans cesse élargi des amis, des professeurs et de tous ceux qui nous veulent du bien. Les jeunes artistes ont besoin et désirent être reconnus pour leurs tentatives et leurs efforts, de même que pour leurs réalisations et leurs triomphes. Malheureusement, nombreux sont ceux qui ne reçoivent jamais ces premiers encouragements si vitaux. Par conséquent, peut-être ignorent-ils tout simplement qu'ils sont artistes.

Les parents répondent très rarement : « Essaie et tu verras bien ce qui arrivera » aux désirs artistiques formulés par leurs enfants. Ils donnent des conseils de mise en garde à un moment où il serait plus judicieux de les soutenir. De jeunes artistes timides, qui ajoutent à leurs propres peurs celles de leurs parents, abandonnent souvent leurs rêves ensoleillés de carrières artistiques, s'installant dans le monde crépusculaire des regrets. C'est là, pris entre le rêve d'agir et la peur d'échouer, que naissent les « artistes fantômes ».

Je pense ici à Edwin, un misérable millionnaire, opérateur en Bourse, qui tirait sa joie de vivre de sa collection d'art. Extrêmement doué pour les arts visuels, il a été contraint, enfant, de se diriger vers la finance. Son père lui avait acheté une charge à la Bourse pour son vingt et unième anniversaire. Il est agent de change depuis lors. Ayant actuellement la trentaine, il est très riche et très pauvre. L'argent ne peut lui acheter la réalisation de soi sur le plan artistique.

S'entourant d'artistes et d'objets d'art, il se trouve dans la même position que l'enfant qui colle son visage contre la vitrine du marchand de bonbons. Il aimerait être plus créatif, mais croit que c'est la prérogative des autres et non pas quelque chose à quoi il pourrait lui-même aspirer. Homme généreux, il a récemment offert à une artiste de payer ses frais pendant un an pour qu'elle puisse poursuivre ses rêves. Élevé dans l'idée que

> « *Sur le plan psychologique il n'existe pas d'influence plus puissante sur l'entourage et plus particulièrement sur les enfants que la vie non vécue des parents.* »
> **Carl Gustav Jung.**

le terme « artiste » ne pouvait s'appliquer à lui, il ne peut se faire le même cadeau.

Edwin n'est pas un cas isolé. Bien trop souvent, les désirs artistiques de l'enfant artiste sont ignorés ou étouffés. Souvent avec les meilleures intentions, les parents essaient de forger une personnalité différente, plus raisonnable pour leur enfant : « Arrête de rêver ! » est une réprimande fréquemment entendue. « Tu ne feras jamais rien si tu continues à avoir la tête dans les nuages » est un autre avertissement.

Les bébés artistes sont contraints à penser et à agir comme des bébés docteurs ou des bébés avocats. Rares sont les familles qui, généralement confrontées au mythe de l'artiste qui meurt de faim, encouragent leurs enfants à tenter une carrière artistique. S'il arrive que les enfants soient encouragés, ils se voient plutôt contraints d'envisager la pratique de l'art sous l'angle du hobby, du halo créatif autour des bords de la vie réelle.

Pour de nombreuses familles, une carrière artistique ne peut exister qu'en dehors de la réalité socio-économique : « L'art ne va pas payer tes notes d'électricité ! » Par conséquent, si l'enfant est encouragé à considérer l'art selon des termes professionnels, il ou elle doit l'envisager *de façon sensée*.

Ce ne fut que lorsqu'elle eut la trentaine qu'Erin, excellente thérapeute pour enfants, commença à éprouver de façon obsédante un sentiment de mécontentement dans son travail. Ne sachant pas quelle direction prendre, elle se mit à adapter à l'écran un livre pour enfants. À mi-chemin dans son adaptation, elle eut soudain une vision évocatrice de l'artiste enfant qu'elle avait abandonné. Avant de devenir thérapeute, elle avait été une étudiante brillante aux Beaux-Arts. Pendant vingt ans, elle avait tu son besoin de créer, mettant toute son énergie créatrice dans l'aide qu'elle pouvait apporter aux autres. Maintenant, proche de la quarantaine, elle avait hâte de s'aider elle-même.

L'histoire d'Erin est vraiment trop courante. Il est possible que les artistes en herbe soient encouragés à devenir des professeurs d'art ou à se spécialiser dans des techniques artisanales pour travailler avec les handicapés. De jeunes écrivains peuvent être poussés vers une profession d'avocat, de parleur verveux, ou vers la médecine parce qu'ils sont très intelligents. Ainsi, l'enfant qui est lui-même un conteur-né se voit-il transformé en un thérapeute doué qui obtient ses histoires d'occasion.

Trop intimidées pour devenir artistes elles-mêmes, ayant trop souvent une trop mauvaise image d'elles-mêmes pour simplement reconnaître qu'elles ont un rêve artistique, ces personnes se transforment en « artistes fantômes ». Eux-mêmes artistes, mais ignorant leur véritable identité, les artistes fantômes finissent par s'assujettir aux artistes reconnus. Incapables de se rendre compte que, eux aussi, ils ont la possibilité d'avoir en eux la créativité qu'ils admirent tant, ils choisissent souvent comme partenaire ou épousent des personnes qui poursuivent activement la carrière artistique qu'ils désiraient ardemment pour eux-mêmes.

Quand Jerry était toujours un artiste bloqué, il a rencontré Lisa, une artiste douée, mais fauchée. « Je suis ton plus grand admirateur », lui disait-il souvent. Ce

> *« Je crois que s'il était laissé aux artistes le soin de choisir leurs propres labels, la plupart n'en choisiraient aucun. »*
> **Ben Shahn.**

qu'il ne lui a pas dit immédiatement, c'est qu'il rêvait lui-même d'être cinéaste. Il possédait, en fait, une bibliothèque remplie de livres sur le cinéma et dévorait avidement toutes les revues ayant trait à la mise en scène. Mais il avait peur de concrétiser son intérêt. À la place, il s'intéressa à Lisa et consacra beaucoup de temps à sa carrière qui, sous ses conseils, se mit à prospérer. Elle devint solvable et de plus en plus connue. Jerry, lui, resta bloqué. Quand Lisa lui suggéra de suivre une formation de metteur en scène, il se dépêcha de se protéger : « Tout le monde ne peut pas devenir artiste », dit-il à Lisa – et à lui-même.

Les artistes aiment les autres artistes. Les artistes fantômes gravitent autour de leur tribu légitime et, pourtant, ne peuvent revendiquer leur droit de naissance. Très souvent, c'est l'audace et non le talent, qui fait d'une personne un artiste et d'une autre un artiste fantôme – se cachant dans l'ombre, effrayée d'exposer son rêve à la lumière du jour, de peur qu'il ne se désagrège.

Les artistes fantômes choisissent souvent des carrières fantômes – celles qui sont proches de l'art désiré, parfois parallèles, et non l'art en lui-même. Remarquant leur venin, François Truffaut prétendait que les critiques étaient eux-mêmes des réalisateurs bloqués, comme lui-même l'avait été lorsqu'il était critique de cinéma. Il est possible qu'il ait raison. Les écrivains qui se destinaient à la fiction se lancent souvent dans le journalisme ou la publicité, domaines où ils peuvent exploiter leurs dons sans plonger dans la carrière dont ils avaient rêvé : celle d'écrire des romans. Ceux qui avaient projeté d'être artistes peuvent devenir managers

> « *On nous a fait croire que le négatif équivaut au réaliste et le positif à l'irréaliste.* »
> **Susan Jeffers.**

d'artistes et dériver une grande partie de leurs plaisirs secondaires au service de leurs rêves, même si ce n'est qu'au second plan.

Carolyn, photographe pleine de talent, a réussi professionnellement en représentant un autre photographe, mais elle n'a pas eu une carrière très heureuse. Jean, qui aspirait à écrire des longs métrages, a écrit des minifilms dans des spots commerciaux de trente-deux secondes. Kelly, qui voulait être écrivain, mais qui craignait de prendre sa créativité au sérieux, a mené une carrière rentable en promouvant des personnes « vraiment » créatives. Tous ces artistes fantômes ressentaient le besoin de se placer eux-mêmes et leurs rêves au centre de la scène. Ils le savaient, mais n'osaient pas. Ils avaient été élevés pour jouer le rôle d'artistes fantômes et devraient délibérément travailler pour s'en défaire.

Il faut une personnalité très forte et beaucoup de courage pour dire à un parent certes bien intentionné mais dominateur, ou tout simplement à un parent qui n'est que dominateur : « Attends une minute ! Je suis aussi artiste ! » Ce parent donnera peut-être une réponse redoutable : « Comment le sais-tu ? » Et bien sûr, l'artiste novice ne sait pas. Il y a juste ce rêve, ce sentiment, ce besoin, ce désir, rarement des preuves concrètes, mais le rêve continue à vivre.

En règle générale, les artistes fantômes portent un jugement sévère sur eux-mêmes, se martyrisent pendant des années pour ne pas avoir agi selon leurs rêves. Cette cruauté ne fait que renforcer leur statut d'artistes

> « *Ne pleure pas ; ne deviens pas indigne. Comprends.* »
>
> **Baruch Spinoza.**

fantômes. Ayez toujours ceci à l'esprit : *un artiste a besoin d'être nourri.* Les artistes fantômes n'ont pas suffisamment été maternés. De toute façon, ils se reprochent d'avoir été timorés.

Selon une version déformée du déterminisme darwinien, il est dit que les vrais artistes peuvent survivre aux environnements les plus hostiles et, cependant, trouver leur véritable vocation comme les pigeons voyageurs. Ce sont des foutaises. Un grand nombre de véritables artistes ont trop d'enfants ou les ont trop tôt, sont trop pauvres ou trop éloignés (soit culturellement, soit financièrement) d'une opportunité artistique pour devenir les artistes qu'ils sont réellement. Ces artistes, artistes fantômes bien qu'ils n'y soient pour rien, entendent le bip-bip distant du rêve, mais sont incapables de trouver leur chemin dans le labyrinthe culturel.

Pour tous les artistes fantômes, la vie peut être une expérience frustrante, laissant le sentiment de n'être pas arrivés au but et de n'avoir pas honoré leurs promesses. Ils veulent écrire. Ils veulent peindre. Ils veulent être comédiens, faire de la musique, danser... mais ils ont peur de se prendre au sérieux.

Afin de passer du royaume des ombres à la lumière de la créativité, les artistes fantômes doivent apprendre à se prendre au sérieux. Grâce à des efforts doux et délibérés, ils doivent nourrir leur artiste enfant. La créativité est un jeu mais, pour les artistes fantômes, s'autoriser à jouer est une tâche ardue.

2. Protéger notre enfant artiste intérieur

Souvenez-vous : *votre artiste est un enfant.* Trouvez cet enfant et protégez-le. Apprendre à créer, c'est comme apprendre à marcher. L'enfant artiste doit commencer par ramper. Ensuite viendront les pas de bébé, puis les premières chutes... des premières peintures dégoûtantes, des débuts de films qui ressemblent à des films familiaux, des premiers poèmes qui ne sont pas dignes d'une carte de félicitations. De façon typique, l'artiste fantôme qui reconquiert sa créativité se servira de ces premiers efforts comme prétexte pour ne pas aller plus loin.

Juger les premiers efforts artistiques, exposer les premiers travaux à une critique prématurée, les montrer à des amis trop sévères, c'est infliger un mauvais traitement à l'artiste. Cela est très fréquent : le travail du débutant est évalué en fonction des chefs-d'œuvre des autres artistes. En bref, l'artiste novice est guidé par un masochisme qu'il sait bien pratiquer. Le masochisme est une forme d'art que l'on maîtrise depuis longtemps, que l'on perfectionne au fil des années en s'adressant des reproches. Avec cette habitude, l'artiste fantôme se matraque avec la haine qu'il a de lui-même et s'enfonce dans l'ombre.

Il est nécessaire d'avancer doucement et lentement lorsque nous nous libérons de nos blocages créatifs. À ce stade-là, nous venons de panser nos anciennes blessures ; il ne faut donc pas en créer de nouvelles. Pas de saut en hauteur s'il vous plaît ! Les erreurs sont nécessaires ! Il est normal de trébucher. Ce sont des pas

« *Pour vivre une vie créative, il ne faut plus craindre d'avoir tort.* »

Joseph Chilton Pearce.

« *Quand vous vous sentez dévalorisé, en colère ou vidé, c'est le signe que les autres ne sont pas réceptifs à votre énergie.* »

Sanaya Roman.

de bébé. Ce que nous devons exiger de nous-mêmes, c'est faire des progrès et non atteindre la perfection.

Trop loin, trop vite et nous pouvons nous détruire. Reconquérir sa créativité, c'est comme s'entraîner pour le marathon. Pour chaque kilomètre effectué rapidement, nous voulons enregistrer dix kilomètres parcourus lentement. Cela peut aller à l'encontre de la nature de notre ego. Nous voulons être géniaux – immédiatement – mais ce n'est pas ainsi que marche la reconquête. Il s'agit d'une tentative maladroite, et même d'un processus embarrassant. À maintes reprises nous ne paraîtrons pas bons – ni à nous-mêmes, ni à quiconque. Il faut arrêter d'avoir cette exigence. Il est impossible de guérir et, en même temps, de paraître bon.

Ayez ceci présent à l'esprit : pour retrouver sa créativité, il faut avoir la volonté d'accepter d'être un mauvais artiste. Donnez-vous la permission d'être un débutant. En acceptant d'être un mauvais artiste, vous avez une chance de *devenir* un artiste et, peut-être avec du temps, un très bon artiste. Quand je traite ce point en cours, je rencontre immédiatement une hostilité défensive : « Mais savez-vous quel âge j'aurai quand je saurai vraiment jouer du piano/jouer/peindre/écrire une pièce de théâtre décente ? »

Oui... vous aurez le même âge que si vous ne le faites pas.

Donc, commencez.

> « *Peindre, c'est un moyen de comprendre la vie. Il y a autant de solutions que d'êtres humains.* »
> **George Tooker.**

3. Votre ennemi intérieur :
convictions négatives élémentaires

La plupart du temps, nous restons bloqués dans un domaine de notre vie parce que c'est plus sécurisant ainsi. Peut-être ne sommes-nous pas heureux, mais au moins nous savons ce que nous sommes : malheureux. La peur que nous ressentons face à notre créativité réside essentiellement dans la peur de l'inconnu.

Si je suis pleinement créatif, cela signifiera quoi ? Que m'arrivera-t-il à moi, ainsi qu'aux autres ? Nous avons des idées tout à fait horribles sur ce qui *pourrait* nous arriver. Donc, au lieu de le dévoiler, nous décidons de rester bloqués. C'est rarement une décision consciente. Il s'agit plus souvent d'une réponse inconsciente à des convictions négatives intériorisées. Au cours de cette semaine, nous allons travailler sur nos convictions négatives pour en prendre conscience et les ébranler.

Voici une liste de convictions négatives communément reconnues :

> *Je ne peux pas être un artiste créateur, fécond et couronné de succès parce que...*

... tout le monde me haïrait.
... je blesserais ma famille et mes amis.
... je deviendrais fou (folle).
... j'abandonnerais mes amis et ma famille.
... je fais des fautes d'orthographe.
... je n'ai pas d'assez bonnes idées.
... je contrarierais ma mère et/ou mon père.
... je devrais être seul(e).
... je vais me sentir trop en colère.
... je vais découvrir que je suis homosexuel(le) (dans le cas d'hétérosexualité).

... je vais devenir hétérosexuel(le) (dans le cas d'homosexualité).

... je vais faire du mauvais travail, ne pas m'en rendre compte et avoir l'air d'un(e) imbécile.

... je n'aurai jamais vraiment d'argent.

... je vais m'autodétruire, boire, me droguer ou m'adonner au sexe à mort.

... je vais avoir le cancer, le sida... ou une crise cardiaque ou la peste.

... mon compagnon (ma compagne) va me quitter.

... je vais mourir.

... je vais me sentir mal parce que je ne mérite pas le succès.

... je n'aurai en moi qu'une seule bonne œuvre.

... c'est trop tard. Si je ne suis pas encore devenu(e) un artiste pleinement opérant, je ne le deviendrai jamais.

Aucune de ces idées principales négatives n'est forcément vraie. Elles nous viennent de nos parents, de notre religion, de notre culture et de nos amis craintifs. Chacune de ces convictions renvoie aux idées que nous nous faisons sur la signification de l'artiste.

Une fois écartées les idées négatives culturelles les plus radicales, il est possible que nous ayons encore, obstinément, des idées négatives élémentaires héritées de nos familles, de nos professeurs et de nos amis. Celles-ci sont souvent plus subtiles – mais peuvent être tout aussi dévastatrices si nous ne les affrontons pas. Notre propos, ici, est de les affronter.

Les convictions négatives ne sont que des convictions et non des faits. La terre n'a jamais été plate, malgré la conviction de chacun. Vous n'êtes pas une personne stupide, folle, égocentrique, grandiose, ou bête, simplement parce que vous croyez – à tort – que vous l'êtes.

Vous êtes effrayé et les idées négatives vous maintiennent dans cette peur. Ce qui est le plus important, c'est que les idées négatives élémentaires – personnelles et culturelles – essaient toujours de vous porter un coup fatal. Elles attaquent votre sexualité, votre amabilité, votre intelligence – quel que soit le point vulnérable qu'elles recherchent.

Voici quelques convictions négatives et leurs alternatives positives :

Convictions négatives :	**Alternatives positives :**
Un artiste est :	*Un artiste peut être :*
alcoolique	sobre
fou	sain d'esprit
fauché	solvable
irresponsable	responsable
solitaire	convivial
instable	fidèle
condamné	épargné
malheureux	heureux
né ainsi, ne le devient pas	découvert et reconstruit

Par exemple, chez une artiste, le cliché de l'artiste qui a de nombreux partenaires sexuels peut avoir un impact négatif sur le plan personnel : « Aucun homme ne m'aimera si je suis une artiste. Les artistes sont soit célibataires, soit homosexuelles. » Cette idée négative, inculquée par une mère ou un professeur et mal comprise par la jeune artiste, peut provoquer un profond blocage.

De façon similaire, il est possible qu'un jeune artiste ait les opinions négatives suivantes : « Les artistes sont soit homosexuels, soit impuissants. » Cette idée, émanant d'un professeur ou d'une trop grande lecture de Fitzgerald et d'Hemingway, peut à nouveau créer un blocage. Qui voudrait présenter un dysfonctionnement sexuel ?

Un artiste homosexuel peut interpréter différemment : « Seul l'art hétérosexuel est vraiment acceptable, donc pourquoi pratiquer un art que je devrais déguiser, ou pourquoi devrais-je sortir de l'anonymat, que je le veuille ou non ? »

Mises à nu, nos multiples convictions négatives révèlent une conviction négative centrale : nous devons échanger un beau rêve chéri contre un autre. En d'autres termes, si être un artiste vous semble trop beau pour être vrai, vous allez pour cela fixer un prix qui vous sera impossible à payer. Par conséquent, vous allez rester bloqué.

La plupart des créateurs bloqués, sans en avoir conscience, sont confrontés à un dilemme dans leur raisonnement, qui se dresse entre eux et leur travail. Pour se défaire de ses blocages, il faut parvenir à identifier cette façon de penser par alternatives : « Je peux être *soit* romantique heureux, *soit* artiste. Je peux *soit* réussir financièrement, *soit* être artiste. » Il est possible, tout à fait possible, d'être à la fois un artiste et de réussir une vie romantique. Il est tout à fait possible d'être à la fois un artiste et de réussir sur le plan financier.

Votre blocage vous empêche de le voir. Tout votre plan d'attaque contre votre blocage consiste à vous effrayer de manière irrationnelle face à un résultat terrible qui vous embarrasse trop, même si vous ne faites

« *Je ne peux croire que l'univers inscrutable tourne autour d'un axe de souffrance ; sûrement, l'étrange beauté du monde doit quelque part reposer sur la joie pure !* »

Louise Bogan.

que l'envisager. Sur le plan rationnel, vous savez qu'il ne faut pas, uniquement par peur stupide, remettre à plus tard l'écriture ou la peinture, mais justement parce qu'il s'agit d'une peur stupide, vous ne la dévoilez pas et le blocage reste intact. Dans le même ordre d'idées, la constatation selon laquelle « vous faites des fautes d'orthographe » élimine avec succès tous les programmes informatisés vérifiant l'orthographe. Vous *savez* qu'il est stupide de s'inquiéter pour l'orthographe… donc vous n'y songez pas. Et puisque vous ne le faites pas, cela continue à vous bloquer et vous empêche de trouver une solution (la peur de faire des fautes d'orthographe est un blocage relativement courant).

Dans la deuxième partie de cette semaine, nous allons approfondir nos convictions inconscientes en ayant recours à quelques astuces d'apprentissage concernant le cerveau logique et le cerveau artiste. Cela pourra vous paraître une chose artificielle et non productive. À nouveau, il s'agit d'une résistance. Si la négativité intériorisée constitue votre ennemi, ce qui suit est un dispositif de guerre très efficace. Essayez-le avant de vous en débarrasser.

4. L'allié qui est en vous : armes affirmatives

En tant qu'artistes bloqués, nous restons souvent sur la touche pour critiquer ceux qui sont en train de jouer. Nous dirons peut-être d'un artiste actuellement en vogue : « Il a beaucoup de talent », et nous aurons peut-être tout à fait raison. Trop souvent, c'est l'audace et non le talent qui conduit l'artiste sur le devant de la scène. En tant qu'artistes bloqués, nous avons tendance à considérer ces arrivistes avec beaucoup d'animosité. Peut-être sommes-nous capables de nous incliner devant le génie authentique, mais si le génie que nous voyons ne sert qu'à sa propre promotion, notre ressentiment peut être important. Ce n'est pas uniquement de la jalousie. C'est une technique de perte de vitesse qui renforce notre immobilité. Nous nous tenons des discours et les tenons aussi à d'autres victimes bien disposées : « Je pourrais faire ça mieux, si seulement... »

Vous pourriez le faire mieux si seulement *vous vous autorisiez à le faire* !

Les affirmations vous aideront à vous permettre de le faire. Une affirmation est une déclaration positive d'une conviction (positive), et si nous parvenons à parler de nous en de meilleurs termes, ne serait-ce qu'avec le dixième de notre capacité à nous décrire de manière négative, nous nous apercevrons d'un changement énorme.

Les affirmations nous aident à ressentir une impression de sécurité et d'espoir. Au début, lorsque nous commençons à travailler avec des affirmations, celles-ci peuvent paraître stupides, triviales, embarrassantes. N'est-ce pas intéressant ? Nous pouvons facilement – et sans aucune gêne – nous matraquer d'affirmations négatives : « Je ne suis pas assez doué... pas assez intelligent... pas assez original... pas assez jeune... » Mais il est, de façon notoire, plus difficile de tenir des propos agréables sur notre personne. Au départ, cela paraît assez affreux. Essayez de voir si ces louanges ne semblent pas terriblement sirupeuses : « Je mérite qu'on m'aime... Je mérite un salaire honnête... Je mérite une vie créative gratifiante... Je suis un artiste brillant et

> « *Les affirmations sont comme les prescriptions de certains aspects de vous-même que vous souhaiteriez changer.* »
>
> **Jerry Krankhauser.**

plein de succès... Je possède des talents créateurs riches... Je suis compétent et j'ai confiance dans ma création... »

Est-ce que votre Censeur intérieur dresse ses méchantes petites oreilles ? Les Censeurs détestent tout ce qui ressemble à un véritable amour-propre. Ils commencent immédiatement par l'histoire de l'imposteur : « Pour qui vous prenez-vous ? » C'est comme si tout notre inconscient collectif veillait tard pour regarder *Les Cent Un Dalmatiens* de Walt Disney et tenter de livrer Cruella Deville en échange de condamnations cinglantes.

Essayez simplement de choisir une affirmation. Par exemple, « Moi... [votre nom], suis un potier [peintre, poète ou tout ce que vous voulez] brillant et fécond. » Écrivez-le sur dix lignes. En le faisant, quelque chose de très intéressant va se produire. Votre Censeur va commencer à se réveiller : « Eh ! attends une minute ! Tu ne peux pas écrire toutes ces paroles positives près de moi... » Les objections vont commencer à sauter comme des toasts brûlés. *Ce sont vos paroles.*

Écoutez les objections. Regardez les vilains assauts de défi : « Brillante et prolifique... mais bien sûr !... Depuis quand ?... Fait des fautes d'orthographe... Tu penses que le blocage pour un écrivain est fécond ?... Tu te moques de toi-même... un idiot... grandiose... De qui te moques-tu ?... Pour qui te prends-tu ?... » et ainsi de suite.

Vous allez être étonné par les propos terribles qui vont jaillir de votre inconscient. Notez-les. Ces exclamations impulsives affaiblissent les convictions négatives de base que vous vous adressez. Elles détiennent la clé de votre liberté dans leurs vilaines petites griffes. Faites une liste de vos propres jaillissements.

C'est le moment de vous consacrer à un petit travail de détective. D'où vous viennent ces exclamations ? De maman ? De papa ? De vos professeurs ? Aidez-vous de votre liste pour passer en revue toutes les origines possibles. Certaines d'entre elles surgiront violemment à votre esprit. Une façon efficace d'en localiser la provenance, c'est de voyager en remontant le temps. Découpez votre vie en tranches de cinq ans, et nommez les influences principales de chaque période.

Paul avait *toujours* voulu être écrivain. Et pourtant, après une brève poussée de créativité à l'université, il cessa de montrer ce qu'il écrivait. Au lieu des nouvelles qu'il rêvait d'écrire, il tint un journal, chaque cahier allant échouer auprès du précédent dans un tiroir sombre, loin des regards indiscrets. Cette façon d'agir restait pour lui un mystère jusqu'au jour où il a essayé de travailler à partir des affirmations et des propos impulsifs.

Lorsque Paul commença à écrire ses propres affirmations, il fut immédiatement secoué par une éruption volcanique de dénigrement. Il écrivit : « Moi, Paul, je suis un écrivain brillant et fécond. » Du plus profond de son inconscient, surgit un torrent vomissant des injures et des doutes à son égard. C'était tout à la fois bêtement spécifique et *familier* : « Tu plaisantes… un imbécile, aucun talent, un simulateur, un dilettante, une plaisanterie… »

« *La rencontre de deux personnalités, c'est comme le contact de deux substances chimiques : s'il n'y a pas de réaction, les deux sont transformées.* »

Carl Gustav Jung.

D'où pouvait provenir cette conviction négative de base ? Qui avait bien pu le lui dire ? Quand ? Paul a donc entrepris un voyage dans le temps à la recherche du méchant. Il l'a localisé avec une grande gêne. Oui, il y avait un méchant et un incident qu'il avait eu trop honte d'exposer au grand jour. Au début de ses études, un professeur malveillant avait d'abord fait l'éloge de son travail pour ensuite le séduire sexuellement. Craignant en quelque sorte d'avoir attiré l'attention de cet homme, honteux, pensant peut-être que son travail ne valait rien, Paul enfouit l'incident dans son inconscient où il a suppuré. Il n'était donc pas étonnant qu'il invoquât des motifs secondaires chaque fois que quelqu'un le priait de voir son travail. Il n'était pas surprenant qu'il pût avoir le sentiment que les félicitations qu'on lui adressait n'étaient pas véritablement fondées.

En résumé, sa principale conviction négative était qu'il ne prenait pas au sérieux sa capacité à écrire. Cette conviction avait dominé sa pensée durant dix ans. Chaque fois qu'on le complimentait sur son travail, il doutait profondément des louanges qu'on lui adressait et des motifs qui pouvaient les sous-tendre. Dès qu'un ami manifestait un intérêt pour ses talents, il s'en fallait de peu pour qu'il le laisse tomber ; assurément, il avait cessé de faire confiance aux gens. Quand son amie, Mimi, lui a fait part de l'intérêt qu'elle avait pour son talent, il s'est même mis à se méfier d'elle.

Une fois que Paul a expulsé ce monstre enfoui dans les profondeurs, il a pu commencer à travailler. « Moi, Paul, j'ai un talent réel. Moi, Paul, je crois et j'apprécie les retombées positives. Moi, Paul, j'ai un talent réel… » Bien que de telles affirmations positives puissent paraître au début très inconfortables, elles ont rapidement permis à Paul de participer librement à une première lecture publique de son œuvre. Très applaudi, il a été en mesure d'accepter la bonne réponse sans la discréditer.

Maintenant, retournez à votre propre liste de propos impulsifs. Ils sont très importants pour votre reconquête. Chacun d'eux vous tient en esclavage. Tous doivent être dissous. Par exemple, un propos impulsif qui dit : « Moi, Fred, je n'ai aucun talent et je suis bidon » doit se convertir en l'affirmation suivante : « Moi, Fred, je suis vraiment et génialement bourré de talent. »

Utilisez vos affirmations après vos pages du matin. Utilisez aussi n'importe quelle affirmation répertoriée.

Affirmations créatives :

— Je suis un canal pour la créativité de Dieu, et mon travail représente le Bien.

— Mes rêves proviennent de Dieu et Dieu a le pouvoir de les accomplir.

— Puisque je crée et j'écoute, je serai dirigé(e).

— La créativité, c'est la volonté que le Créateur a pour moi.

— Ma créativité me guérit, moi et les autres.

— J'ai le droit de nourrir l'artiste que j'ai en moi.

— Grâce à quelques outils très simples, ma créativité va s'épanouir.

— Par l'utilisation de ma créativité, je sers Dieu.

— Ma créativité m'a toujours conduit(e) à la vérité et à l'amour.

— Ma créativité me permet de me montrer clément(e) et indulgent(e) envers moi-même.

— Il y a un projet divin de bonté pour moi.

— Il y a un projet divin de bonté pour mon travail.

« *Une affirmation, c'est une déclaration forte et positive qui indique que c'est déjà ainsi.* »
Shakti Gawain.

— En écoutant le créateur qui est en moi, il me guide.

— En écoutant ma créativité, je suis guidé(e) vers mon créateur.

— J'ai la volonté de créer.

— J'ai la volonté d'apprendre à me laisser créer.

— J'ai la volonté de laisser Dieu créer par moi.

— Je suis prêt(e) à rendre service par ma créativité.

— J'ai la volonté d'expérimenter mon énergie créatrice.

— J'ai la volonté d'utiliser mes talents créateurs.

5. Exercices de la semaine

1. Chaque jour, programmez votre réveil une demi-heure plus tôt ; levez-vous pour écrire trois pages manuscrites de ce qui vous vient à l'esprit dès le matin. Ne relisez pas ces pages, ne permettez pas non plus à quiconque de les lire. L'idéal serait de les glisser dans une grande enveloppe ou de les cacher quelque part. Bienvenue aux pages du matin. Elles vont vous faire changer.

Cette semaine, débrouillez-vous pour travailler chaque jour avec vos affirmations de choix et vos propos impulsifs après avoir terminé vos pages du matin. Transformez tous les propos impulsifs en affirmations positives.

2. Prenez vous-même un rendez-vous avec votre artiste en vous. Vous allez le faire chaque semaine

> « *Allez en toute confiance dans la direction de vos rêves ! Vivez la vie que vous avez imaginée. En simplifiant votre vie, les lois de l'univers seront plus simples.* »
>
> **Henry David Thoreau.**

pendant toute la durée du cours. Un exemple de rendez-vous d'artiste : prenez un peu d'argent, allez chez le marchand du coin. Achetez des choses bêtes telles que des étoiles dorées autocollantes, des petits dinosaures, quelques cartes postales, des adhésifs colorés, de la colle, des ciseaux d'enfant, des crayons. Vous pourriez vous offrir une étoile dorée sur votre enveloppe, les jours où vous écrivez. Tout simplement pour vous divertir.

3. *Voyage dans le temps.* Citez, parmi les plus anciens, trois ennemis qui portent atteinte à votre amour-propre créatif. Veillez à être aussi précis que possible en faisant cet exercice. Vos monstres historiques sont les piliers de vos convictions négatives essentielles (oui, sœur Anne Rita en septième position compte, et la sale chose qu'elle vous a dite a de l'importance. Notez-la). C'est votre galerie de monstres. D'autres monstres apparaîtront à mesure que vous travaillerez sur votre reconquête. Il est toujours nécessaire de reconnaître les blessures relatives à la création et sur lesquelles nous nous affligeons. Autrement, elles se transforment en une cicatrice créative qui bloque votre croissance.

4. *Voyage dans le temps.* Sélectionnez et écrivez une histoire d'horreur qui s'est passée dans votre galerie de monstres. Elle ne doit pas nécessairement être longue, mais il est important de noter tous les détails qui vous reviennent : la pièce dans laquelle vous vous trouviez, la façon dont on vous regardait, ce que vous avez ressenti, ce que vos parents ont dit ou n'ont pas dit quand vous leur en avez parlé. Il faut inclure aussi tout ce qui vous est resté sur le cœur après cet incident : « Et ensuite, je me souviens qu'elle m'a fait un sourire tout à fait faux et m'a tapoté la tête… »

Il peut être tout à fait cathartique de faire un croquis de votre vieux monstre ou d'accrocher une image qui vous évoque l'incident. Abîmez votre monstre en en faisant une caricature ou, au moins, tracez dessus une jolie croix rouge.

5. Écrivez une lettre au rédacteur de votre revue habituelle pour votre défense et envoyez-la à vous-même. Il est très amusant de faire parler votre enfant artiste dans cette lettre : « À qui de droit : sœur Anne Rita est une imbécile, a des yeux de cochon et je ne fais pas de fautes d'orthographe ! »

6. *Voyage dans le temps.* Citez, parmi les anciens champions, trois personnes qui soutenaient votre amour-propre créatif. C'est votre musée des bons génies qui vous souhaite une bonne création. Soyez précis. Chaque mot d'encouragement compte. Même si vous avez du mal à croire à certains compliments, inscrivez-les. Peut-être sont-ils vrais.

Si vous êtes à court de compliments, retournez à votre découpage du voyage dans le temps pour y rechercher des souvenirs positifs. Quand, où et pourquoi avez-vous été content de vous ? Qui vous a soutenu ?

De plus, vous pouvez souhaiter écrire le compliment et l'illustrer. Placez-le près de l'endroit où vous faites vos pages du matin ou sur le tableau de bord de votre voiture. J'ai placé le mien sur mon ordinateur pour me donner du courage quand j'écris.

7. *Voyage dans le temps.* Sélectionnez et écrivez un discours d'encouragement agréable. Écrivez une lettre

---

« *Faites de votre propre reconquête la première priorité de votre vie.* »

Robin Norwood.

de remerciements. Adressez-la à vous-même ou au mentor perdu depuis longtemps.

8. *Vies imaginaires.* Si vous aviez cinq autres vies à mener, que feriez-vous dans chacune d'elles ? Je serais pilote, cow-boy, physicien, mystique, moine... Vous pourriez être plongeur sous-marin, flic, écrivain de livres pour enfants, joueur de football, danseuse du ventre, peintre, artiste du spectacle, professeur d'histoire, guérisseur, entraîneur, scientifique, docteur, coopérant, psychologue, pêcheur, ministre, mécanicien auto, charpentier, sculpteur, avocat, peintre, fou d'informatique, vedette de feuilletons à l'eau de rose, chanteur de country music, batteur de rock... Notez tout ce qui vous vient à l'esprit. Ne pensez pas trop en faisant cet exercice.

En imaginant ces vies, il s'agit de vous divertir, d'y prendre plus de plaisir que celui que vous avez pu avoir dans la vie que vous menez. Reprenez votre liste et choisissez-en une. Ensuite, faites-le cette semaine. Par exemple, si vous écrivez « chanteur de country music », pouvez-vous prendre une guitare ? Si vous rêvez d'être cow-boy, que diriez-vous d'une promenade à cheval ?

9. En travaillant sur ces affirmations et ces propos impulsifs, des blessures et des monstres reviennent très souvent à la surface. Ajoutez-les à vos listes au fur et à mesure qu'ils émergeront. Travaillez avec chaque propos impulsif de façon personnelle. Transformez chaque point négatif en un point positif affirmatif.

> « *Chaque fois que nous disons "Que cela soit !", de quelque manière que ce soit, il se produit quelque chose.* »
>
> **Stella Terrill Mann.**

10. Emmenez votre artiste faire une promenade, allez-y tous les deux. Une marche d'une vingtaine de minutes, d'un pas alerte, peut modifier la conscience de manière spectaculaire.

6. Contrôle de votre semaine

Chaque semaine, vous allez procéder à des contrôles. Si vous gérez votre semaine de création du dimanche au dimanche, faites vos contrôles le samedi. Souvenez-vous bien que cette reconquête vous appartient. Ce que vous pensez est important, et cela deviendra de plus en plus intéressant pour vous au fur et à mesure de vos progrès. Peut-être désirez-vous faire les contrôles dans votre cahier des pages du matin ? Il est mieux de le faire de façon manuscrite ; accordez-vous vingt minutes pour y répondre.

Le but de ces contrôles est de constituer un journal de votre voyage créatif. J'espère que, plus tard, vous allez partager ces outils avec d'autres personnes et, de cette manière, vous allez trouver vos notes inestimables : « Oui, j'étais fou pendant la semaine 4. J'ai beaucoup aimé la semaine 5. »

1. Pendant combien de jours cette semaine avez-vous fait vos pages du matin ? Nous espérons que ce

> « *Indubitablement, nous devenons ce que nous envisageons d'être.* »
> **Claude M. Bristol.**

sera toujours sept sur sept. Qu'avez-vous pensé de cette expérience ?

2. Vous êtes-vous rendu à votre rendez-vous avec l'artiste cette semaine ? Nous espérons que oui. Et pourtant, cela peut être très difficile de se permettre les rendez-vous avec l'artiste. Qu'avez-vous fait ? Qu'avez-vous ressenti ?

3. Y a-t-il eu d'autres problèmes cette semaine que vous jugez significatifs de votre reconquête ? Décrivez-les.

Retrouver un sentiment d'identité

L'OBJECTIF *de cette semaine est de se définir soi-même, ce qui constitue la principale composante de la reconquête de sa créativité. Peut-être vous surprendrez-vous à dessiner de nouvelles frontières et à vous approprier de nouveaux territoires puisque vos besoins, vos désirs personnels et vos intérêts vont s'affirmer. Les essais et les outils ont pour but de vous faire rentrer dans votre identité personnelle, définie par vous.*

1. Devenir sain d'esprit

Avoir confiance en sa créativité représente, pour beaucoup, une nouvelle conduite. Il est possible qu'au départ cela paraisse assez inquiétant, non seulement pour nous, mais aussi pour nos proches. Nous pouvons nous sentir – ou paraître – fantasques. Ce caractère fantasque, c'est une façon normale de ne pas rester englués, de nous libérer de la boue qui nous a bloqués. Il est important d'avoir présent à l'esprit que dans le premier élan, devenir sain d'esprit, c'est presque comme devenir fou.

Il y a un flux et reflux caractéristiques du processus par lequel nous retrouvons notre Moi créateur. La sensation de puissance va se développer en nous, tout comme peuvent s'amplifier certaines crises de doute sur soi. Cela est normal, et nous pouvons gérer ces crises plus violentes si nous les considérons comme des symptômes de notre reconquête.

Les attaques les plus courantes que l'on dirige contre soi sont : « D'accord, oui, j'ai bien travaillé cette semaine, mais c'est simplement temporaire... D'accord, j'ai fait les pages du matin, mais je les ai probablement mal faites... D'accord, donc maintenant j'ai besoin d'avoir un projet important. Fais-le *immédiatement* !... Qui suis-je en train de taquiner ? Je ne retrouverai pas ma créativité, pas tout de suite... même jamais... » Ces attaques sont infondées mais, pour nous, sont très convaincantes. Les faire nôtres nous permet de rester englués et victimes. Tout comme un alcoolique qui se fait désintoxiquer doit éviter le premier verre, l'artiste en reconquête de lui-même doit éviter la première pensée. Pour nous, cette pensée c'est vraiment douter de soi-même : « Je ne *pense* pas que cela vaille quelque chose... »

Ces attaques peuvent venir de l'intérieur comme de l'extérieur. Une fois reconnues, nous pouvons les neutraliser si on les imagine comme une sorte de virus infectant la créativité. Les affirmations représentent un antidote puissant à la haine que l'on se porte et qui revêt communément le masque du doute de soi.

« *La santé mentale repose sur ce postulat : que ce doit être un plaisir de sentir la chaleur frapper la peau, un plaisir de se tenir debout, en sachant que les os bougent avec aisance sous la chair.* »
Doris Lessing.

Au début de notre reconquête artistique, le doute de soi peut nous tromper et nous conduire à notre propre sabotage. La forme la plus courante de ce sabotage est de montrer à quelqu'un nos pages du matin. Souvenez-vous : les pages du matin sont *privées* et ne sont pas destinées au regard d'amis bien intentionnés. Un écrivain qui avait récemment enrayé ses blocages a montré ses pages du matin à une amie écrivain qui était encore bloquée. Quand elle les a critiquées, il est redevenu bloqué.

Ne laissez pas le doute que vous avez de vous-même se transformer en sabotage pour vous.

2. Camarades pernicieux

La créativité fleurit quand nous nous sentons en sé-curité et lorsque nous nous acceptons. Votre artiste, comme un petit enfant, est plus heureux quand il se sent en sécurité. En tant que parent protecteur de notre artiste, nous devons apprendre à choisir pour notre ar-tiste des compagnons sûrs. Un entourage nocif peut faire chavirer la croissance de notre artiste.

Sans aucune surprise, les compagnons les plus per-nicieux pour nous, créateurs en reconquête, sont ceux dont la créativité est toujours bloquée. Notre recon-quête les menace.

Lorsque nous étions bloqués, nous avons souvent res-senti comme de l'arrogance et de l'autodétermination le fait de nous considérer comme des artistes créateurs. La vérité, c'est que c'était de l'autodétermination de

> **« Les tireurs isolés sont des gens qui sapent vos efforts pour casser des relations malsaines. »**
> **Jody Hayes.**

refuser de prendre conscience de notre créativité. Bien sûr, ce refus a ses bénéfices secondaires.

Nous pouvons nous étonner et nous préoccuper de notre arrogance alors que nous aurions dû être assez humbles pour demander de l'aide afin de surmonter notre peur. Nous pouvons fantasmer sur l'art plutôt que faire notre travail. En ne demandant aucune aide au Grand Créateur pour notre créativité et en ne voyant pas sa main dans notre créativité, nous pouvons avancer vertueusement en ignorant notre créativité et en ne prenant jamais de risques pour la développer. Il se peut que vos amis bloqués se complaisent encore dans tous ces aveuglements confortables.

S'ils n'apprécient pas votre reconquête, c'est parce que, grâce à leur blocage, ils obtiennent des bénéfices secondaires. Peut-être éprouvent-ils encore un plaisir anorexique de martyr à rester bloqués ou alors la compassion dont ils font l'objet leur permet-elle de s'apitoyer sur eux-mêmes ? Peut-être se complaisent-ils encore dans l'idée qu'ils *pourraient* être plus créatifs que ceux qui utilisent leur créativité ? Au stade où vous en êtes, ces conduites sont préjudiciables. Ne vous attendez pas que vos amis bloqués applaudissent votre reconquête. C'est comme attendre que vos compagnons de bar acclament votre sobriété. Comment cela serait-il possible lorsque la boisson est ce à quoi ils se raccrochent ?

« *En sachant ce que vous préférez au lieu de dire humblement Amen lorsque le monde vous dit ce que vous devriez préférer, vous avez gardé votre âme en vie.* »

Robert Louis Stevenson.

Vos amis bloqués peuvent trouver votre reconquête gênante. Vous être débarrassé de vos blocages peut déranger : eux aussi, ils pourraient prendre des risques créatifs authentiques plutôt que de se figer dans le cynisme. Soyez vigilant au sabotage subtil provenant de vos amis. Actuellement, vous ne pouvez pas vous permettre d'écouter leurs doutes bien intentionnés qui vont réactiver les vôtres. Soyez particulièrement vigilant à toute remarque relative à votre égoïsme ou à votre changement (pour nous, ce sont des mises en garde, écrites à l'encre rouge, un moyen de nous influencer pour que nous reprenions nos vieilles habitudes, cela au nom du confort d'autrui et non du nôtre).

Il est facile de manipuler les artistes bloqués en faisant agir la culpabilité. Nos amis, qui se sentent abandonnés par notre départ du rang des « bloqués », peuvent inconsciemment faire jouer notre culpabilité pour que nous abandonnions nos saines habitudes, récemment acquises. Il est très important de comprendre que le temps consacré aux pages du matin est un temps entre vous et Dieu. C'est vous qui connaissez les réponses. Vous allez rencontrer de nouveaux soutiens dès que vous commencerez à vous soutenir vous-même.

Veillez prudemment à protéger l'artiste que vous venez de faire renaître en vous. Souvent, la créativité est bloquée parce que nous acceptons les plans que d'autres personnes ont conçus pour nous. Nous voulons nous réserver du temps pour notre travail créatif, mais nous sentons que, pendant ce temps, nous *devrions* faire

---

« *Chaque fois que vous ne suivez pas votre guide intérieur, vous ressentez une perte d'énergie, une perte de puissance, un sentiment de mort spirituelle.* »

Shakti Gawain.

autre chose. En tant que créateurs bloqués, nous ne nous focalisons pas sur les responsabilités que nous avons envers nous-mêmes, mais sur celles envers les autres. Nous avons tendance à penser qu'une telle conduite fait de nous une bonne personne. Ce n'est pas ainsi. Cela fait de nous des gens frustrés.

L'essentiel, pour nourrir notre créativité, c'est de nous nourrir nous-mêmes. Par notre propre maternage, nous nourrissons notre lien intérieur avec le Grand Créateur. Par le biais de ce lien, notre créativité va se déployer. De nouvelles voies vont se dessiner. Nous avons besoin de croire dans le Grand Créateur et d'avoir la foi.

> **Répétez :** le Grand Créateur nous a dotés de créativité. Notre don en retour, c'est de l'utiliser. Ne permettez pas que vos amis gaspillent votre temps.

Soyez aimable mais ferme, et tenez bon. Ce que vous pouvez faire de mieux pour vos amis, c'est d'être pour eux un exemple de la créativité retrouvée. Ne laissez pas leurs craintes et leurs doutes vous faire dérailler.

Assez rapidement, les techniques que vous apprendrez vous permettront d'enseigner aux autres. Assez rapidement, vous serez un pont qui permettra à d'autres de passer du doute à l'expression propre. Donc, dès maintenant protégez votre artiste en ne montrant pas vos pages du matin à quiconque serait intéressé ou en ne partageant pas avec des amis le rendez-vous avec l'artiste. Tracez un cercle sacré autour de votre reconquête. Donnez-vous la foi. Soyez persuadé d'être sur la bonne voie. *Vous l'êtes.*

Au fur et à mesure de votre reconquête, vous parviendrez à éprouver une foi plus confortable en votre Créateur et en votre créateur intérieur. Vous apprendrez qu'il est réellement plus facile d'écrire que de ne pas écrire, de peindre que de ne pas peindre, etc. Vous apprendrez à profiter de votre appartenance à une chaîne créative et à renoncer au besoin d'en contrôler le résultat. Vous découvrirez la joie de pratiquer votre créativité. Le processus, et non le produit, deviendra votre cible.

Votre propre guérison constitue le plus grand message d'espoir pour les autres.

3. Les importuns tyranniques

Ce que font les créateurs pour éviter d'être créatifs, c'est avoir des relations avec des *importuns tyranniques*. Ce sont des gens qui déclenchent les foudres. Ils ont souvent beaucoup de charisme, de charme, un esprit hautement inventif et sont très persuasifs. Et, pour les personnes de leur entourage qui veulent créer, ils sont énormément destructeurs. Vous connaissez le genre : charismatiques mais sans contrôle, avec de nombreux problèmes, mais à court de solutions.

Les importuns sont le genre de personnes qui peuvent prendre en main votre vie entière. Pour les débrouillards, ils sont irrésistibles : tant à changer, tant de distractions...

Si vous êtes en relation avec un importun, sans doute le savez-vous déjà et vous reconnaissez certainement la courte description ci-dessus. Les importuns aiment le drame. S'ils peuvent le provoquer, ils en sont l'étoile. Tous autour d'eux fonctionnent comme une caste de soutien, choisissant leurs répliques, leurs entrées et sorties, selon les quatre volontés (folles) des importuns.

Certains importuns, parmi les plus destructeurs que j'aie jamais rencontrés, sont eux-mêmes des artistes célèbres. C'est le genre d'artiste à dire du mal de nous, les autres artistes. Souvent plus grands que nature, ils acquièrent ce statut en puisant l'énergie vitale de ceux qui les entourent. C'est pourquoi beaucoup d'artistes parmi les plus fous sont souvent entourés d'un cadre de supporters qui possèdent autant de talent qu'eux mais qui sont déterminés à corrompre leurs propres talents au service du Roi de l'Importunité.

Je pense à un plateau de cinéma où je me trouvais il y a plusieurs années. Le réalisateur était un des géants du cinéma américain. On ne pouvait se tromper sur son envergure, et sa personnalité était bien celle d'un sans-gêne. Chacun sait que tous les tournages de films sont épuisants, mais les plateaux de ce réalisateur l'étaient encore plus : durées plus longues, grandes crises de paranoïa, intrigues et destructions réciproques. On disait que le plateau était sur table d'écoute ; le Roi de l'Importunité s'adressait à ses acteurs par un système de haut-parleur tandis que, lui, comme le Magicien d'Oz, s'en allait en secret dans une grande cabine luxueusement équipée.

Au cours de ces vingt dernières années, j'ai vu travailler plusieurs metteurs en scène. J'ai été mariée à un metteur en scène de grand talent, et j'ai moi-même réalisé un long métrage. J'ai souvent remarqué qu'une équipe de cinéma ressemble beaucoup à une famille élargie. Dans le cas de ce Roi importun, l'équipe ressemblait beaucoup à une famille d'alcooliques : le buveur alcoolique (penseur) entouré de ses capacitaires qui se déplaçaient sur la pointe des pieds, tous prétendant que son ego démesuré et ses demandes étaient normaux.

> « *Apprenez à entrer en contact avec votre silence intérieur et à savoir que chaque chose dans cette vie a un but.* »
> **Elisabeth Kübler-Ross.**

Sur ce plateau, les exigences déraisonnables du roi bébé ont provoqué des écarts importants dans l'emploi du temps et le budget de la production. L'équipe d'un film est essentiellement une équipe d'experts, et voir ces experts pleins d'estime mais découragés m'a permis de réaliser le pouvoir pernicieux que pouvait prendre l'importunité. Des décorateurs de plateaux, des costumiers, des ingénieurs du son brillants – sans mentionner les acteurs – étaient de plus en plus blessés au fur et à mesure que la production menait sa course dévastatrice. C'était contre les drames personnels du metteur en scène importun qu'ils luttaient pour créer le drame censé être joué sur l'écran. Comme tous les gens remarquables du cinéma, cette équipe était prête à travailler de longues heures pour faire du bon travail. Ce qui les décourageait, c'était que toutes ces heures travaillées l'étaient au service d'un ego et non à celui de l'art.

La dynamique de l'importunité se fonde sur le pouvoir, et donc tout groupe peut fonctionner là où l'énergie peut être exploitée et épuisée. On peut rencontrer des importuns dans presque n'importe quel cadre, dans presque n'importe quelle forme d'art. La renommée peut aider à les créer mais, puisqu'ils se nourrissent de pouvoir, n'importe quelle source de pouvoir fera l'affaire. Les importuns se rencontrent assez souvent parmi les gens riches et célèbres, mais on peut aussi les trouver fréquemment parmi les gens ordinaires. Même dans la famille nucléaire (il y a une raison d'utiliser ce mot), il peut arriver qu'un importun dresse un membre de la famille contre un autre, perturbant ainsi la vie de tout le monde sauf la sienne.

Je pense maintenant à une matrone destructrice de ma connaissance. Désignée comme le chef d'un clan élargi et plein de talent, elle a mis toute son énergie à détruire la créativité de ses enfants. Elle choisissait toujours le moment fatidique pour saboter, planter des bombes afin qu'elles explosent juste au moment où ses enfants approchaient du succès.

La fille s'acharnant à terminer des études supérieures qu'elle avait entreprises tardivement s'est trouvée soudainement enferrée dans un drame juste la veille de son examen final. Le fils, qui avait un entretien professionnel extrêmement important, a reçu d'elle une longue visite au moment où il avait besoin de se concentrer au maximum.

« Sais-tu ce que les voisins racontent à ton sujet ? », demandera souvent l'importun, et la mère de l'étudiante harassée énumérera une ronde horrifiée de commérages qui laissera sa fille meurtrie, juste avant la semaine d'examens, assaillie par des : « À quoi bon ? »

« Est-ce que tu te rends compte que ce nouveau travail va mettre ton mariage en péril ? », et, avant même de commencer, l'espoir qu'avait le fils d'une carrière prometteuse est réduit en cendres.

Qu'ils apparaissent comme votre mère autoritaire, votre chef maniaque, votre ami dans le besoin ou votre conjoint entêté, les importuns de votre vie ont en commun des conduites destructrices, nuisibles à tout travail de création soutenable.

Contrats de rupture et plans de destruction. Ils apparaissent deux jours avant votre mariage et s'attendent à être servis corps et âme. Ils louent un bungalow plus grand et plus cher que celui qui avait été convenu, et ils s'attendent que vous régliez la note.

Les importuns attendent des égards spéciaux. Ils possèdent une vaste panoplie de maux mystérieux qui nécessitent, de votre part, une attention particulière chaque fois que vous devez faire face à des délais impératifs ou à toute autre situation. L'importun fait sa propre cuisine dans une maison remplie d'enfants affamés – et ne fait rien pour nourrir les enfants. L'importun est trop affligé pour pouvoir conduire immédiatement après avoir inondé d'injures les personnes de son entourage. « Je crains que papa n'ait une crise cardiaque », commence par dire la victime, au lieu de penser : « Comment vais-je sortir ce monstre de chez moi ? »

Les importuns ne tiennent pas compte de votre réalité. Peu importe vos impératifs ou votre projet professionnel à ce moment-là, les importuns négligeront vos besoins. Ils peuvent agir comme s'ils entendaient vos limites et comme s'ils allaient les respecter mais, en pratique, agir est le mot qui fonctionne. Les importuns vous appellent à minuit ou à six heures du matin en vous disant : « Je sais que vous m'avez demandé de ne pas vous appeler à cette heure-ci, mais… » Les importuns viennent à l'improviste pour vous emprunter ce que vous ne pouvez pas trouver ou ce que vous ne voulez pas leur prêter. Encore mieux, ils peuvent vous appeler pour vous demander de trouver ce dont ils ont besoin, et ne viennent pas le chercher. « Je sais que tu as des impératifs de date, disent-ils, mais cela ne prendra qu'une minute. » Votre minute.

Les importuns dépensent votre temps et votre argent. S'ils empruntent votre voiture, ils vous la rendent en retard et sans avoir fait le plein d'essence. Leurs arran-

> « *Ce que je suis en train de dire, c'est qu'il faut vouloir se laisser guider par notre intuition, et ensuite vouloir suivre ce guide, sans détour et sans peur.* »
>
> **Shakti Gawain.**

gements de voyage vous coûtent du temps et de l'argent. Ils vous demandent de vous rencontrer en plein milieu de votre journée de travail à un aéroport situé à des kilomètres de la ville. « Je n'ai pas d'argent sur moi pour le taxi », vous disent-ils, alors que vous leur avez fait remarquer que vous êtes en train de travailler.

Les importuns court-circuitent les relations de leur entourage. Puisque les importuns regorgent d'énergie (la vôtre), ils dressent les personnes de leur entourage les unes contre les autres afin de maintenir leur position centrale au pouvoir (c'est ainsi qu'ils peuvent se nourrir le plus directement possible des énergies négatives qu'ils brassent). « Untel m'a dit que tu n'es pas arrivé au travail à l'heure ce matin », peut retransmettre un importun. Vous vous emportez aimablement contre Untel et vous ne vous rendez pas compte que le perturbateur a utilisé des rumeurs pour vous déglinguer émotionnellement.

Les importuns sont experts en reproches. Quand les choses vont mal, rien n'est jamais de leur faute et, à les entendre parler, c'est généralement de la vôtre. « Si tu n'avais pas encaissé le chèque de pension alimentaire, il n'aurait jamais été rejeté », dit un ex-mari importun à son ex-femme qui recherchait la sérénité.

Les importuns créent des drames – mais rarement des drames auxquels ils appartiennent. Les importuns sont souvent des créateurs bloqués eux-mêmes. Effective-

> « *Ralentissez et profitez de la vie. Ce n'est pas uniquement le paysage que vous ratez en allant trop vite – vous ratez aussi le sens du lieu et de la cause de votre destination.* »
> **Eddie Cantor.**

ment, puisqu'ils ont peur d'exploiter leur propre créativité, ils ne sont pas du tout disposés à accepter cette même créativité chez les autres. Cela les rend jaloux. Cela les menace. Cela les rend pénibles – à vos dépens. Très attachés à leur organisation, les importuns imposent aux autres leurs propres emplois du temps. Avec un importun, vous êtes toujours aux prises avec le célèbre problème de l'imaginaire et du réel. En d'autres termes, tout ce qui est important pour vous passe à l'arrière-plan et est banalisé par rapport à la situation personnelle critique de l'importun. « Pensez-vous qu'il ou qu'elle m'aime ? » vous demande-t-il lorsque vous préparez votre examen ou que votre mari vient de rentrer de l'hôpital.

Les importuns détestent les emplois du temps – à l'exception du leur. Dans les mains d'un importun, le temps est l'outil principal qui permet les abus. Si vous réclamez du temps pour vous, votre importun trouvera le moyen de vous le disputer, parce qu'il éprouve un besoin mystérieux de choses (c'est-à-dire de vous) juste au moment où vous avez besoin d'être seul pour vous concentrer sur un travail précis. « Je suis resté éveillé jusqu'à trois heures du matin la nuit dernière. Je ne peux pas conduire les enfants à l'école… » vous déclarera de but en blanc l'importun, le matin où, justement, vous devez partir très tôt parce que vous avez un petit déjeuner d'affaires avec votre patron.

Les importuns détestent l'ordre. Le chaos leur permet d'atteindre leurs buts. Quand vous commencez à vous

> « *Quel que soit le rêve que Dieu ait sur l'homme, il semble certain qu'il ne peut se réaliser que si l'homme coopère.* »
> **Stella Terrill Mann.**

ménager une place qui rend service à votre créativité et à vous-même, votre importun va, de manière abrupte, envahir cet espace avec ses propres projets. « Qu'est-ce que c'est que tous ces papiers, toute cette lessive sur ma table de travail ? » demandez-vous. « J'ai décidé de trier mes cours universitaires... de commencer à trier mes chaussettes pour retrouver les paires... »

Les importuns dénient qu'ils sont des importuns. Ils essaient d'administrer le coup final. « Ce n'est pas moi qui te rends fou/folle, peut dire votre importun quand vous pointez une promesse non tenue ou un exemple de sabotage. C'est tout simplement parce que notre relation sexuelle est si mauvaise. »

Si les importuns sont à ce point destructeurs, que faisons-nous avec eux ? La réponse, pour être brève mais brutale, est que nous-mêmes sommes fous et que nous cherchons à nous détruire.

Vraiment ?

Oui. En tant que créateurs bloqués, nous sommes prêts à faire presque n'importe quoi pour rester bloqués. Si effrayante et maltraitante que puisse paraître la vie avec un importun, nous l'estimons, cependant, moins menaçante que prendre le pari de vivre une vie créative qui nous est propre. Qu'adviendrait-il alors ? À quoi ressemblerions-nous ? Très souvent, nous craignons de devenir, nous aussi, un importun et de maltraiter les personnes qui nous entourent si nous nous laissions aller à la créativité. En prenant cette peur comme excuse, nous continuons à permettre aux autres de nous maltraiter.

Si, actuellement, vous êtes impliqué avec un importun, il est très important pour vous d'admettre ce fait. Admettez que vous êtes utilisé – et admettez que vous utilisez votre propre bourreau. Votre importun est un blocage que vous vous êtes choisi pour vous détourner de votre propre trajectoire. De la même façon que vous êtes exploité par votre importun, vous aussi vous utilisez cette personne pour bloquer votre flux créateur.

Si vous êtes engagé dans un tango torturé avec un importun, arrêtez de danser à son rythme. Prenez un livre sur la dépendance mutuelle ou procurez-vous un programme en douze étapes sur l'addiction relationnelle (les Alcooliques et les Obsédés sexuels anonymes sont deux excellents programmes pour arrêter la danse de l'importun).

La prochaine fois que vous vous surprendrez à dire ou à penser : « Il/elle me rend fou ! », demandez-vous quel est le travail créatif que vous essayez de bloquer en restant avec cette personne.

4. Le scepticisme

Maintenant que nous avons parlé des personnes qui peuvent présenter un obstacle à notre reconquête, jetons un coup d'œil à cet ennemi interne que nous abritons en nous.

Peut-être que le plus grand obstacle, pour quiconque d'entre nous, dans la recherche d'une vie plus épanouie est le scepticisme profondément ancré en nous. Cela pourrait s'appeler le *doute secret*. Cela ne semble pas avoir son importance si nous sommes officiellement croyants ou agnostiques. Nous avons nos doutes en tout ce qui concerne cette affaire de créateur/créativité, et ces doutes sont très puissants. À moins d'en parler, ils peuvent nous saboter entièrement. Maintes fois, en essayant d'être bon joueur, nous nous remplissons de doute. Il est nécessaire d'arrêter ce processus et de l'explorer.

Réduits à l'essentiel, les doutes vont dans ce sens : « D'accord, j'ai commencé à écrire mes pages du matin et je me sens plus éveillé et plus alerte dans ma vie. Alors quoi ? Ce n'est qu'une coïncidence... D'accord, j'ai aussi commencé à remplir le puits et à donner des rendez-vous à l'artiste que j'ai en moi et, en effet, je remarque que je me réjouis un peu. Et puis quoi ? Cela n'est qu'une coïncidence... D'accord, maintenant, je commence à remarquer que plus je laisse explorer en moi la possibilité d'une puissance qui fasse le bien, plus je m'aperçois que d'heureuses coïncidences se produisent dans ma vie. Et quoi ? Je ne peux croire que je sois vraiment guidé. C'est simplement trop étrange... »

Imaginer qu'une main invisible pourrait nous aider nous paraît étrange parce que nous doutons encore que ce soit bien pour nous d'être créateurs. En adoptant cette attitude très arrêtée, non seulement nous regardons les dents des chevaux qu'on nous offre, mais aussi nous leur claquons la croupe pour qu'ils disparaissent de notre vie le plus vite possible.

Quand Mike a commencé sa reconquête créative, il s'est autorisé à reconnaître qu'il voulait faire des

> « *Croire en Dieu ou en une force qui vous guide parce qu'on vous demande de le faire est de la plus haute stupidité. Nous avons été dotés de sens pour être en mesure de recevoir nos propres informations. Nous voyons avec nos propres yeux, et avec notre peau nous sentons. Avec notre intelligence, il est entendu que nous comprenons. Mais chacun doit le découvrir par lui-même.* »
>
> **Sophy Burnham.**

films. Deux semaines plus tard, grâce à toute une série de « coïncidences », il s'est retrouvé dans une école de cinéma, les frais des études étant pris en charge par sa société. S'est-il détendu et a-t-il aimé cette situation ? Non. Il a avoué lui-même que l'école de cinéma l'empêchait de faire ce qui était le plus important : trouver un nouveau travail. Donc, il a abandonné la direction de films pour rechercher un autre emploi.

Deux ans plus tard, se souvenant de cet incident, Mike peut se taper la tête contre les murs. Quand l'univers lui a donné ce qu'il voulait, il a tout de suite rendu le cadeau. Finalement, il s'est permis d'apprendre la mise en scène cinématographique, mais cela lui a coûté beaucoup plus d'efforts que ce que l'univers avait prévu pour lui.

Une des choses qui vaut le plus la peine d'être notée dans une reconquête créative, c'est notre hésitation à prendre au sérieux le fait que l'univers pourrait tout simplement coopérer avec nos nouveaux plans d'enrichissement. Nous sommes devenus assez courageux pour tenter la reconquête, mais nous ne voulons pas que l'univers y prête réellement attention. Nous nous sentons encore trop en fraude pour gérer un peu de succès. Quand il arrive, nous voulons partir.

Bien sûr que nous le faisons ! Toute expérience, si petite soit-elle, engagée dans notre propre maternage

> « *Imaginez-vous comme une puissance incandescente, illuminée et peut-être à qui Dieu et ses messagers parlent à jamais.* »
> **Brenda Ueland.**

est très effrayante pour la plupart d'entre nous. Quand notre petite expérience conduit à ce que l'univers ouvre une porte ou deux, nous commençons à reculer, tout timides : « Eh ! vous ! Qui que vous soyez ! Pas si vite ! »

J'aime à imaginer l'intelligence comme une pièce. Dans cette pièce, nous gardons toutes nos idées habituelles sur la vie, Dieu, sur ce qui est possible et ce qui ne l'est pas. La pièce a une porte. Cette porte est toujours légèrement entrouverte et l'extérieur est baigné d'une lumière éblouissante. Là-bas, dans cette lumière éblouissante abondent les nouvelles idées jugées trop éloignées de nous et donc nous les laissons dehors. Les idées qui nous mettent à l'aise sont dans la pièce avec nous. Les autres idées sont dehors, et nous les laissons dehors.

Dans notre vie ordinaire, avant la reconquête, quand nous entendions quelque chose d'étrange et de menaçant, nous prenions tout simplement la poignée de la porte et nous fermions la porte. Rapidement.

Un travail intérieur déclenchant des changements de la réalité externe ? Ridicule ! Claquez la porte... Dieu se préoccupant de m'aider dans ma propre reconquête créative ? Claquons la porte... La synchronicité soutenant mon artiste avec des coïncidences fortuites ? Claquons la porte, claquons la porte, claquons la porte...

Dans la reconquête de notre créativité, il est nécessaire d'essayer d'avoir une autre approche. À cet égard, nous laissons gentiment de côté notre scepticisme – pour

> **« Peu importe que le film soit lent, l'âme se tient toujours immobile assez longtemps pour le photographe qu'Elle a choisi. »**
> **Minor White.**

une utilisation ultérieure, quand nous en aurons besoin – et quand une idée bizarre ou une coïncidence passe très rapidement, nous donnons gentiment un petit coup de coude pour ouvrir un peu plus la porte.

Laisser le scepticisme de côté, même brièvement, c'est laisser la place à des explorations très intéressantes. Dans la reconquête de sa créativité, il n'est pas nécessaire de modifier nos convictions. Il est nécessaire de les examiner.

Plus que toute autre chose, la reconquête créative est un exercice d'*ouverture d'esprit*. À nouveau, imaginez votre esprit sous la forme d'une pièce avec la porte légèrement entrouverte. Pousser un peu plus la porte, c'est ce qui conduit à l'ouverture d'esprit. Commencez, cette semaine, à pratiquer consciencieusement votre ouverture d'esprit.

5. L'attention

Très souvent, un blocage créatif est manifeste lorsque nous nous plongeons dans les fantasmes. Plutôt que de travailler ou de vivre le présent, nous perdons notre temps à nous complaire à imaginer ce qui aurait pu ou aurait dû se passer. Un des grands malentendus sur la vie artistique est qu'elle occasionne beaucoup de désœuvrement.

> « *Développez de l'intérêt dans la vie comme vous la voyez : dans les gens, les choses, la littérature, la musique... le monde est si riche, simplement vibrant de trésors riches, d'âmes nobles et de gens intéressants. Oubliez-vous.* »
>
> **Henry Miller.**

La vérité est qu'une vie créative implique beaucoup d'attention. L'attention est un moyen d'établir des liens et de survivre.

« Comptes rendus de la flore et de la faune », c'est ainsi que j'avais l'habitude de me remémorer les longues lettres tortueuses de ma grand-mère : « Le forsythia démarre et ce matin, j'ai vu mon premier merle... Les roses se maintiennent même dans cette chaleur... Le sumac a changé de couleur et ce petit érable près de la boîte aux lettres... Mon cactus de Noël est bientôt prêt... »

J'ai suivi la vie de ma grand-mère comme un long film familial : une prise de vue de ceci et une prise de vue de cela, collées bout à bout sans structure apparente. « Papa est de plus en plus enrhumé... Il semblerait que le petit shetland va mettre bas plus tôt que prévu... Joanne est à nouveau hospitalisée à Anna... Nous avons appelé le nouveau boxer Trixie et il aime dormir dans le pot de mon cactus – peux-tu imaginer ça ?... »

Je pouvais imaginer. Ses lettres facilitaient l'imagination. La vie vue par les yeux de grand-mère était une série de petits miracles : les lis tigrés sauvages sous les peupliers de Virginie en juin ; le lézard rapide filant sous la roche grise de la rivière qu'elle admirait pour sa laque satinée. Ses lettres ponctuaient les saisons de l'année et de sa vie. Elle a vécu jusqu'à l'âge de quatre-vingts ans, et ses lettres sont arrivées jusqu'à ses derniers jours. Quand elle est morte, ce fut aussi soudainement que son cactus de Noël : aujourd'hui ici, demain partie. Elle laissa derrière elle ses lettres et son mari de soixante-deux ans. Son mari, mon grand-père Daddy Howard, élégant vaurien au sourire de joueur et à la chance de perdant, avait construit et perdu plusieurs fortunes, et la dernière, il la perdit pour toujours. Il les buvait, les jouait, il les jetait de la façon qu'elle lançait des miettes à ses oiseaux. Il a gaspillé les plus grandes chances de sa vie de la même manière qu'elle en savourait les petites. « Cet homme… », avait l'habitude de dire ma mère.

Ma grand-mère a vécu avec cet homme dans des maisons espagnoles recouvertes de tuiles, dans des caravanes, dans une toute petite cabane dans la montagne, dans un petit appartement avec des pièces en enfilade et, finalement, dans une maison faite de matériaux de fortune où toutes les pièces étaient identiques. « Je ne sais pas comment elle pouvait le supporter », avait l'habitude de dire ma mère, furieuse envers mon grand-père en quête d'une nouvelle mésaventure. Elle voulait dire qu'elle ne savait pas pourquoi ma grand-mère le supportait.

La vérité, c'est que nous savions tous comment elle le supportait. Elle l'a supporté en se tenant plongée dans le flot de la vie et en y prêtant une *attention soutenue*.

Ma grand-mère était partie avant que je n'aie appris la leçon que m'enseignaient ses lettres : la survie repose sur la santé mentale et la santé mentale repose sur le fait de prêter attention. Oui, ses lettres disaient « le rhume de papa empire, nous avons perdu la maison, il n'y a pas d'argent et pas de travail mais les lis tigrés sont en fleur, le lézard a trouvé cette place au soleil, les roses ne se fanent pas malgré la chaleur… ».

Ma grand-mère savait ce qu'une vie pleine de souffrances lui avait enseigné : le succès ou l'échec, la vérité d'une vie a vraiment peu à voir avec sa qualité. La qualité de la vie est toujours proportionnelle à la capacité à prendre du plaisir. La capacité à prendre du plaisir est le cadeau de pouvoir prêter attention.

Pendant une année, alors qu'une histoire d'amour longue et gratifiante se défaisait, sans grâce et par embardées, l'écrivain May Sarton tenait un journal : *Journal d'une solitude*. Elle y rapporte les souvenirs qui se rattachent à son retour chez elle, après un week-end particulièrement douloureux avec son amant. En entrant dans la maison vide, elle se remémore la chose suivante : « Je fus arrêtée sur le seuil de mon bureau par un rayon de soleil sur un chrysanthème de Corée, l'éclairant comme un point de lumière, des pétales d'un rouge profond et un centre jaune comme un bouton-d'or chinois... Le voir, c'était comme recevoir une transfusion de lumière automnale. »

Ce n'est pas par hasard que May Sarton utilise le mot *transfusion*. La perte de son amant était une blessure et, dans ses réponses à ce chrysanthème, dans le fait de prêter attention, la guérison de Sarton commençait.

La récompense pour avoir prêté attention est toujours source de guérison. Cela peut commencer par la guérison d'une douleur particulière – l'amant perdu, l'enfant malade, le rêve en morceaux. Mais ce qui est guéri, en définitive, c'est la douleur qui est sous-jacente à toute douleur : la douleur de savoir que nous sommes tous, comme le formule Rilke, « indiciblement seuls ». Plus que tout, prêter attention, c'est créer des liens. Je l'ai appris comme la plupart des autres choses, presque par hasard.

Quand mon premier mariage se brisa, j'avais loué une maison isolée dans les collines de Hollywood. Mon projet était simple : je voulais surmonter ma peine, seule. Je ne verrais personne et personne ne me verrait jusqu'à ce que le plus gros de la douleur fût passé. Je ferais de longues promenades en solitaire et je souffrirais. En effet, j'ai marché, mais ces promenades ne se sont pas passées comme prévu.

À deux virages derrière ma maison, j'ai rencontré une chatte, couleur gris rayé. Elle vivait dans une maison d'un bleu vif où il y avait un grand chien berger que, visiblement, elle n'appréciait pas. J'ai appris tout cela malgré moi, pendant cette semaine de marche. Nous commencions à avoir de petites rencontres, cette chatte et moi-même, et ensuite de longues conversations sur tout ce que nous avions en commun, nous les femmes seules.

Toutes les deux, nous admirions une rose d'une couleur saumon extraordinaire, qui s'était aventurée au travers d'une clôture voisine. Toutes les deux, nous aimions regarder la floraison bleu lavande des jacarandas qui flottaient en larguant leurs amarres. Alice (c'est ainsi que j'ai entendu qu'on l'appelait un après-midi) les frappait avec sa patte.

Une fois la floraison des jacarandas passée, une barrière de lames, sans grâce, avait été posée pour contenir les roses du jardin. À ce moment-là, j'avais poussé plus loin mes marches et ajouté à ma compagnie d'autres chats, d'autres chiens et des enfants. Au moment où la rose couleur saumon disparut derrière la barrière, j'avais découvert plus haut une maison, clôturée de murs, avec un jardin maure où se trouvait un perroquet mordant et injurieux dont je m'étais éprise. Haut en couleur, bien arrêté dans ses opinions, terrible, il me rappelait mon ex-mari. La douleur s'était transformée en une chose qui avait plus de valeur : de l'expérience.

« *Le Moi devient verbe. Ce point flash de la création dans le moment présent, c'est quand le travail et le jeu se confondent.* »
Stephen Nachmanovitch.

En écrivant sur l'attention, je me rends compte que j'ai beaucoup écrit sur la souffrance. Ce n'est pas une coïncidence. Pour certains, cela peut être différent, mais la souffrance est ce qui m'a appris à prêter attention. Dans les moments de souffrance où l'avenir est trop terrifiant à envisager et le passé trop douloureux à se remémorer, j'ai appris à prêter attention à l'instant présent. L'instant précis que je vivais était, pour moi, toujours ma seule place sûre. Chaque moment, pris seul, était toujours supportable. Dans l'instant du moment, nous allons tous toujours bien. Hier notre mariage a pu se briser. Demain le chat peut mourir. Il est possible qu'en dépit de toute mon attente mon amant ne m'appelle pas, mais à l'instant présent, *juste maintenant,* je vais bien. Je respire. En en ayant pris conscience, j'ai commencé à remarquer que chaque instant n'était pas sans beauté.

La nuit où j'ai appris la mort de ma mère par téléphone, j'ai enfilé un pull-over et ai gravi la colline qui se trouvait derrière la maison. Une grande lune, blanche comme neige, s'élevait derrière les palmiers. Plus tard dans la nuit, elle flottait au-dessus du jardin, baignant d'argent le cactus. Quand je pense maintenant à la mort de ma mère, je me souviens de cette lune de neige.

Le poète William Meredith a observé que la pire chose qui puisse être dite d'un homme est « qu'il ne prête pas attention ». Quand je pense à ma grand-mère, je me souviens de son jardinage, un petit sein brun glissant de façon inattendue hors de la petite robe imprimée, dos nu, qu'elle se faisait chaque été. Je me la

> « *La peinture a une vie propre.*
> *Je la laisse émerger.* »
>
> **Jackson Pollock.**

rappelle descendant la pente raide qui menait de la maison qu'elle allait perdre, aux peupliers de Virginie situés, en aval, dans le marécage. « Les poneys les aiment pour leur ombre, disait-elle. Je les aime parce que leurs feuilles vertes sont argentées. »

Code de la route

Pour être un artiste, je dois :

1. Me présenter à la page. Utiliser la page pour me reposer, rêver, essayer.

2. Remplir le puits en prenant soin de mon artiste.

3. Me fixer de petits objectifs faciles à atteindre et les atteindre.

4. Prier pour être guidé, avoir du courage et de l'humilité.

5. Me souvenir qu'il est beaucoup plus difficile et plus douloureux d'être un artiste bloqué que de faire le travail.

6. Être toujours sensible à la présence du Grand Créateur qui guide et aide mon artiste.

7. Choisir des compagnons qui m'encouragent à faire le travail, et non ceux qui ne parlent que de faire le travail ou des raisons pour lesquelles je ne fais pas le travail.

8. Me souvenir que le Grand Créateur aime la créativité.

9. Me souvenir que mon travail, c'est de faire le travail, et non de juger le travail.

10. Placer ce signe sur mon lieu de travail : « Grand Créateur, je prendrai soin de la quantité. Vous prendrez soin de la qualité. »

6. Exercices de la semaine

1. *Lecture affirmative.* Tous les jours, matin et soir, tranquillisez-vous pour vous concentrer et lire les « Principes de base » (voir p. 23). Soyez vigilant à tout changement dans votre attitude. Pouvez-vous déjà remarquer une diminution de votre scepticisme ?

2. *Où passe votre temps ?* Faites une liste des cinq activités principales de cette semaine. Combien de temps avez-vous consacré à chacune d'elles ? Lesquelles vouliez-vous faire et lesquelles étiez-vous obligé de faire ? Combien de temps consacrez-vous à aider les autres et à ignorer vos propres désirs ? Certains de vos amis bloqués ont-ils déclenché des doutes chez vous ?

3. *Carte de sécurité.* Prenez une feuille de papier. Dessinez un cercle. Dans ce cercle, inscrivez les points que vous avez besoin de protéger. Placez-y ceux que vous jugez bons pour votre soutien. À l'extérieur du cercle, nommez les sujets dont vous pensez devoir vous protéger actuellement. Placez cette carte de sécurité près de l'endroit où vous écrivez vos pages du matin et utilisez-la pour soutenir votre autonomie. Ajoutez des noms dans les sphères intérieures et extérieures selon le cas : « Oh ! Claude est quelqu'un à qui je ne devrais pas parler juste maintenant ! »

4. Citez vingt choses que vous aimez faire (escalade, patin à roulettes, pâtisserie, soupe, l'amour, l'amour à nouveau, bicyclette, cheval, catch, basket, courir, lire de la poésie… et ainsi de suite). Quand était-ce la dernière fois que vous vous êtes permis ces choses-là ? À côté de chaque entrée, placez une date. Ne soyez pas surpris s'il s'est passé des années sans que vous ayez pratiqué une activité favorite. Cela changera. Cette liste est une excellente ressource pour vos rendez-vous avec l'artiste.

5. À partir de la liste indiquée ci-dessus, écrivez deux activités favorites que vous avez évité de faire et qui pourraient constituer les objectifs de cette semaine. Ces objectifs peuvent être petits : acheter une pellicule et prendre des photos. Souvenez-vous, nous essayons de vous rendre plus autonome par rapport à votre temps. Cherchez des plages de temps spécialement pour vous, et utilisez-les pour faire de petits gestes créatifs. Rendez-vous au magasin de disques à l'heure du déjeuner, ne serait-ce que pour quinze minutes. Ne recherchez pas de grandes plages de temps où vous pourrez être libre. À la place, recherchez de courts instants.

6. Replongez-vous dans la « semaine 1 » et lisez les affirmations. Notez celles qui ont déclenché le plus de réaction en vous. Souvent, celle qui paraît la plus ridicule est la plus significative. Écrivez trois affirmations choisies cinq fois par jour dans vos pages du matin ; assurez-vous d'y inclure les affirmations énoncées après les propos impulsifs.

7. Retournez à la liste de la semaine dernière sur les vies imaginaires. Ajoutez-y cinq vies supplémentaires. À nouveau, vérifiez si vous pouvez vivre de petits morceaux de ces vies-là dans votre propre vie. Si vous avez noté une vie de danseur, vous autorisez-vous à aller danser ? Si vous avez noté une vie de moine, vous êtes-vous déjà permis d'effectuer une retraite spirituelle ? Si vous êtes un plongeur sous-marin, pourriez-vous vous rendre à un magasin qui vend des aquariums et des poissons ? Pouvez-vous planifier une journée au bord du lac ?

8. *Gâteau de vie.* Dessinez un cercle. Divisez-le en six parts de gâteau et mettez une étiquette sur chacune d'elles : l'une sera *spiritualité*, l'autre *exercice*, l'autre encore *jeu* et ainsi de suite : *travail, amis* et *romance/*

aventure… Placez un point dans chaque tranche au degré où vous vous sentez réalisé dans ce domaine (ordre croissant de l'intérieur vers l'extérieur). Reliez les points. Cela vous indiquera les domaines dans lesquels vous devrez vous améliorer.

Au début du cours, ne soyez pas surpris si votre gâteau de vie ressemble à une tarentule. Au fur et à mesure que votre reconquête avance, votre tarentule peut se transformer en mandala. En travaillant avec cet outil, vous remarquerez que certains domaines de votre vie se sont appauvris parce que vous n'y consacrez que très peu de temps ou pas du tout. Utilisez les petits instants de liberté dont vous disposez pour modifier ce schéma.

Si votre vie spirituelle est minime, un intervalle – ne serait-ce que de cinq minutes – passé dans une synagogue ou une cathédrale peut restaurer en vous un sens du merveilleux. Nombreux sont ceux qui pensent que cinq minutes de musique de tambour peuvent nous mettre en contact avec notre centre spirituel. Pour d'autres, ce sera une visite à une serre. La question est que l'attention, si minime soit-elle, dirigée vers nos zones appauvries peut les nourrir.

9. *Dix petits changements.* Répertoriez dix changements que vous souhaiteriez faire pour vous-même, du plus significatif au plus petit ou *vice versa* (acheter de nouveaux draps afin d'avoir une nouvelle parure, aller en Chine, repeindre votre cuisine, larguer mon épouvantable amie Alice…). Procédez de cette manière :

> 1. J'aimerais ....
> 2. J'aimerais ....

« Pour voir, je ferme les yeux. »
Paul Gauguin.

---

3. J'aimerais ....
4. J'aimerais ....
5. J'aimerais ....
6. J'aimerais ....
7. J'aimerais ....
8. J'aimerais ....
9. J'aimerais ....
10. J'aimerais ....

Étant donné que les pages du matin nous donnent un petit coup de coude pour nous plonger davantage dans le présent où nous faisons plus attention à nos vies actuelles, un petit changement – telle une salle de bains nouvellement repeinte – peut signifier, au sens grand et luxueux du terme, prendre soin de soi.

10. Sélectionnez quelque chose qui sera l'objectif de votre semaine.

11. Maintenant faites-le.

7. Contrôle de votre semaine

1. Combien de fois cette semaine avez-vous effectué les pages du matin ? (Nous espérons que vous les avez faites pendant sept jours.) Qu'avez-vous éprouvé ? De quelle manière les pages du matin fonctionnent-elles pour vous ? Décrivez-les (par exemple : « Elles m'ont semblé si bêtes… Je devais écrire toutes ces choses minuscules, déconnectées, qui ne semblaient pas avoir de lien entre elles ni avec quoi que ce soit d'autre… »).

Souvenez-vous que si vous écrivez les pages du matin elles travaillent pour vous. Sur quoi avez-vous été surpris de découvrir que vous écriviez ? Répondez amplement à cette question sur votre page de contrôle. Ce sera le scanner hebdomadaire de vos humeurs et non de votre progrès. Ne vous préoccupez pas si vos pages sont pleurnichardes ou banales. Parfois, c'est peut-être ce qu'il y a de mieux pour vous.

2. Avez-vous effectué votre rendez-vous avec l'artiste cette semaine ? Souvenez-vous que les rendez-vous avec l'artiste sont une frivolité nécessaire. Qu'avez-vous fait ? Quelle impression en avez-vous retirée ?

3. Cette semaine y a-t-il eu d'autres problèmes que vous jugez significatifs pour votre reconquête artistique ? Décrivez-les.

Retrouver un sentiment de puissance

*I*L *se peut que vous ayez, cette semaine, des poussées inhabituelles d'énergie et des pointes aiguës de colère, de joie et de souffrance. Vous entrez en possession de votre puissance puisque la maîtrise illusoire de vos limites antérieures est ébranlée. Vous devrez adopter une ouverture d'esprit spirituelle pour éprouver de façon consciente.*

1. La colère

La colère, c'est un combustible. Nous le sentons et voulons faire quelque chose : frapper quelqu'un, casser quelque chose, piquer une crise, lancer un coup de poing dans le mur, dire à ces salauds… Mais nous sommes des gens *respectables*, et ce que nous faisons avec notre colère, c'est la rentrer, ne pas l'admettre, l'enfouir, la bloquer, la cacher, mentir à son sujet, la doser, l'assourdir, l'ignorer. Nous faisons tout, sauf l'écouter. Or, la colère est là pour qu'on l'écoute. C'est une voix, un cri, un appel, une demande. Elle est là pour être respectée. Pourquoi ? Parce que la colère est une carte qui pointe nos limites. La colère nous apprend à savoir où aller. Elle nous indique où nous sommes allés et nous dit quand nous ne l'avons pas apprécié. La colère indique le chemin et ne fait pas que pointer le doigt. Lorsqu'un artiste bloqué veut retrouver sa créativité, se mettre en colère est le signe d'une bonne santé.

La colère est là pour que nous agissions dessus et non pas pour qu'elle soit agie. Elle indique la direction. Nous sommes là pour utiliser la colère en tant que combustible pour prendre les mesures nécessaires pour aller là où elle nous l'indique. Avec une petite pensée, nous pouvons habituellement traduire le message qu'elle nous envoie :

> « La barbe ! J'aurais pu faire un film bien meilleur ! » Cette colère signifie : « Tu veux faire des films ?... Tu as alors besoin d'apprendre à le faire ! »
> « Je n'arrive pas à y croire ! J'avais cette idée pour une pièce il y a trois ans, et Margaret est partie pour l'écrire ! » Cette colère signifie : « Arrête de tout remettre au lendemain. Les idées ne donnent pas des premières. Les pièces terminées, si. Commence donc par écrire ! »
> « C'est ma stratégie qu'il est en train d'utiliser. C'est incroyable ! J'ai été escroqué ! Je savais que je devais rassembler ce matériel et en obtenir les droits exclusifs. » Cette colère signifie : « Il est temps de prendre tes idées suffisamment au sérieux pour bien les traiter. »

Quand nous ressentons de la colère en nous, nous sommes souvent très en colère de ressentir de la colère. Sacrée colère ! Elle nous informe que nous ne pouvons

---

« *J'ai simplement l'énergie qu'il faut pour faire la moue et écrire du blues.* »

Duke Ellington.

---

plus nous en tirer à aussi bon compte avec notre ancienne vie. Elle nous dit que cette ancienne vie est en train de mourir. Elle nous dit que nous sommes en train de renaître, et renaître fait mal. La souffrance nous met en colère.

La colère est l'orage qui signale la mort de notre ancienne vie. La colère est le combustible qui nous propulse dans notre nouveau Moi. La colère est un outil et non un maître. La colère est là pour qu'on y entre et qu'on l'exploite. Utilisée à bon escient, *la colère est pleine de ressources.*

La paresse, l'apathie et le désespoir sont des ennemis. La colère n'en est pas un. La colère est notre amie. Pas un ami agréable, mais un ami très, très fidèle qui nous dira toujours lorsque nous aurons été trahis, lorsque nous nous sommes trahis nous-mêmes. Elle nous dira toujours qu'il est temps d'agir dans nos meilleurs intérêts.

La colère, ce n'est pas une action en soi. C'est une *invitation à l'action.*

2. La synchronie

Les prières exaucées font peur. Elles impliquent la responsabilité. Vous l'avez demandé. Et maintenant que vous l'avez obtenu, qu'allez-vous faire ? Pourquoi alors la phrase précautionneuse : « Fais attention à ce que tu demandes dans tes prières, tu pourrais bien l'obtenir » ? Les prières exaucées nous rendent responsables de nos actes. Ce n'est pas confortable. Il nous semble

---

« L'univers vous récompensera pour avoir pris des risques en son nom. »
Shakti Gawain.

plus facile de les accepter comme des exemples de synchronie :

> — Une femme retrouve son rêve oublié : être comédienne. Le lendemain, à un dîner, elle se trouve à côté d'un homme qui forme des comédiens.
> — Un écrivain prend conscience de son rêve : faire une école de cinéma. Un simple appel téléphonique explicatif le met en contact avec un professeur qui connaît et admire son travail et lui promet que le dernier créneau horaire sera pour lui.
> — Une femme songe à reprendre ses études et, en ouvrant son courrier, trouve une lettre d'inscription dans l'école où justement elle pensait aller.
> — Une femme se demande comment louer un film rare qu'elle n'a jamais vu. Elle le trouve chez son libraire deux jours plus tard.
> — Un homme d'affaires qui, depuis deux ans, écrit en secret, se promet de s'enquérir auprès d'un écrivain professionnel sur la valeur de son talent. Le lendemain soir, lors d'une partie de billard, il rencontre un écrivain qui devient son mentor et ensuite son collaborateur pour plusieurs livres à succès.

À la lueur de mon expérience, il est beaucoup plus effrayant de penser que Dieu existe que de penser que Dieu n'existe pas. Des incidents comme ceux relatés ci-dessus nous arrivent et, pourtant, nous pensons qu'il s'agit d'une simple coïncidence. On dit beaucoup que la vie serait effroyable si Dieu n'existait pas. À mon avis, ce sont des bêtises. Beaucoup d'entre nous se sentent

> « *Quand un homme fait un pas dans la direction de Dieu, Dieu fait plus de pas dans la direction de cet homme qu'il n'y a de déserts dans les mondes du temps.* »
> *The Work of the Chariot.*

plus à l'aise s'ils n'ont pas le sentiment d'être regardés de trop près.

Si Dieu – qui pour moi ne revêt pas la signification unique du concept chrétien, mais une force toute-puissante et qui sait tout – n'existe pas, alors donc nous sommes tous tirés d'affaire, n'est-ce pas ? Il n'existe ni rétribution ni consolation divines. Et si toute l'expérience empeste – ah ! bien ! Qu'est-ce que vous attendiez ?

Cette question de l'expectative m'intéresse. Si Dieu n'existe pas ou ne s'intéresse pas à nos petites affaires piteuses, alors tout peut rouler comme à l'habitude et nous pouvons nous sentir tout à fait dans notre droit de dire que certaines choses sont impossibles et d'autres injustes. Si l'existence ou l'absence de Dieu est responsable de l'état du monde, alors nous pouvons aisément devenir cyniques et nous résigner à l'apathie. Quelle en est l'utilité ? Pourquoi essayer de changer quelque chose ?

Là en est l'utilité. S'il existe une force responsable créative qui nous entend et agit en notre nom, alors il est vraiment possible d'agir. En somme, on est pris au piège : Dieu sait que le ciel représente la limite. Toute personne honnête vous dira que le possible est beaucoup plus effrayant que l'impossible, que la liberté est beaucoup plus terrifiante que n'importe quelle prison. Si nous devons en fait traiter avec une force qui nous dépasse et qui s'implique dans notre vie, alors peut-être devons-nous agir sur ces rêves qui, auparavant, étaient impossibles.

La vie est ce que nous en faisons. Que nous concevions qu'il existe une force intérieure divine ou un autre Dieu extérieur, peu importe. C'est de s'appuyer sur cette force qui a de l'importance.

« Demandez et vous recevrez... Frappez et l'on vous ouvrira... » Ces mots sont les plus déplaisants parmi ceux attribués à Jésus-Christ. Ils suggèrent la possibilité d'une méthode scientifique : demandez (expérimentez) et voyez ce qui arrive (enregistrez les résultats). Est-il surprenant de ne pas tenir compte des prières exaucées ? Nous le nommons *coïncidence*. Nous le nommons *chance*. Nous lui attribuons n'importe quel nom sauf le bon – la main de Dieu, ou le bien activé par notre propre main quand nous agissons au nom de nos rêves les plus vrais, quand nous nous engageons envers notre propre âme.

Même la vie la plus timide contient de tels moments d'engagement : « Je vais me procurer une nouvelle machine à coudre après tout ! » Et ensuite : « J'ai trouvé celle qui me convenait parfaitement. Cela a été la chose la plus étrange. J'étais chez ma tante Bérénice, sa voisine organisait un vide-grenier et elle avait cette merveilleuse machine à coudre à laquelle était allergique son nouveau mari ! »

Dans des vies exceptionnelles, de tels moments ressortent comme des bas-reliefs, aussi grands que le mont Rushmore : Lewis et Clark sont allés à l'Ouest. Isak Dinesen est parti pour l'Afrique. Nous avons tous nos Afriques, ces notions sombres et romantiques qui font appel au plus profond de nous. Lorsque nous répondons à cet appel, quand nous nous y engageons, nous mettons en branle le principe que Jung a surnommé « synchronie », décrit dans ses grandes lignes comme un entremêlement fortuit d'événements. Dans les années 1960, nous l'appelions *découverte fortuite et heureuse*. Quel que soit le nom qu'on

> « *Une découverte, dit-on, c'est un accident rencontrant un esprit préparé.* »
> **Albert Szent-Gyorgyi.**

lui donne, une fois le processus de reconquête créative amorcé, il est très étonnant de voir ce phénomène se produire constamment.

Vouloir ne pas en tenir compte n'est pas surprenant, car c'est un concept qui peut être très menaçant. Les travaux de Jung sur la synchronie ont constitué une pierre angulaire de sa pensée ; cependant, de nombreux jungiens préfèrent n'y voir qu'une question secondaire. Ils la renvoient au rang de la singularité, tout comme le Yi-king, sans grand intérêt et à ne pas prendre trop au sérieux.

Il semblerait que Jung ne partage pas leur avis. Suivre ces conduites intérieures l'a conduit à expérimenter et à décrire un phénomène que certains préfèrent ignorer : la possibilité d'un univers intelligent et sensible, agissant en interaction avec nos intérêts.

Mon expérience m'a démontré que tel est le cas. J'ai appris qu'en règle générale il ne fallait jamais demander la permission de faire les choses. Par contre, il faut dire qu'on les fait. Ensuite, attachez votre ceinture de sécurité et ce qui s'ensuivra sera remarquable.

« Dieu est efficace » ; cette parole me rappelle toujours l'actrice Julianna McCarthy. J'ai été de nombreuses fois émerveillée de voir par quel tour de passe-passe l'univers distribue ses cadeaux. Il y a environ six ans, une de mes pièces avait été retenue pour être jouée au *Denver Center for the Performing Arts*. J'avais écrit cette pièce en pensant à mon amie Julianna pour le rôle principal. Elle représentait l'actrice idéale mais, quand je

---

« *N'avez-vous jamais observé à qui arrivent les accidents ? La chance ne sourit qu'à l'esprit préparé.* »

Louis Pasteur.

---

suis arrivée à Denver, la distribution était déjà faite. En rencontrant la jeune femme qui avait le rôle principal, j'ai éprouvé un sentiment bizarre, comme s'il y avait le tic-tac d'une bombe à retardement. J'en ai fait part au metteur en scène, mais on me rassura en me disant que la comédienne était une professionnelle accomplie. Cependant, j'avais toujours cette sensation étrange à l'estomac. Effectivement, une semaine avant la première de la pièce, notre rôle principal soudainement démissionna – de ma pièce et de *Painting Churches*, l'autre pièce qui était en cours de représentation.

Les dirigeants du *Denver Center* étaient stupéfaits et se sont répandus en excuses, se sentant très mal pour les dommages que ma pièce allait subir à cause de ce départ soudain. « Dans un monde parfait, à qui attribueriez-vous le rôle ? » m'ont-ils demandé. Je leur ai répondu : « Julianna McCarthy. »

Julianna a été engagée et est venue de Los Angeles. À peine les metteurs en scène du centre avaient-ils posé les yeux sur sa façon de travailler qu'ils lui ont demandé non seulement de jouer dans ma pièce, mais aussi de reprendre le rôle de *Painting Churches* – où son interprétation a été brillante.

« Dieu se vante », dis-je en riant à Julianna, très heureuse qu'elle ait eu la chance de faire « sa » pièce après tout.

> « *La chance est toujours puissante. Faites en sorte que votre hameçon soit toujours jeté ; dans la mare où vous vous y attendez le moins, il y aura un poisson.* »
>
> **Ovide.**

Selon mon expérience, l'univers accepte des projets valables et plus particulièrement les plans chaleureux et festifs. J'ai rarement conçu un plan délicieux sans m'être donné les moyens de l'accomplir. Comprenez que le *contenu* du projet doit venir avant la *manière* de le réaliser. D'abord choisissez ce que vous feriez ; en général, la manière se met en place d'elle-même.

Bien trop souvent, quand les gens parlent de travail créatif, ils mettent l'accent sur la stratégie. On conseille aux néophytes d'adopter une tactique machiavélique pour pouvoir percer sur le terrain. À mon sens c'est idiot. Demandez à un artiste comment il en est arrivé là ; il ne vous évoquera pas d'entrées en force, mais toute une série de coups de chance. « Des milliers de mains invisibles qui vous aident », c'est ainsi que Joseph Campbell appelle ces coups de chance. Je les appelle synchronie. Je soutiens que vous pouvez compter dessus.

Ayez ceci présent à l'esprit : la créativité est une expérience tribale et les anciens de la tribu initieront les jeunes gens doués qui croiseront leur chemin. Peut-être pensez-vous que je prends mes désirs pour la réalité, mais ce n'est pas le cas. Parfois, un artiste plus âgé se voit aidé malgré ses désirs. « Je ne sais pas pourquoi je fais ça pour vous, mais... » À nouveau, je voudrais dire que ces mains qui nous aident sont davantage que des mains humaines.

Nous aimons feindre qu'il est difficile de suivre nos rêves de cœur. La vérité, c'est qu'il est difficile de ne pas passer par toutes les portes qui s'ouvriront à nous. Mettez votre rêve de côté et il reviendra. Ayez la volonté de

---

« Désirez, demandez, croyez, recevez. »
Stella Terrill Mann.

le suivre à nouveau et une seconde porte mystérieuse s'ouvrira.

L'univers est prodigue dans son soutien. Nous sommes avares dans ce que nous acceptons. On regarde les dents de tous les chevaux offerts et, en général, on les retourne à l'expéditeur. Nous disons que nous avons peur de l'échec, mais ce qui nous effraie le plus, c'est la possibilité du succès.

Faites un petit pas dans le sens d'un rêve et regardez les portes synchrones s'ouvrir grand. Après tout, voir, c'est croire. Et si vous voyez les résultats de vos expériences, vous n'aurez pas besoin de me croire. Souvenez-vous de la maxime : « Sautez, et le filet apparaîtra. » Faites confiance à Goethe, aux hommes d'État, lettrés, artistes, hommes du monde… Goethe avait ceci à dire sur la volonté de la Providence pour nous aider dans nos efforts :

> « Avant de s'engager, il y a l'hésitation, la possibilité de faire marche arrière, et toujours l'inefficacité. Pour tout acte d'initiative (ou de création), les idées innombrables et les plans splendides s'y rapportant sont étouffés par l'ignorance d'une vérité élémentaire : que le moment où quelqu'un s'engage, alors la Providence bouge aussi.
>
> « Alors, toutes sortes d'événements se produisent pour venir en aide à ceux qui ont pris cet engagement, sans lequel rien ne se serait passé. Cette décision déclenche toute une suite d'événements, d'incidents, de rencontres et d'assistance matérielle favorables à la personne concernée, auxquels personne n'aurait cru si elle n'avait pas emprunté cette voie. Ce à quoi vous pensez, vous pouvez le faire, ce que vous croyez, vous pouvez le faire, donc commencez. L'action renferme une magie, une grâce et une puissance. »

3. La honte

Certains d'entre vous pensent : « Si c'était si facile que ça d'agir, je ne serais pas en train de lire ce livre ! » Ceux d'entre nous que la peur paralyse et empêche d'agir sont habituellement troublés par un vieil ennemi : la honte. La honte est un moyen de contrôle. Faire honte à quelqu'un, c'est essayer de l'empêcher de se conduire d'une manière qui nous embarrasse.

Produire une œuvre d'art, c'est un peu comme révéler un secret de famille. Révéler un secret, de par sa nature, implique la honte et la peur. Cela induit la question suivante : « Que penseront-ils de moi une fois qu'ils sauront ceci ? » C'est une question effrayante et d'autant plus si on a suscité chez nous de la honte pour nos curiosités et nos explorations – sociales, sexuelles, spirituelles.

« Comment oses-tu ? » disent souvent les adultes en colère, furieux envers un enfant innocent qui est tombé sur un secret de famille : « Comment oses-tu ouvrir la boîte à bijoux de ta mère ? Comment oses-tu ouvrir le tiroir du bureau de ton père ? Comment oses-tu ouvrir la porte de la chambre ? Comment oses-tu descendre à la cave, monter au grenier, aller dans des lieux obscurs où nous cachons ce que nous ne voulons pas que tu saches ?… »

Faire de l'art expose une société à elle-même. L'art met en lumière les choses. Il nous illumine. Il éclaire notre

> *« Les commencements authentiques commencent en nous, même lorsque les événements extérieurs les portent à notre attention. »*
> **William Bridges.**

longue obscurité. Il jette une lueur dans le cœur de notre obscurité et dit : « Tu vois ? » Quand on ne veut pas voir quelque chose, on s'emporte envers celui qui le montre. On tue le messager. Un enfant de parents alcooliques a des difficultés scolaires ou sexuelles que l'on signale à la famille. On fait ressentir de la honte à l'enfant pour placer sa famille dans la honte. Mais est-ce l'enfant qui a apporté de la honte ? Non. L'enfant a mis au jour des choses honteuses. La honte de la famille était antérieure et a provoqué le désespoir de l'enfant. « Que vont penser les voisins ? » Voici des propos humiliants dont le but est de maintenir la conspiration de la maladie.

L'art ouvre les armoires, aère les caves et les greniers. Il apporte la guérison. Mais avant qu'une blessure ne puisse être guérie, elle doit être vue, exposée à l'air et à la lumière, mais cette exposition – qui constitue l'acte de l'artiste – est souvent perçue comme honteuse. Très fréquemment, les mauvaises critiques sont à l'origine de la honte pour les artistes. Il est vrai que de nombreuses critiques tendent à susciter de la honte chez un artiste. « Quelle honte ! Comment osez-vous faire une si mauvaise œuvre d'art ? »

Pour l'artiste qui a enduré l'humiliation de l'enfance – pour quoi que ce soit : besoin, exploration, attente – la honte peut frapper, même sans être suscitée par un critique. Si on a fait sentir à un enfant qu'il était stupide de se croire plein de talent, terminer une œuvre d'art provoquera chez lui une honte intérieure.

> « *Le coût d'une chose, c'est ce que j'appelle la quantité de vie qui est exigée en échange, immédiatement ou à la longue.* »
> **Henry David Thoreau.**

De nombreux artistes commencent une œuvre d'art, avancent bien et, lorsqu'ils sont près de la fin, éprouvent le sentiment que, mystérieusement, le travail s'est vidé de tout mérite. Cette œuvre n'en vaut plus la peine. Pour les thérapeutes, cette poussée soudaine de manque d'intérêt (« Cela n'a aucune importance ») se rencontre fréquemment chez ceux qui veulent nier la douleur et éviter la vulnérabilité.

Les adultes, qui ont grandi dans des familles à problèmes, apprennent très bien à utiliser ce stratagème. Ils l'appellent *indifférence* mais, en fait, il s'agit d'une *anesthésie*. « Il a oublié mon anniversaire. Oh ! ce n'est pas bien grave ! »

Toute une vie remplie de telles expériences où les besoins de reconnaissance sont quotidiennement refusés, fait comprendre au jeune enfant que déployer n'importe quel moyen pour attirer l'attention est un acte dangereux.

« Traînez à la maison l'os invisible », voici l'image qu'emploie une artiste en reconquête pour décrire sa recherche illusoire d'une réalisation suffisamment importante pour gagner l'approbation de sa famille d'origine. « Peu importait la réalisation, ils ne semblaient jamais y prêter beaucoup d'attention. Ils trouvaient toujours quelque chose qui clochait. Je n'avais que des A et un B et c'était ce B qui attirait l'attention. »

Il est tout à fait naturel qu'un jeune artiste essaie d'attirer l'attention parentale par le biais de réalisations –

> « *Nous découvrons la nature de notre génie particulier quand nous arrêtons d'essayer d'être conformes à nos propres modèles, ou à ceux d'autres personnes, quand nous apprenons à être nous-mêmes et que nous laissons notre canal naturel s'ouvrir.* »
> **Shakti Gawain.**

positives ou négatives. Face à l'indifférence ou à la fureur, de tels jeunes savent vite que rien ne pourrait rencontrer l'approbation parentale.

Souvent à tort, nous avons honte d'être créateurs. De cette humiliation, nous apprenons que nous avons tort de créer. Une fois cette leçon apprise, nous l'oublions sur-le-champ. Enfouie sous des « Cela n'a pas d'importance », la honte continue à vivre, prête à s'infiltrer dans nos prochains efforts. Vouloir seulement essayer de faire de l'art engendre la honte.

Voilà pourquoi plus d'un film génial d'étudiant n'est jamais envoyé à des festivals ; voilà pourquoi de bons romans sont détruits ou vivent dans les tiroirs de bureaux. Voilà pourquoi certaines pièces ne sont pas envoyées, certains comédiens ne passent jamais d'audition. C'est aussi pourquoi certains artistes se sentent honteux en acceptant leurs rêves. Devenus adultes, la honte se déclenche à nouveau parce que notre artiste intérieur est toujours notre enfant créateur. Pour cette raison, fabriquer une œuvre d'art peut provoquer chez nous un sentiment de honte.

Nous ne pratiquons pas l'art en ayant principalement à l'esprit cette éventuelle critique, mais une critique qui pose une question du genre : « Comment peux-tu ? » peut induire chez l'artiste un sentiment identique à celui que pourrait ressentir un enfant bafoué. Un ami bien intentionné qui, de façon constructive, critique un écrivain débutant peut très bien achever cet écrivain.

> « *Puisque vous ne ressemblez à aucun autre être créé depuis le commencement des temps, vous êtes incomparable.* »
> **Brenda Ueland.**

Permettez-moi d'être claire. Toutes les critiques ne sont pas humiliantes. En fait, même les critiques les plus sévères, quand elles frappent juste, peuvent être accueillies par une exclamation interne de « Ah ! Ah ! » si elles indiquent à l'artiste une nouvelle voie valable pour son travail. Les critiques dévastatrices sont celles qui dénigrent, rejettent, ridiculisent ou condamnent. Elles sont souvent malveillantes, mais vagues et difficiles à réfuter. Voilà des critiques dévastatrices.

Humilié par de telles critiques, un artiste peut se bloquer ou arrêter de montrer son travail. Un ami perfectionniste, professeur ou critique – comme un parent perfectionniste qui désapprouve le manque de virgules – peut refroidir l'ardeur d'un jeune artiste qui est en train d'apprendre à laisser mûrir les choses. Pour cette raison, en tant qu'artistes nous devons apprendre à nous protéger.

Cela signifie-t-il qu'il ne faut aucune critique ? Non. Cela signifie qu'il faut savoir à qui s'adresser et quand s'adresser à un critique juste. En tant qu'artistes, nous devons connaître le moment adéquat pour recevoir une critique et de qui elle peut provenir. L'origine est importante, mais le moment l'est aussi. Il convient très rarement de montrer une première esquisse à quelqu'un qui ne pose pas un regard indulgent et empreint de discernement. Souvent, ce n'est qu'un artiste qui peut voir le travail embryonnaire qui essaie de germer. Un regard critique inexpérimenté et dur, au lieu de nourrir la jeune pousse créative pour qu'elle advienne, peut au contraire l'abattre.

En tant qu'artistes, nous ne pouvons contrôler toutes les critiques que nous recevons. Nous ne pouvons pas rendre nos critiques professionnelles plus saines, plus chaleureuses ou plus constructives qu'elles ne le sont. Mais nous pouvons apprendre à réconforter notre artiste enfant face à une critique injustifiée ; nous pouvons apprendre à trouver des amis capables de soulager notre douleur en toute sécurité. Nous pouvons apprendre à ne pas nier et à contenir nos sentiments quand nous avons été attaqués férocement sur le plan artistique.

L'art nécessite un incubateur sûr. L'idéal serait que les artistes le trouvent d'abord dans leurs familles et ensuite à l'école, puis finalement au sein de leur communauté d'amis et de supporters. Ces conditions idéales d'incubation sont rarement réunies. En tant qu'artistes, nous devons apprendre à créer notre propre environnement sûr. Nous devons apprendre à protéger notre enfant artiste de la honte. Nous le faisons en désamorçant nos humiliations d'enfant, en les resituant sur la page et en les partageant avec cet autre que nous sommes devenus, confiant et ne ressentant aucune humiliation.

En parlant de nos secrets honteux autour de notre art et par notre art, nous nous dégageons, nous et les autres, de l'obscurité. Cette libération n'est pas toujours bien acceptée.

Nous devons apprendre que notre art révèle un secret de l'âme humaine ; ceux qui le perçoivent essaieront peut-être de susciter en nous un sentiment de honte pour le faire.

« C'est terrible ! » peuvent-ils dire, en attaquant le travail quand le travail en lui-même est vraiment bien. Cela peut être déroutant. Quand on nous dit : « Honte à vous » et que nous la ressentons, nous devons appren-

> « *Je me suis construit un monde, et c'est un monde bien meilleur que celui qui existe.* »
> **Louise Nevelson.**

dre à reconnaître cette peur comme une recréation des hontes de l'enfance.

« Je sais que ce travail est bon... J'ai pensé que c'était du bon travail... Est-ce que je pourrais me moquer de moi ?... Peut-être que ce critique a raison ?... Pourquoi n'ai-je jamais eu l'audace de penser... ? » et la spirale commence à s'amorcer vers le bas.

En de tels moments, nous devons nous montrer très déterminés envers nous-mêmes et ne pas relever le premier doute. Nous ne pouvons tout simplement pas permettre que le premier doute prenne prise. Accepter le premier doute, c'est comme reprendre le premier verre pour un alcoolique. Une fois dans notre système, le doute va provoquer un second doute, et encore un autre. On peut stopper le fait de douter de soi, mais cela demande beaucoup de vigilance. « Peut-être que ce critique avait raison... » Et, boum ! nous devons agir : « Tu es un bon artiste, un artiste courageux, tu réussis bien. C'est bien que tu aies fait cette œuvre... »

Quand le film *God's Will (La Volonté de Dieu)*, comédie romantique que j'ai mise en scène, a été projeté à Washington, c'était pour moi comme un retour à la maison. J'avais réalisé mon premier travail de journalisme pour le *Washington Post*. J'espérais qu'on me reçoive comme une fille qui a réussi et qui revient au pays. Mais ce ne fut pas ce qu'écrivirent les critiques après l'avant-première.

Le *Post* avait envoyé une jeune femme qui a vu que tout le film portait sur des gens du théâtre et qui a écrit

> « *Ce qui ne me tue pas me rend plus fort.* »
> **Albert Camus.**

ensuite que le film concernait les gens du cinéma. Elle a ajouté que « la plupart » de mon dialogue avait été « emprunté » à *Casablanca*. Je me demandais quel film elle avait vu mais, nul doute, ce n'était pas celui que j'avais réalisé. Mon film comportait une quarantaine de plaisanteries bizarres sur le théâtre et une plaisanterie d'une ligne sur *Casablanca*. Tels étaient les faits, mais cela ne m'a pas fait du bien.

J'étais mortifiée. Humiliée. (Presque) prête à mourir.

Parce que l'antidote de la honte est de s'aimer soi-même et de se faire des compliments, c'est ce que j'ai fait. Je suis allée me promener dans Rock Creek Park. J'ai prié. Je me suis fait une liste de compliments passés et de bonnes critiques. Je ne me suis pas dit : « Cela n'a pas d'importance », mais j'ai dit à mon Moi artiste : « Tu guériras. » Puis je me suis présentée à la première, qui a remporté plus de succès que mes critiques.

Trois mois plus tard, mon film a été retenu pour un prestigieux festival européen. Ils m'ont invitée. Ils m'ont proposé de couvrir mes frais, de faire une opération de prestige pour mon film. J'ai hésité. L'humiliation de Washington avait fait son travail lent et nocif. J'avais peur de m'y rendre.

Mais je savais qu'il fallait y aller. Mes années de reconquête artistique m'ont enseigné à me présenter. Je l'ai fait et mon film s'est vendu à un prix très élevé et a bénéficié d'un gros titre dans *Variety*.

Je veux vous faire partager ce gros titre parce que je n'avais pas perdu le sens de l'ironie : « *God's Will* (la Volonté de Dieu) a frappé à Munich », disait-il.

Être créatif relève de la volonté de Dieu.

4. Négocier avec les critiques

Il est important d'être capable de faire la différence entre les critiques utiles et les autres. Souvent, nous avons besoin de faire le tri pour nous-mêmes, sans tirer profit d'une justification publique. En tant qu'artistes, nous sommes beaucoup plus en mesure de faire ce tri que les gens pourraient le supposer. Une critique, si elle est bien à propos, procure souvent à l'artiste un sentiment interne de soulagement : « Ah ! Ah ! Alors, c'est donc ça qui n'allait pas... » Finalement, une critique utile nous apporte une pièce supplémentaire au puzzle dont nous avons besoin pour notre travail.

Les critiques inutiles, d'un autre côté, nous accablent : nous nous sentons matraqués. En règle générale, leur ton est cinglant et méprisant, leur contenu, ambigu, leurs condamnations personnelles, mal à propos et globales. Il n'y a rien à retenir de critiques irresponsables.

Vous êtes confronté à l'enfant qui est en vous. La maltraitance de l'enfant artiste engendre la rébellion qui provoque des blocages. Tout ce qu'on peut faire, face à des critiques maltraitantes, c'est de chercher à guérir ces blessures.

Il existe certaines règles du code de la route utiles au traitement de toute forme de critique :

1. Recevoir la critique dans sa totalité et la dépasser.
2. Prendre des notes sur les concepts ou les paroles qui vous ennuient.

> « *Les mots qui illuminent l'âme sont plus précieux que les bijoux.* »
> **Hazrat Inayat Khan.**

3. Prendre des notes sur les concepts et les paroles qui vous semblent utiles.

4. Faire pour vous quelque chose qui soit très maternant : relire une critique ancienne qui soit bonne ou se remémorer un compliment.

5. Avoir présent à l'esprit que même si vous avez créé une œuvre d'art vraiment mauvaise, cela peut être un tremplin *nécessaire* à votre prochain travail. L'art mûrit de façon spasmodique et *nécessite* des étapes de croissance identiques à celles du vilain petit canard.

6. Regarder à nouveau la critique. Est-ce qu'elle vous rappelle une critique particulière de votre passé – notamment des critiques humiliantes de votre enfance ? Admettez que la critique actuelle déclenche la souffrance d'une blessure déjà ancienne.

7. Écrire une lettre au critique – à ne pas envoyer, probablement. Défendez votre travail et reconnaissez ce qui était peut-être utile dans la critique faite.

8. Remonter à cheval. Engagez-vous immédiatement dans la réalisation de quelque chose de créatif.

9. Le faire. La créativité est le seul remède contre les critiques.

5. Exercice : travail de détective

De nombreuses personnes bloquées sont en fait des gens très puissants et très créatifs que l'on a culpabilisés pour leurs forces et leurs dons. Sans en avoir conscience, ils sont souvent utilisés comme des batteries par leurs familles et leurs amis qui se sentent libres à la fois d'uti-

> « *Les artistes qui cherchent la perfection en tout sont ceux qui ne peuvent l'atteindre en quoi que ce soit.* »
>
> **Eugène Delacroix.**

liser leurs énergies créatrices et de les dénigrer. Quand ces artistes bloqués s'efforcent de se dégager de leurs systèmes de dysfonctionnement, on leur demande souvent d'être sensés alors que de tels conseils ne leur conviennent pas. Ayant été culpabilisés pour leurs propres talents, ils les cachent souvent par peur de blesser les autres. Par contre, ils se font mal à eux-mêmes.

Il faut procéder à un petit travail de détective pour restaurer les personnes que nous avons abandonnées – c'est-à-dire nous-mêmes. En complétant les phrases suivantes, rechercher des souvenirs ou des fragments déplacés de vous-même peut déclencher des émotions fortes. Associez librement en faisant environ une phrase pour chaque début :

> — Mon jouet favori pendant mon enfance était...
> — Mon jeu favori pendant l'enfance était...
> — Le meilleur film que j'aie jamais vu, enfant était...
> — Je ne le fais pas beaucoup, mais j'aime...
> — Si je pouvais me décontracter un petit peu, je me permettrais bien...
> — Si ce n'était pas trop tard, je...
> — Mon instrument de musique favori est...
> — La quantité d'argent dépensée chaque mois pour me divertir est de...
> — Si je n'étais pas si avare avec mon artiste, je lui achèterais...
> — Prendre du temps pour moi-même, c'est...
> — J'ai bien peur que je ne commence à rêver...
> — J'adore, en secret, lire...
> — Si j'avais eu une enfance parfaite, je serais devenu...
> — Si cela n'avait pas paru si fou, j'aurais écrit ou fait...
> — Mes parents pensent que les artistes sont...
> — Mon Dieu pense que les artistes sont...

— Ce que je ressens d'étrange à propos de cette reconquête, c'est...

— Apprendre à avoir confiance en moi, c'est probablement...

— La musique qui me remonte le plus le moral est...

— Ma façon favorite de m'habiller est...

6. Grandir

Grandir représente un mouvement vers l'avant, capricieux : deux pas en avant, un pas en arrière. Souvenez-vous-en pour être indulgent envers vous-même. Reconquérir sa créativité, c'est guérir. Vous êtes capable de choses géniales le mardi, mais le mercredi vous pouvez faire marche arrière. C'est normal. Grandir se fait par poussées. Parfois, vous aurez l'impression de dormir. Ne soyez pas découragé. Prenez-le pour du repos.

Très souvent, une semaine de visions intérieures sera suivie d'une semaine d'apathie. Les pages du matin vous apparaîtront sans intérêt. *Elles le sont.* Ce que vous apprenez à faire, en les écrivant même quand vous êtes fatigué et qu'elles vous semblent ennuyeuses, c'est vous reposer sur la page. C'est très important. Pour chaque kilomètre effectué rapidement, les coureurs de marathon nous enseignent que nous enregistrons dix kilomètres effectués à vitesse lente. C'est vrai aussi pour la créativité.

Dans ce sens, *y aller lentement,* c'est vraiment un *modus operandi.* Cela signifie « l'accomplir facile-

---

« *Prenez votre vie en main et qu'arrive-t-il ? Une chose terrible : personne n'est à blâmer.* »
Erica Jong.

ment ». Si vous voulez vous conformer à écrire trois pages chaque matin et faire une chose agréable pour vous chaque jour, vous commencerez à remarquer plus de légèreté dans votre cœur.

Entraînez-vous à prendre soin de vous dans des gestes simples et concrets. Regardez votre réfrigérateur. Est-ce que vous vous nourrissez bien ? Avez-vous des chaussettes ? Une paire de draps supplémentaires ? Que diriez-vous d'une autre plante d'intérieur ? Un thermos dans votre voiture pour vous rendre à votre travail ? Autorisez-vous à vous débarrasser de certains de vos vieux vêtements ; vous n'avez pas à tout garder.

L'expression « Aide-toi et le ciel t'aidera » peut prendre un sens nouveau, très différent. Dans le passé, cela signifiait : « Le ciel vient en aide uniquement à ceux qui méritent de l'aide », maintenant c'est le nombre surprenant de petits cadeaux gratuits que le Créateur fait à ceux qui s'accordent une petite générosité. Si vous vous octroyez un plaisir par jour, Dieu en fera deux de plus. Soyez attentif à tout soutien et encouragement de sources inattendues ; soyez prêt à recevoir les cadeaux offerts bizarrement : entrées gratuites, voyage offert, une invitation à dîner, un vieux divan nouveau pour vous… Entraînez-vous à accepter de telles aides.

Votre penchant scientifique vous amènerait peut-être à dresser la liste des vêtements que vous souhaiteriez

> « *Il existe une vitalité, une force de vie, une énergie, une stimulation qui se traduit en vous par une action, et parce qu'il n'existe qu'une seule personne comme vous dans tous les temps, cette expression est unique. Et si vous la bloquez, elle n'existera jamais dans aucun autre milieu et sera perdue.* »
> **Martha Graham.**

avoir. Très souvent, les articles sur la liste viennent spontanément en votre possession à une vitesse déconcertante. Essayez simplement. Faites-en l'expérience.

Plus que tout, faites l'expérience de la solitude. Il faudra vous engager à avoir des moments de tranquillité. Essayez d'acquérir l'habitude de vous contrôler. Plusieurs fois par jour, prenez simplement un temps, demandez-vous comment vous vous sentez. Écoutez votre réponse ; répondez de façon aimable. Si vous êtes en train de faire quelque chose de très dur, promettez-vous un repos et des égards par la suite.

Oui, je vous *demande* de prendre soin de vous comme si vous étiez un bébé. Nous croyons que pour être artiste il faut être dur, cynique et peureux intellectuellement. Laissez cela aux critiques. En tant qu'être créateur, vous serez beaucoup plus productif choyé que maltraité.

7. Exercices de la semaine

1. Décrivez la pièce que vous occupiez enfant. Si vous le désirez, vous pouvez en faire le croquis. Quel était votre objet préféré ? Quel objet préférez-vous dans votre pièce actuellement ? Aucun ? Bien, procurez-vous un objet que vous voudriez avoir dans cette pièce – peut-être quelque chose qui était dans la chambre de votre enfance ?

2. Décrivez cinq traits que vous aimiez chez vous lorsque vous étiez enfant.

3. Citez cinq réalisations dans votre vie d'enfant (les dissertations en terminale, dresser le chien, éjecter la brute de la classe, mettre en portefeuille le lit du prêtre…).

Et une attention : notez cinq plats favoris de votre enfance. Achetez-vous-en un cette semaine. Oui, c'est entendu pour une gelée à la banane.

4. *Habitudes*. Examinez vos habitudes. Beaucoup d'entre elles peuvent interférer avec le maternage que vous vous accordez et peuvent susciter chez vous de la honte. Les choses les plus bizarres sont autodestructives. Avez-vous l'habitude de regarder des programmes de télévision que vous n'aimez pas ? Avez-vous l'habitude de traîner dehors avec un ami ennuyeux tout simplement pour tuer le temps ? C'est évident pour certaines habitudes préjudiciables, non déguisées (trop boire, fumer, manger au lieu d'écrire). Faites la liste de trois habitudes néfastes. Quel bénéfice tirez-vous de la continuation de ces habitudes ?

Certaines mauvaises habitudes sont plus subtiles (ne pas prendre le temps de faire du sport, accorder peu de temps à la prière, être toujours en train d'aider les autres, ne pas se nourrir, traîner avec des gens qui rabaissent vos rêves…). Énumérez trois ennemis subtils. Que retirez-vous de cette forme de sabotage ? Soyez précis.

5. Faites une liste des amis qui vous nourrissent – *nourrir* et non *permettre* – c'est-à-dire vous donnent le sens de votre propre compétence et de vos propres possibilités, vous permettent de faire passer le message que, sans leur aide, vous ne parviendriez pas à communiquer. Il y a une grande différence entre être aidé et

---

« *Chaque fois que je dois choisir entre deux maux, j'aime toujours essayer celui que je n'ai jamais essayé auparavant.* »

Mae West.

être traité comme si nous étions impuissants. Énumérez trois amis bienveillants. Quels sont leurs traits de caractère qui vous sont utiles ?

6. Appelez un ami qui vous considère comme une personne vraiment bonne et brillante, qui veut agir. Une partie de votre reconquête sera de vous assurer de son soutien. Ce soutien vous sera essentiel lorsque vous prendrez de nouveaux risques.

7. *Boussole interne.* Chacun de nous a une boussole interne. C'est un instinct qui nous pousse vers la santé. Il nous avertit quand nous nous trouvons en zone dangereuse et nous renseigne sur ce qui est bon et sûr pour nous. Les pages du matin sont une façon d'entrer en contact avec cette boussole, de même que peuvent l'être certaines activités du cerveau artiste : peindre, conduire, marcher, frotter, courir... Cette semaine, prenez une heure pour suivre votre boussole interne en faisant une activité du cerveau artiste, et écoutez les visions intérieures qui remontent à la surface.

8. Citez cinq personnes que vous admirez. Maintenant, citez cinq personnes que vous admirez en secret. Quels sont les traits de ces personnages que vous pouvez cultiver plus profondément en vous-même ?

9. Citez cinq personnes que vous auriez souhaité rencontrer et qui sont mortes. Maintenant, citez cinq personnes qui sont mortes et avec lesquelles vous auriez aimé traîner jusqu'à l'éternité. Quels sont les traits de

> « *Le travail créatif est un jeu. C'est une spéculation libre qui utilise les matériaux d'une forme choisie.* »
> **Stephen Nachmanovitch.**

caractère de ces personnages que vous pouvez rechercher chez vos amis ?

10. Comparez les deux listes. Jetez un œil à ce que vous aimez et admirez vraiment – et regardez ce que vous pensez devoir aimer et admirer. Il se peut que vos « Il faut que… » vous disent d'admirer Edison tandis que votre cœur penche pour Houdini. Allez rejoindre pendant quelques instants le côté Houdini qui est en vous.

8. Contrôle de votre semaine

1. Combien de fois cette semaine avez-vous fait vos pages du matin ? Qu'avez-vous ressenti ? Si vous avez sauté un jour, dites pourquoi.

2. Avez-vous pris votre rendez-vous avec l'artiste cette semaine ? (Oui, oui, et cela a été affreux.) Qu'avez-vous fait ? Qu'avez-vous ressenti ?

3. Avez-vous expérimenté une quelconque synchronie cette semaine ? Quelle était-elle ?

4. Y a-t-il d'autres problèmes cette semaine que vous avez considérés comme significatifs pour votre reconquête ? Décrivez-les.

« La créativité, c'est… voir quelque chose qui n'existe pas encore. Il faut découvrir comment pouvoir la faire advenir et, de cette façon, être un compagnon de Dieu. »

Michele Shea.

Retrouver le sentiment d'intégrité

*C*ETTE *semaine, peut-être serez-vous aux prises avec une autre perception de votre personnalité ? Le but des essais et des exercices de la semaine est de vous plonger dans une introspection productive et d'intégrer progressivement une nouvelle conscience de vous-même. Cela peut être à la fois très difficile et extrêmement excitant.*

Avertissement : ne pas sauter l'outil « Privation de lecture » !

1. Changements honnêtes

Grâce aux pages du matin, nous commençons à faire la différence entre nos sentiments *authentiques*, qui sont le plus souvent secrets, et nos sentiments *officiels*, ceux que nous exprimons socialement. Les sentiments officiels s'expriment souvent par des : « Ça va [à propos d'une perte d'emploi, d'une rupture sentimentale, de la mort de votre père...]. »

Que voulons-nous dire par « Ça va » ? Les pages du matin nous forcent à être précis. Est-ce que ce « Ça va » signifie que je me résigne, que j'accepte, que je suis à l'aise, détaché, anesthésié, tolérant, content, ou satisfait ? Que cela signifie-t-il ?

Le « Ça va » est un mot couverture pour la plupart d'entre nous. Il recouvre toutes sortes de sentiments embarrassants et signifie souvent une perte. Officiellement, nous sentons que nous allons bien, mais est-ce vraiment le cas ?

Pour réussir sa reconquête créative il faut, au départ, se défaire de ce démenti et arrêter de dire « Ça va » quand, en fait, il y a autre chose. Les pages du matin nous poussent à répondre à ce quelque chose d'autre.

Durant les années que j'ai passées à observer les personnes travailler avec les pages du matin, j'ai remarqué que beaucoup tendent à les négliger ou à les abandonner chaque fois qu'une clarification désagréable est sur le point d'émerger. Si, par exemple, nous sommes très en colère mais que nous n'arrivons pas à l'admettre, alors nous serons tentés de dire que les « choses vont bien ». Les pages du matin ne nous permettront pas de faire abstraction du problème. Aussi avons-nous tendance à les éviter.

Si nous éprouvons le sentiment confus que notre amant n'est pas totalement honnête avec nous, sans doute les pages du matin jetteront-elles la lumière sur cette possibilité désagréable qui nous met face à notre responsabilité : celle d'engager une conversation déplaisante. Au lieu de voir en face ce gâchis et d'y remédier, c'est nous qui gâchons nos pages du matin.

« *Chaque peinture a sa propre manière d'évolution... Une fois la peinture finie, le sujet se révèle de lui-même.* »

William Baziotes.

Par contraste, si nous sommes soudainement et follement amoureux, les pages du matin nous sembleront menaçantes. Nous ne voulons pas crever la bulle fragile et brillante de notre bonheur. Nous voulons rester perdus dans une mer de bonheur, dans une fusion totale, oubliant ainsi notre Moi, qui se trouve temporairement aveuglé.

En résumé, des émotions extrêmes de toute nature – ce que gèrent, par excellence, les pages du matin – sont ce qui déclenche habituellement l'évitement des pages elles-mêmes.

De même qu'un athlète habitué à courir devient irritable lorsqu'il ne peut pas faire ses kilomètres, ainsi ceux d'entre nous habitués aux pages du matin remarqueront leur irritabilité en ne les faisant pas. Nous sommes toujours tentés d'inverser la cause et l'effet : « J'étais de trop mauvaise humeur pour les faire » au lieu de : « Je ne les ai pas faites, donc je suis de trop mauvaise humeur. »

Sur toute période relativement longue, les pages du matin réalisent une *chiropractie spirituelle*. Elles réalignent nos valeurs. Lorsque nous nous trouvons à gauche ou à droite de notre vérité personnelle, les pages nous indiqueront le besoin d'un réajustement. Nous prendrons conscience de notre dérive et la corrigerons – ne serait-ce que pour empêcher les pages de parler.

« Que votre Moi soit authentique », disent-elles, tout en pointant ce Moi avec empressement. C'est par les pages que Joan, peintre, a d'abord appris qu'elle voulait écrire des comédies. Pas étonnant, tous ses amis étaient écrivains. Elle aussi ! Tchekhov conseillait : « Si vous voulez travailler sur votre art, travaillez sur votre vie. » En d'autres termes, cela veut dire que pour avoir une expression personnelle, il faut d'abord avoir un Moi à exprimer. Cela est du ressort des pages du matin :

« Moi-même je ressens ceci… et cela… et ceci. Personne n'a besoin d'être d'accord avec moi, mais c'est ce que je ressens. »

Le processus d'identification d'un Moi implique inévitablement la perte aussi bien que le gain. Nous découvrons nos frontières et ces frontières, par définition, nous séparent de nos compagnons. En clarifiant nos perceptions, nous abandonnons nos opinions fausses. Au fur et à mesure que nous éliminons l'ambiguïté, nous perdons l'illusion aussi. Nous arrivons à la clarté et la clarté crée le changement.

« Ce travail ne m'intéresse plus » peut apparaître dans les pages du matin. D'abord, c'est une perception troublante. Après un certain temps, cela devient un appel à l'action et ensuite un plan d'action.

« Ce mariage ne marche pas pour moi », disent les pages du matin. Et ensuite : « Je me demande ce que sont les thérapies de couple ? » Et ensuite : « Je me demande si, tout simplement, je ne m'ennuie pas avec moi-même ? »

Outre poser des problèmes, les pages peuvent aussi donner des solutions. « Je m'ennuie. Ce serait agréable d'apprendre le français… » ou : « Je viens de remarquer près d'ici un panneau pour des cours de poterie. Cela semble intéressant. »

En détectant les amis qui nous ennuient, les situations qui nous étouffent, nous sommes souvent secoués par des vagues de chagrin. Il se peut que nous voulions

---

« *Éliminez de votre vie une chose superflue. Défaites-vous d'une habitude. Faites quelque chose qui vous fasse sentir en insécurité.* »
Piero Ferrucci.

reprendre nos illusions ! Nous voulons prétendre que l'amitié marche. Nous ne voulons pas vivre le traumatisme de rechercher un nouveau travail.

Confrontés à des changements imminents que nous avons nous-mêmes provoqués, nous voulons nous révolter, nous mettre en boule et pleurer. « Pas de souffrance, pas de bénéfice », telle est la cruelle devise. Et nous ne pouvons pas admettre cette douleur, quel que soit le bénéfice que nous en retirons.

« Je ne veux pas libérer ma conscience ! gémissons-nous. Je veux… » Et merci aux pages du matin qui nous apprennent ce que nous voulons et qui, finalement, suscitent en nous le désir de faire les changements nécessaires pour l'obtenir. Mais cela, pas sans crises de rage. Et pas sans un *kriya*, un mot sanskrit signifiant « sortie de secours spirituelle » ou « reddition ». (J'imagine toujours les kriyas comme des saisissements spirituels. Peut-être devraient-ils s'écrire *crias* parce que ce sont des cris de l'âme, mise à mal par ces changements.)

Nous savons tous à quoi ressemble un kriya : c'est la forte grippe que vous attrapez juste après la rupture avec votre amant. C'est l'affreux rhume de cerveau ou la bronchite qui annonce que, pour répondre à des exigences de travail impossibles, vous avez maltraité votre santé. C'est la crise d'asthme qui vous attaque à l'improviste quand vous venez de faire la tournée des bars pour prendre soin de votre rejeton alcoolique. C'est un kriya, aussi.

> « *Arrêtez de penser et d'en parler et il n'y aura rien que vous ne puissiez être capable de savoir.* »
> **Koan zen.**

Toujours significatifs, fréquemment psychosomatiques, les kriyas sont l'insulte finale que notre psychisme ajoute à nos blessures : « Compris ? » vous demande un kriya.

Vous avez compris que :

— Vous ne pouvez pas rester avec cet amant qui vous maltraite.

— Vous ne pouvez pas garder cet emploi qui exige quatre-vingts heures de travail par semaine.

— Vous ne pouvez pas porter secours à un frère qui doit d'abord se secourir lui-même.

En groupes de douze étapes, les kriyas sont souvent appelés *redditions*. On dit simplement aux gens de *laisser aller*. Et ils le feraient s'ils savaient à quoi ils s'accrochent. Avec les pages du matin en place et les rendez-vous avec l'artiste en mouvement, l'équipement radio a une demi-chance de recevoir le message que vous envoyez et/ou recevez. Les pages du matin rassemblent les suspects habituels. Elles mentionnent les petites blessures que nous préférons ignorer, les grands succès dont nous ne voulons pas prendre conscience. En résumé, les pages du matin indiquent le chemin vers la réalité : voilà ce que vous ressentez ; qu'en faites-vous ?

Et ce que nous en faisons, c'est souvent de l'art.

Fréquemment, on croit que la vie créative s'appuie sur les fantasmes. La vérité la plus difficile à admettre, c'est que la créativité s'appuie sur la réalité, sur le particulier, sur le ciblé, sur ce qui est bien observé ou imaginé de façon spécifique.

En nous défaisant de la perception vague que nous avons de nous-mêmes, de nos valeurs, de la situation

> « *Tous les arts que nous pratiquons sont des apprentissages. Le grand art, c'est notre vie.* »
> **M. C. Richards.**

de notre vie, nous devenons disponibles à l'instant présent. C'est là, dans le particulier, que nous contactons le Moi créateur. Avant d'expérimenter la liberté de la solitude, nous ne pouvons créer des liens authentiques. Nous sommes peut-être pris dans un filet, mais nous ne nous sommes pas encore trouvés.

L'art se constitue dans le moment de la rencontre : nous rencontrons notre vérité et nous nous rencontrons ; nous nous rencontrons et nous rencontrons notre propre expression. Nous devenons originaux parce que nous devenons quelque chose de spécifique : une origine à partir de laquelle le travail coule.

Au fur et à mesure que nous gagnons – ou regagnons – notre identité créatrice, nous perdons le faux Moi que nous soutenions. La perte de ce faux Moi peut être ressentie comme traumatique : « Je ne sais plus qui je suis. Je ne me reconnais pas. »

Souvenez-vous que plus vous vous sentez en terre inconnue, plus vous pouvez être certain que le processus de reconquête marche. Vous êtes votre propre Terre promise, votre propre nouvelle frontière.

Les changements dans les goûts et les perceptions sont fréquemment accompagnés de changements d'identité. Ce qui signale le mieux que quelque chose de sain se prépare, c'est l'impulsion de désherber, de trier et de jeter de vieux habits, des papiers et autres objets nous appartenant.

« Je n'en ai plus besoin », dit-on quand une chemise reflétant le manque d'estime envers soi-même va rejoindre la pile des vêtements à donner. « Je ne peux plus

« *Ce n'est pas parce que les choses sont difficiles que nous n'osons pas ; c'est parce que nous n'osons pas qu'elles sont difficiles.* »

Sénèque.

voir cette armoire cassée et ses seize couches de peinture », et l'armoire part à l'Armée du salut. En jetant ce qui est vieux et fonctionne mal, nous faisons de la place à ce qui est neuf et approprié. Une armoire bourrée de vieux vêtements usagés n'invite pas à en acquérir de neufs. Une maison débordant de vieilleries, de bric-à-brac qui vous ont été chers pendant longtemps ne peut pas accueillir ce qui pourrait vraiment ressortir maintenant.

Quand l'impulsion de trier nos affaires nous prend, nous sommes pris entre deux courants contraires : l'ancien qui s'en va et qui nous fait souffrir, et le nouveau qui s'affermit et qui nous complimente. Comme pour toute rupture, on ressent à la fois de la tension et du soulagement. Une dépression insidieuse craque comme une banquise. Des sentiments gelés depuis longtemps fondent, tombent en cascade, inondent et souvent envahissent le contenant (vous). Peut-être allez-vous vous découvrir explosif et changeant ? Vous l'êtes.

Soyez prêt aux crises de larmes et aux accès de rire. Ces pertes soudaines peuvent même vous étourdir. Ayez en vous l'image suivante : victime d'un accident, vous vous éloignez en marchant du lieu de la collision ; votre ancienne vie a heurté un obstacle et a pris feu ; cependant, votre nouvelle vie n'est pas encore apparente. Pendant un certain temps, vous aurez sans doute l'impression d'être sans véhicule. Mais continuez à marcher.

Si cette description vous semble dramatique, c'est uniquement pour vous préparer à d'éventuels feux d'artifice émotionnels qui, peut-être, ne se produiront pas. Vos changements ressembleront peut-être davantage à des mouvements de nuages : au départ, le ciel sera couvert, ensuite nuageux en partie. Il est important de savoir que, quelle que soit votre façon de grandir, un autre changement – plus lent et plus subtil – s'opérera en vous, jour après jour, que vous détectiez sa présence ou non.

« Rien de spectaculaire ne m'arrive. Je ne pense pas que cette méthode marche pour moi », me disait souvent quelqu'un qui, à mon avis, changeait à une vitesse fulgurante. Une fois engagés dans le processus des pages du matin et des rendez-vous avec l'artiste, nous commençons à bouger à une telle vitesse que nous n'arrivons pas à en capter l'allure. De même que les occupants d'un jet sont rarement conscients de la vitesse de l'appareil à moins de traverser une zone de turbulences, de même les voyageurs sur « les chemins de la créativité » ont rarement conscience de la vitesse de leur croissance. Ne pas l'admettre, c'est faire avorter le processus de reconquête qui « ne se produit pas » pour nous. Et nous sommes tous tentés de le faire. Oh ! que si !

Une fois que nous avons engagé le Créateur intérieur pour nous guérir, beaucoup de changements et de déplacements dans nos attitudes commencent à se produire. J'en énumère quelques-uns ici, parce que beaucoup ne seront pas reconnus tout de suite comme guérison. En fait, ils peuvent paraître fous et même destructeurs. Au mieux, ils peuvent paraître excentriques.

> « *Pour devenir vraiment immortelle, une œuvre d'art doit échapper aux limites humaines : n'interférera que le bon sens logique. Mais une fois ces barrières abaissées, elle entrera dans le royaume des visions et des rêves de l'enfance.* »
> **Giorgio De Chirico.**

Les modèles d'énergie changeront. Vos rêves, de nuit comme de jour, deviendront plus forts et plus clairs : vous serez surpris de vous souvenir de vos rêves nocturnes et, le jour, les rêveries diurnes attireront votre attention. Les fantaisies, bienfaisantes et inattendues, commenceront à naître.

De nombreux domaines dans votre vie qui, auparavant, semblaient bien s'emboîter, ne vont plus le faire. La moitié de votre garde-robe peut commencer à vous paraître bizarre. Peut-être allez-vous recouvrir un divan ou, tout simplement, le jeter. Vos goûts musicaux peuvent changer. Il se peut que spontanément vous vous mettiez à chanter, danser, courir...

Votre candeur va peut-être vous déranger. « Je n'aime pas cela » ou « Je pense que ça va être génial », de telles phrases ne sortiront plus de votre bouche. En bref, vos goûts, vos jugements et votre identité personnelle commenceront à voir le jour.

Ce que vous avez fait, c'est *nettoyer le miroir*. Chaque jour, les pages du matin essuient la buée que vous avez maintenue entre vous et votre Moi authentique. Vous serez peut-être surpris d'y voir une image de vous de plus en plus claire. Il est possible que vous vous découvriez des goûts et des aversions tout particuliers, dont vous n'aviez pas du tout conscience. Une tendresse pour les cactus. Pourquoi donc ai-je tous ces pots de lierre ? Peu d'attirance pour le marron. Pourquoi alors je continue à mettre ce pull dans lequel je ne me suis jamais sentie à l'aise ?

Conditionnés comme nous le sommes à accepter les définitions que les autres ont de nous, cette individualité qui émerge peut ressembler à une bataille que nous livrons à notre propre volonté. Ce ne l'est pas.

Votre âme, tels des flocons de neige, apparaît. Chacun de nous est un être créateur unique. Mais nous voilons souvent cette unicité en consommant trop de sucre, trop d'alcool, des drogues, en travaillant trop, en étant trop sur la retenue, en ayant de mauvaises relations, une vie sexuelle néfaste, en ne faisant pas assez de sport, en regardant trop la télévision, en ne dormant pas assez... tout cela constituant une nourriture préjudiciable à notre âme. Les pages du matin nous aident à voir ces taches sur notre conscience.

2. Entrer en soi

Si vous regardez en arrière, sur la période des pages du matin, vous vous rendrez compte des nombreux changements survenus dans votre vie, résultat de votre volonté à faire de la place pour l'action du Créateur. Vous aurez remarqué plus d'énergie personnelle, parfois déconcertante, des éclats de colère, des éclairs de clarté. Vous avez peut-être une opinion différente des gens et des objets. Vous allez saisir le sens du flux de votre vie – de nouvelles perspectives vont s'ouvrir quand vous aurez accepté de vous mouvoir avec le flux de Dieu. Cela est déjà clair.

Peut-être allez-vous éprouver à la fois un sentiment de déception et de foi. Vous n'êtes plus coincé, mais vous ne savez pas où vous allez. Il se peut que vous ayez le sentiment de ne pas pouvoir garder le rythme. Il se peut que vous regrettiez le temps où vous aviez le sentiment que rien n'était possible, où vous vous sentiez davantage victime, où vous n'aviez pas conscience de tout ce que vous pouviez faire pour améliorer votre vie.

> *« Le centre que je ne peux trouver est connu de mon inconscient. »*
> **Wyston Hugh Auden.**

Il est normal d'aspirer à un peu de repos quand on bouge si rapidement. Ce que vous allez apprendre à faire, c'est à vous reposer en mouvement, comme si vous étiez allongé dans un bateau. Les pages du matin sont votre bateau. À la fois, elles vous feront avancer et seront un refuge pour que vous puissiez vous reposer de votre avancée.

Il nous est difficile de comprendre qu'entrer en soi et écrire les pages du matin puisse ouvrir une porte intérieure qui permet à notre Créateur de nous aider et de nous guider. C'est notre volonté qui ouvre cette porte intérieure. Les pages du matin symbolisent la volonté que nous avons de parler à Dieu et de l'écouter. Elles nous conduisent vers d'autres changements qui proviennent aussi de Dieu et nous conduisent à Dieu. C'est la main de Dieu qui se déplace par l'intermédiaire de votre main quand vous écrivez. Cela est très puissant.

Au stade où vous en êtes, il existe une technique très rassurante qui est d'utiliser vos pages du matin – ou une partie – pour affirmer par écrit vos progrès. « Mets-le par écrit », dit-on souvent, en concluant un marché.

Mettre par écrit le marché que nous concluons avec notre Créateur nous confère une certaine puissance. « Je reçois ta bonté de plein gré » et « Que ta volonté soit faite » sont deux affirmations brèves qui, lorsqu'elles sont écrites le matin, nous rendent plus réceptifs au bien pendant la journée.

« Je fais confiance à mes perceptions. » Voici une autre affirmation puissante à utiliser quand notre

---

> *« Pour recevoir des conseils, il suffit de le demander et ensuite d'écouter. »*
>
> **Sanaya Roman.**

identité se modifie. « Un Moi plus fort et plus clair est en train d'émerger. »

Choisissez des affirmations qui correspondent à vos besoins. Comme vous vous plongez dans vos rêves enfouis, vous devez vous assurer que de telles explorations vous sont permises : « Je retrouve et apprécie mon identité. »

3. Exercice : rêves enfouis

En tant que créateurs en reconquête, nous devons souvent dégager de nos propres passés les éclats enfouis de nos rêves et délices. Creusez un peu, s'il vous plaît. Soyez rapide et frivole. Voici un exercice qui fait appel à la spontanéité, donc écrivez vite vos réponses. La rapidité tue le Censeur.

— Indiquez cinq hobbies qui vous semblent drôles.
— Indiquez cinq cours qui vous semblent drôles.
— Indiquez cinq choses que, personnellement, vous ne feriez jamais et qui vous paraissent drôles.
— Indiquez cinq compétences que vous jugeriez amusantes de posséder.
— Indiquez cinq choses que vous aimiez faire.
— Indiquez cinq choses bêtes que vous aimeriez essayer immédiatement.

Comme vous avez pu le saisir, à ce stade-là de votre travail nous aborderons certains problèmes selon différents angles, dont le but, pour chacun, est d'obtenir de votre inconscient un maximum d'informations sur ce que vous pourriez aimer consciemment. L'exercice qui suit vous apprendra des quantités de choses sur vous – et sur la manière de vous accorder un peu de temps libre pour poursuivre les intérêts que vous venez de mentionner.

4. Privation de lecture

Si vous restez coincé dans votre vie ou dans votre art, il n'y a pas de solution plus efficace que de *se priver de lecture* pendant une semaine.

Pas de lecture ? Exact : pas de lecture. Pour la plupart des artistes, les mots sont comme de petits tranquillisants. Nous avalons notre quota journalier de bavardage médiatique. Comme une alimentation trop grasse, cela encrasse notre système. Trop d'ingurgitation de médias et nous nous sentons, oui, « frits ».

Il peut paraître paradoxal qu'en vidant notre vie de distractions, nous allons en fait remplir le puits. Sans distractions, nous sommes immédiatement plongés dans le monde des sensations. Sans journal pour nous servir de bouclier, un train devient une galerie. Sans roman dans lequel nous plonger (et sans télévision pour nous assommer), une soirée se transforme en vaste savane dans laquelle le mobilier – et autres suppositions – prend un ordre nouveau.

Se priver de lecture, c'est se plonger dans un silence intérieur, un espace que certains d'entre nous commencent immédiatement à remplir de mots nouveaux – des conversations, longues et banales, trop de télévision, la radio, compagne toujours présente et bavarde. Souvent, nous ne pouvons pas entendre, au-

> « *Nous sommes toujours en train de faire quelque chose, parler, lire, écouter la radio, projeter ce que l'on va faire dans l'immédiat. Tout au long de la journée, l'esprit est constamment encombré et harcelé de préoccupations extérieures, faciles et sans importance.* »
>
> **Brenda Ueland.**

dessus des interférences, notre voix intérieure, la voix de l'inspiration de l'artiste. L'arrêt de la lecture nous oblige à porter un regard attentif sur ces autres polluants qui empoisonnent notre puits.

Si nous surveillons l'entrée des informations lues et en maintenons le niveau à un minimum, nous serons grandement récompensés de cette privation de lecture par l'émergence d'un nouveau courant. Notre propre art, nos propres pensées et nos sentiments vont libérer ce blocage et le faire sortir jusqu'à ce que notre puits fonctionne à nouveau librement.

Se priver de lecture est un outil très efficace, mais aussi très effrayant. Seulement y penser peut soulever une colère énorme. Pour la plupart des créateurs bloqués, la lecture est une addiction. Nous gobons les mots des autres plutôt que de digérer nos propres pensées et sentiments, plutôt que de concocter quelque chose de notre cru.

Durant l'enseignement de ma méthode, la semaine où je prescris de ne pas lire est toujours difficile. Je monte sur l'estrade en sachant que je vais être attaquée. J'annonce la mauvaise nouvelle et, ensuite, je rassemble mes forces pour affronter les vagues d'antagonisme et de sarcasme qui vont suivre.

Au moins un étudiant m'explique toujours – de façon explicite, avec précision – qu'il ou elle est une personne très importante et très occupée, dont les devoirs et les obligations passent par la lecture. Cette information est inévitablement donnée sur un ton cassant, signifiant par là que je suis une gamine imbécile, une artiste ex-

---

« *Dans les moments d'obscurité, l'œil commence à voir.* »

Theodore Roethke.

centrique, incapable de saisir les complexités d'une vie d'adulte. Je me contente d'écouter.

Une fois la colère dissipée, toutes les lectures obligatoires pour les études et la vie professionnelle mentionnées, je souligne que je suis allée à l'université, que j'ai eu des responsabilités professionnelles et que, à mon expérience, j'ai pu remettre de nombreuses fois mes lectures à plus tard ; en tant que créateurs bloqués, nous pouvons utiliser notre créativité pour nous dégager des choses. Je demande aux membres du groupe de faire avancer leur créativité en ne lisant pas.

« Mais qu'allons-nous faire ? », demande-t-on immédiatement.

Voici une brève liste (incomplète) de ce que les gens font quand ils ne lisent pas :

Écouter de la musique	Tricoter	Réfléchir
Faire des rideaux	Cuisiner	Méditer
Laver le chien	Réparer la bicyclette	Inviter des amis à dîner
Trier les placards	Faire de l'aquarelle	Faire fonctionner la chaîne stéréo
Régler les factures	Rebrancher la lampe	Écrire à d'anciens amis
Repeindre la chambre	Rempoter certaines plantes (une entreprise dangereuse !)	Aller danser
Ranger les étagères	Réaménager la cuisine	Raccommoder

En écrivant sur ce thème, je ressens encore les vagues de choc d'antagonisme que j'ai reçues en disant d'essayer cet outil. Je vous dirai que les plus réticents ont été assez récompensés de l'avoir fait. Voici l'essentiel :

tôt ou tard, si vous ne lisez pas, vous allez être à court de travail et bien obligé de jouer. Vous allumerez de l'encens, vous mettrez un vieux disque de jazz ou vous peindrez en turquoise une étagère, et alors, non seulement vous allez vous sentir mieux, mais aussi un peu excité.

Ne lisez pas. Si vous ne savez pas quoi faire, dansez le cha-cha-cha... (oui, vous pouvez lire pour faire les devoirs de la semaine).

5. Exercices de la semaine

1. *Environnement.* Décrivez votre environnement idéal. Ville ? Campagne ? À la mode ? Confortable ? Un paragraphe. Une image, dessinée ou accrochée, qui traduise cet environnement. Quelle est votre saison favorite ? Pourquoi ? Feuilletez quelques magazines et trouvez une image qui la représente. Ou dessinez-la. Placez-la où vous travaillez.

2. *Voyage dans le temps.* Décrivez-vous à quatre-vingts ans. Qu'avez-vous aimé faire après cinquante ans ? Soyez très précis. Maintenant, écrivez une lettre comme si vous étiez âgé(e) de quatre-vingts ans en vous l'adressant à l'âge que vous avez maintenant. Que vous diriez-vous ? Quels intérêts vous forceriez-vous à poursuivre ? Quels rêves souhaiteriez-vous encourager ?

« *Quand l'âme désire expérimenter quelque chose, elle jette à l'extérieur, devant elle, une image de l'expérience et entre dans sa propre image.* »
Maître Eckhart.

3. *Voyage dans le temps.* Souvenez-vous lorsque vous aviez huit ans. Qu'aimiez-vous faire ? Quelles étaient vos occupations favorites ? Maintenant, écrivez une lettre comme si vous aviez huit ans en vous l'adressant à votre âge actuel. Que vous diriez-vous ?

4. *Environnement.* Regardez votre maison. Y a-t-il une pièce que vous pourriez transformer en un espace secret, privé pour vous ? Convertir la salle de télé ? Acheter un paravent ou suspendre un drap pour partager une pièce ? Là est votre lieu de rêve. Il doit être décoré pour vous y divertir et non pas agencé comme un bureau. Tout ce dont vous avez vraiment besoin est une chaise et un oreiller, quelque chose sur quoi écrire, un genre de petit autel pour y mettre des fleurs et des bougies. C'est pour que vous compreniez que la créativité est une question d'ordre spirituel, et non d'ordre personnel.

5. Utilisez votre gâteau de vie (celui de la « semaine 2 ») pour examiner votre croissance. Est-ce que cette méchante tarentule a déjà changé de forme ? N'avez-vous pas été plus actif, moins rigide, plus expressif ? Attention ! N'attendez pas trop, trop tôt.

Ça, c'est *augmenter la hauteur des obstacles*. La croissance a besoin de temps pour se consolider et se transformer en santé. Un jour à la fois, vous construisez les habitudes d'un artiste sain. Allez-y doucement. Faites la liste des jouets qui, actuellement, peuvent vous nourrir et que vous pourriez acheter à l'artiste en vous : des livres-cassettes, des abonnements à des revues, des billets pour le théâtre, une boule de bowling...

6. Écrivez votre propre prière d'artiste (voir p. 334-335). Utilisez-la chaque jour pendant une semaine.

7. Un rendez-vous avec l'artiste prolongé : projetez de petites vacances pour vous-même (un jour de fin de semaine). Soyez prêt à le faire.

8. Ouvrez votre armoire. Jetez – ou donnez – une tenue que vous estimez peu (vous savez de quelle tenue il s'agit). Faites de la place pour la nouvelle.

9. Considérez une situation de votre vie que vous auriez dû changer. Quel bénéfice retirez-vous à rester coincé ?

10. Si vous ne respectez pas le contrat de privation de lecture, racontez par écrit la façon dont vous avez rompu votre engagement. Dans un accès de mauvaise humeur ? Par erreur ? Pour vous rebeller ? Comment vous sentez-vous face à cet engagement ? Pourquoi ?

6. Contrôle de votre semaine

1. Combien de fois cette semaine avez-vous fait vos pages du matin ? (Des accès de mauvaise humeur surviennent quand on saute les pages du matin.) Qu'avez-vous éprouvé ?

2. Avez-vous pris votre rendez-vous avec l'artiste cette semaine ? (Est-ce que votre artiste est arrivé à faire davantage que le simple fait de louer un film ?) Qu'avez-vous fait ? Qu'avez-vous ressenti ?

« J'ai appris que le vrai créateur, c'était mon Moi intérieur, la Shakti... Ce désir de faire quelque chose, c'est Dieu en nous qui parle. »
Michele Shea.

3. Avez-vous ressenti une certaine synchronie cette semaine ? Quelle était-elle ?

4. Y a-t-il eu d'autres problèmes cette semaine que vous jugez significatifs pour votre reconquête ? Décrivez-les.

Retrouver le sentiment du possible

*C*ETTE *semaine, je vous demande d'examiner les bénéfices que vous retirez en ne bougeant pas. Vous allez voir comment vous n'exploitez pas votre potentiel en imposant des limites sur les bonnes choses que vous pouvez recevoir. Vous allez estimer combien cela vous coûte de vouloir paraître bien au lieu d'être authentique. Vous allez peut-être imaginer des changements radicaux et ne plus inhiber votre croissance en rendant les autres responsables de votre constriction.*

1. Ne nous fixons pas de limites

Une des plus grandes barrières pour accepter la générosité de Dieu, c'est d'avoir une notion limitée de ce que nous sommes vraiment capables d'accomplir. Peut-être sommes-nous au diapason avec la voix du Créateur qui est en nous ; nous entendons son message et ensuite nous n'en tenons pas compte parce que ça nous semble complètement fou ou impossible. D'un côté nous nous prenons très au sérieux pour ne pas vouloir paraître bêtes en poursuivant un projet incontestablement grandiose ; d'un autre côté, nous ne nous prenons pas nous-

mêmes – ou Dieu – suffisamment au sérieux ; par conséquent, nous qualifions de grandioses des projets qui, avec
l'aide de Dieu, peuvent très bien être à notre portée.

Souvenez-vous que Dieu est notre source ; nous sommes en situation spirituelle d'avoir un compte bancaire
illimité. La plupart d'entre nous ne considèrent jamais
la puissance réelle du Créateur. À la place, nous puisons
des quantités très limitées de la puissance qui nous est
disponible. Nous décidons de l'étendue de la puissance
que Dieu peut avoir pour nous. Inconsciemment, nous
fixons une limite sur ce que Dieu peut nous donner ou
en quoi il peut nous aider. Nous sommes avares avec
nous-mêmes. Et si nous recevons un cadeau au-delà de
ce que nous aurions pu imaginer, souvent nous le ren-
voyons.

Peut-être certains d'entre vous pensent-ils que cela
ressemble à l'histoire de la baguette magique : je prie
et presto ! Quelquefois, ça se passera comme ça. Plus
souvent, ce dont nous parlons semble être une collabo-
ration consciente où le travail se fait lentement et progressivement, en nous rescapant du naufrage de notre
schéma négatif, en clarifiant la vision de ce que nous
voulons, en apprenant à accepter de petits fragments
de cette vision d'où qu'elle puisse venir et alors, un jour,
presto ! La vision semble soudainement en place. En
d'autres termes, priez pour attraper le bus et ensuite
courez aussi vite que vous le pouvez !

Pour que ça se produise, d'abord il faut croire qu'il
vous est permis d'attraper le bus. Nous arrivons à prendre conscience que Dieu a des ressources illimitées auxquelles chacun a les mêmes chances d'accéder. Cela
permet de nous dégager de la culpabilité induite par le
sentiment d'avoir ou d'obtenir trop. Puisque tout le
monde peut puiser dans les ressources universelles,
nous ne privons personne de notre abondance. Si nous

arrivons à recevoir le bien de Dieu comme un acte d'adoration – en accord avec le projet de Dieu de manifester de la bonté dans notre vie –, nous pouvons commencer à stopper le sabotage que nous opérons sur nous-mêmes.

Une des raisons pour laquelle nous nous sentons si pingres avec nous-mêmes est le manque de réflexion. Nous ne voulons pas que notre chance s'amenuise. Nous ne voulons pas gaspiller notre abondance spirituelle. À nouveau, nous limitons notre flux en anthropomorphisant Dieu en une figure parentale capricieuse. En ayant présent à l'esprit que Dieu est notre source, un flux d'énergie qui aime s'épandre, nous sommes plus à même d'exploiter, avec efficacité, notre puissance créative.

Dieu a beaucoup d'argent. Dieu a beaucoup d'idées de films, d'idées de romans, de poèmes, de chansons, de peintures, de rôles de comédien. Dieu a une ressource d'amours, d'amis, de maisons, tous à notre portée. En écoutant le Créateur à l'intérieur de nous, nous sommes guidés dans la bonne voie. Dans cette voie, nous trouvons des amis, des amants, de l'argent et un travail épanouissant. Très souvent, quand il nous semble impossible de trouver une ressource adéquate, c'est parce que nous insistons sur l'origine humaine des ressources. Nous devons laisser le flux se manifester de lui-même où il voudra – et non où nous *voulons* qu'il se manifeste.

« *Attendez que chaque besoin soit satisfait, attendez la réponse à chaque problème, attendez l'abondance à chaque niveau, attendez de grandir spirituellement.* »

Eileen Caddy.

Cara, écrivain, a passé beaucoup plus de temps qu'elle n'aurait dû dans une relation professionnelle abusive avec son agent parce qu'elle pensait que ce serait un suicide créatif de rompre ce lien. La relation était infestée d'évasions, de demi-vérités, de retards. Cara capitulait, de peur de perdre le prestige de son agent. Finalement, après une conversation téléphonique parfaitement abusive, Cara envoya une lettre de rupture. C'était comme si elle venait de sauter dans le cosmos. Quand son mari rentra, elle lui raconta en larmes comment elle venait de saboter sa carrière. Il l'écouta et ensuite lui dit : « Il y a une semaine, j'étais dans une librairie et le propriétaire m'a demandé si tu avais un bon agent. Il m'a donné l'adresse et le numéro de cette femme. Appelle-la. »

En larmes, Cara acquiesça. Elle lui téléphona et fut immédiatement réceptive à la sensibilité de cette personne. Depuis lors, elles travaillent ensemble et avec succès.

À mes yeux, voilà une histoire non seulement de synchronie, mais aussi de bonne dépendance à l'univers comme source. Une fois que Cara eut consenti à recevoir quelque chose de bon d'une source quelconque, celle qui pouvait se présenter, elle cessa d'être une victime.

Une femme artiste m'a récemment dit qu'elle avait rencontré son nouvel agent – excellent par ailleurs – grâce aux affirmations. Même après des années de reconquête artistique, j'ai toujours mon côté cynique qui dit « Mmm ». C'est comme si nous voulions croire que

> « *Regardez et vous trouverez – ce qu'on ne recherchera pas ne se rencontrera pas.* »
> **Sophocle.**

Dieu puisse créer la structure subatomique mais reste sans réponse quand on lui demande de nous aider pour notre peinture, notre sculpture, notre écriture, notre film.

Je reconnais que nombre d'entre vous reculeront devant la simplicité de ce concept. « Dieu ne dirige pas le milieu du cinéma, dira-t-on. Par contre, la création artistique universelle, si. » Je veux, ici, mettre en garde tous les artistes qui ne remettent leur vie créative que dans des mains humaines. Cela peut bloquer votre bien.

Le désir d'être mondain, sophistiqué et brillant bloque souvent notre courant interne. Nous avons des idées et des opinions sur la provenance de notre bien. En tant que scénariste à Hollywood, j'ai eu de nombreuses conversations affligeantes avec d'autres scénaristes sur le fait que, tandis que nos agents sont souvent sans valeur, nous semblons avoir un grand nombre d'occasions du genre : « Mon voisin de palier... », « Le frère de mon dentiste... » ou « Quelqu'un que ma femme a rencontré à l'université... ». Ces opportunités représentent Dieu, la source en action.

J'ai dit auparavant que la créativité est un problème spirituel. Tout progrès se fait par des sauts dans la foi, certains petits, d'autres plus grands. D'abord, peut-être voulons-nous avoir la foi pour prendre le premier cours de danse, le premier pas vers l'apprentissage d'un nouveau milieu ? Plus tard, peut-être voudrons-nous la foi

---

« *Il est de mon pouvoir de servir Dieu ou de ne pas le servir. En le servant, j'ajoute à mon propre bien et au bien du monde entier. En ne le servant pas, je perds mon propre bien et je prive le monde de ce propre bien, qu'il était dans mon pouvoir de créer.* »

Léon Tolstoï.

---

et les fonds pour des cours ultérieurs, des séminaires, un espace de travail plus grand, une année sabbatique ? Plus tard encore, il est possible d'avoir une idée pour un livre, un espace pour des expositions collectives d'artistes. Quand une idée nous vient à l'esprit, il faut en toute bonne foi abaisser nos barrières intérieures pour agir sur cette idée et ensuite, à un niveau plus large, faire les pas concrets, nécessaires au déclenchement de notre bien synchrone.

Si cela vous semble toujours farfelu, demandez-vous sans ménagement quelle est la prochaine étape que vous essayez d'esquiver. Quel rêve jugez-vous impossible en fonction de vos ressources ? Quel bénéfice retirez-vous à rester coincé à ce stade de votre expansion ?

Dieu, qui représente ma source, est un plan de vie simple, mais tout à fait efficace. Il nous libère de la dépendance négative et de l'anxiété en nous assurant qu'il y pourvoira. Notre travail, c'est de savoir comment il va s'y prendre. Une manière d'écouter, c'est d'écrire les pages du matin. La nuit, avant de nous endormir, nous pouvons faire la liste des domaines dans lesquels nous avons besoin de conseils. Le matin, en écrivant sur ces sujets-là, nous sommes en train d'entrevoir à l'avance des avenues invisibles d'approche. Faites cette expérience en deux étapes : demandez les réponses le soir et écoutez les réponses le matin. Soyez réceptif à toute forme d'aide.

2. Trouver la rivière

Depuis quatre semaines maintenant, nous fouillons notre inconscient. Nous avons vu qu'il nous arrive souvent de penser de façon négative et craintive, qu'il est effrayant de croire que nous pourrions rencontrer une bonne place en écoutant notre propre voix créative et en suivant son conseil. Nous avons commencé à espérer et avons craint cet espoir.

Le changement vers une dépendance spirituelle se fait progressivement. Nous acceptons ce changement de façon lente et sûre. Chaque jour, nous devenons plus authentiques, nous adoptons une attitude plus positive. À notre grande surprise, cela semble aussi marcher avec nos relations. Nous nous découvrons capables de dire davantage de notre vérité, d'entendre davantage la vérité des autres et d'accepter ces deux vérités. Nous jugeons moins nous-mêmes et les autres. Comment est-ce possible ? Les pages du matin, le courant interne de notre conscience, nous font graduellement lâcher l'emprise que nous avions sur nos opinions ancrées et nos vues étroites. Nous voyons que nos humeurs, nos vues et nos visions intérieures sont transitoires. Nous acquérons un sens du mouvement, un courant de changement dans nos vies. Ce courant, ou rivière, est un flot de grâce qui se déplace vers notre juste moyen d'existence, nos compagnons, notre destin.

La dépendance à notre Créateur intérieur, c'est vraiment la liberté vis-à-vis de toutes les autres dépendances. De façon paradoxale, c'est aussi la seule voie possible pour une intimité authentique avec les autres. Libérés de nos terribles peurs d'abandon, nous sommes capables de vivre avec plus de spontanéité. Libérés de nos incessantes demandes d'une constante réassurance, nos compagnons sont capables de nous aimer en retour sans se sentir accablés d'un lourd fardeau.

En écoutant notre enfant artiste, il a commencé à se sentir de plus en plus en sécurité. Se sentant en sécurité, il parle un peu plus haut. Même dans nos pires jours, une petite voix positive dit : « Tu pourrais encore faire ceci ou ce serait drôle de faire cela... »

La plupart d'entre nous découvrent qu'au fur et à mesure que nous travaillons avec les pages du matin, nous devenons moins rigides. La reconquête, c'est le processus de trouver la rivière et de dire oui à son flux, à ses rapides et autres courants. Nous nous surprenons à accepter et non à refuser les opportunités. En nous séparant difficilement des idées que nous avons sur nous, nous trouvons que le nouveau Moi qui émerge prend du plaisir dans toutes sortes d'aventures bizarres.

Michelle, avocate difficile à mener, taillée pour le succès, s'est inscrite à des cours de flamenco qu'elle a beaucoup aimés. Sa maison – auparavant une vitrine reluisante high-tech de carriériste – s'est soudainement remplie de plantes luxuriantes, de coussins rembourrés, d'encens sensuel. Des couleurs tropicales se sont épanouies sur les murs qui, auparavant, étaient blancs. Pour la première fois depuis des années, elle s'est permis de cuisiner un peu et ensuite de coudre à nouveau. Elle était toujours une brillante avocate, mais sa vie devint plus souple. Elle riait davantage et est devenue plus jolie. « Je ne peux pas croire que je fais ça ! » annonçait-elle avec délices quand elle se lançait dans quelque nouvelle aventure. Et ensuite : « Je n'arrive pas à croire que je ne l'aie pas fait plus tôt ! »

En adoptant légèrement une attitude de douce exploration, nous pouvons commencer à nous laisser aller à l'expansion créatrice. En remplaçant des expressions comme : « En aucune manière ! » par des « Peut-être », nous laissons la porte ouverte au mystère et à la magie.

Cette nouvelle attitude positive est le début de la confiance. Nous commençons à rechercher le côté positif de l'adversité. La plupart d'entre nous trouvent que les pages du matin permettent de nous traiter avec plus de gentillesse. Nous sentant moins désespérés, nous sommes moins durs avec nous-mêmes et avec les autres. Cette compassion est l'un des premiers fruits de l'alignement de notre créativité avec son Créateur.

En ayant confiance en notre guide interne et en l'aimant, nous n'avons plus peur de l'intimité parce que nous ne faisons plus la confusion entre nos autres intimes et la puissance plus élevée que nous connaissons. En bref, nous apprenons à abandonner l'idolâtrie – la dépendance adorée à toute personne, lieu ou chose. Par contre, nous plaçons notre dépendance à la source même. La source rencontre nos besoins à travers les gens, les lieux et les choses.

C'est un concept auquel il nous est difficile d'adhérer. Nous avons tendance à croire que nous devons sortir secouer quelques arbres pour que quelque chose se produise. Je ne veux pas nier que secouer quelques arbres puisse être, en effet, bon pour nous. En fait, je le crois nécessaire. J'appelle cela « faire les pas nécessaires ». Je veux dire, cependant, que tandis qu'il faut faire ces pas, j'ai rarement vu qu'ils paient de façon linéaire. Cela semble fonctionner davantage de la façon suivante : nous secouons un pommier et l'univers nous distribue des oranges.

Maintes fois, j'ai vu un créateur retrouvant sa créativité faire les pas nécessaires pour être au clair avec lui-même : en se concentrant sur ses rêves et les choses qui

> « *Souvent, les gens essaient de vivre leur vie à l'envers : ils essaient d'avoir plus de choses, ou plus d'argent, afin de faire davantage ce qu'ils veulent pour être plus heureux. La façon dont cela marche vraiment, c'est le contraire. D'abord, vous devez être ce que vous êtes vraiment, ensuite faire ce qu'il vous faut faire, afin d'avoir ce que vous voulez.* »
> **Margaret Young.**

lui sont chères, il exécute quelques pas dans cette direction – uniquement pour voir l'univers ouvrir une porte insoupçonnée. Une des tâches centrales de la reconquête de sa créativité, c'est apprendre à accepter cette générosité.

3. Le piège de la vertu

Un artiste doit avoir du temps mort, du temps pour ne rien faire. Défendre notre droit à un tel temps implique du courage, de la conviction et de la résistance. Nos familles et nos amis pourront être frappés par ce temps, cet espace et cette tranquillité qu'ils peuvent vivre comme un éloignement vis-à-vis d'eux. Cela l'est.

Pour un artiste, le retrait est nécessaire. Sans cela, l'artiste en nous se sent triste, irrité, de mauvaise humeur. Si une telle privation continue, l'artiste en nous devient maussade, déprimé, hostile. À la fin, nous devenons comme des animaux acculés, montrant les dents à notre famille et à nos amis pour qu'ils nous laissent seuls et arrêtent de formuler des demandes irraisonnables.

C'est nous qui formulons des demandes irraisonnables. Nous nous attendons que notre artiste fonctionne sans lui donner ce dont il a besoin pour créer. Un artiste a besoin d'une solitude créative constante. Pour guérir, un artiste doit laisser le temps faire, seul, son travail. Sans cette période de recharge, notre artiste s'épuise. Au fil du temps, cela est pire que d'être de mauvaise humeur. Les menaces de mort sont à l'œuvre.

Lors des premières étapes, ces menaces de mort sont émises envers nos proches (« Quand tu m'interromps, je pourrais te tuer… »). Malheur au conjoint qui ne comprend pas. Malheur à l'enfant malchanceux qui ne vous accorde pas cette solitude (« Tu me mets très en colère… »).

Au fil du temps, si nos avertissements continuent à être ignorés et si nous jugeons que, pour conserver notre situation (mariage, travail, amitiés), il faut avoir recours aux menaces et aux avertissements, l'homicide fait place au suicide. « Je veux me tuer » remplace le « Je pourrais vous assassiner ».

« Quelle en est l'utilité ? » Cette question remplace nos sentiments de joie et de satisfaction. Nous pouvons continuer à mener la même vie. Peut-être continuerons-nous à produire de manière créative, mais nous perdons notre sang en vampirisant notre âme. En résumé, nous sommes en marche vers une production vertueuse et nous sommes pris.

Nous sommes pris au piège de la vertu.

Rester bloqué et remettre à plus tard le maternage de son Moi engendre de nombreux bénéfices secondaires. Pour de nombreux créateurs, croire qu'il faut être agréable avec les amis, la famille, le compagnon… et attentif à ce qui pourrait leur arriver si on ose faire ce qu'on veut vraiment constitue une raison majeure pour ne pas agir.

Un homme qui travaille dans le milieu des affaires peut ressentir grandement le besoin d'une retraite solitaire. Rien ne lui ferait autant de bien que des vacances passées seul, mais il pense que cela est égoïste, alors il

> *« Traditionnellement, nous sommes plutôt fiers de nous-mêmes pour avoir glissé le travail créatif entre les tâches ménagères et les obligations. Je ne suis pas sûre que nous méritons de si bonnes notes pour ça. »*
>
> **Toni Morrisson.**

ne le fait pas. Cela ne serait pas sympathique pour son épouse !

Une femme avec deux enfants en bas âge veut suivre un cours de poterie, mais ses horaires ne concordent pas avec ceux des cours de base-ball de son fils. Elle ne pourrait pas y assister régulièrement. Elle annule la poterie et joue à la bonne mère – bouillonnant de ressentiment dans les coulisses.

Un jeune père qui s'intéressait beaucoup à la photographie mourait d'envie d'avoir un endroit chez lui pour satisfaire cet intérêt. L'installation d'une chambre noire dans une famille modeste oblige à puiser dans les économies et à retarder l'achat d'un nouveau sofa. La pièce noire ne s'est pas faite, mais l'achat du divan si.

De nombreux créateurs en voie de reconquête se sabotent le plus souvent en voulant être agréables. Le coût pour un tel ersatz de vertu est élevé.

Beaucoup d'entre nous ont érigé la privation en vertu. Nous avons endossé la douleur de l'anorexie artistique comme une croix de martyr. Nous l'avons utilisée pour nourrir un faux sens de spiritualité enraciné dans le fait d'être bon, signifiant *supérieur*.

J'appelle cette spiritualité fausse et séductrice « le piège de la vertu ». La spiritualité a souvent été mal utilisée parce qu'elle empruntait le chemin d'une solitude que l'on n'aime pas, parce qu'elle occupait une position où l'on se proclame au-dessus de la nature

---

« *Vous construisez une tête de vapeur. Si vous vous trouvez quatre jours hors du studio, le cinquième jour, vous vous y effondrez vraiment. Vous pourriez tuer quiconque vous dérange pendant ce cinquième jour, quand il vous le faudra de façon désespérée.* »

Susan Rothenberg.

humaine. Cette supériorité spirituelle n'est vraiment qu'une forme supplémentaire de dénégation. Pour un artiste, la vertu peut être mortelle. Ce désir de respectabilité et de maturité peut s'avérer déshumanisant, voire fatal.

Nous nous efforçons d'être bons, agréables, serviables, de ne pas être égoïstes. Nous voulons être généreux, rendre service au monde entier. *Mais ce que nous voulons vraiment, c'est qu'on nous laisse seuls.* Quand nous ne pouvons pas obtenir des autres qu'ils nous laissent seuls, nous finissons par nous abandonner. Pour les autres, c'est peut-être comme si nous étions là. Peut-être agissons-nous comme si nous étions là ? Mais notre vrai Moi s'est caché.

Ce qu'il reste, ce n'est que l'enveloppe de notre Moi entier. Elle reste parce qu'elle est prise. Comme un animal de cirque indolent qu'on force à agir, notre Moi fait ses tours. Il agit par routine. Il gagne ses applaudissements. Mais tous les applaudissements tombent dans des oreilles sourdes. Nous sommes morts à ces applaudissements. Notre artiste n'est pas simplement hors de ses gonds, il est parti. Notre vie est maintenant une expérience hors du corps. Nous ne sommes plus là. Un clinicien pourrait appeler ce phénomène *dissociation*. Je l'appelle « quitter la scène du crime ».

« Sors, sors du lieu où tu te trouves, quel qu'il soit », dit-on en voulant se choyer, mais notre Moi créateur ne nous fait plus confiance. Pourquoi devrait-il nous faire confiance ? Nous l'avons laissé tomber.

Par peur de paraître égoïstes, nous perdons notre Moi. Nous devenons autodestructeurs. Parce que ce suicide est quelque chose que nous recherchons passivement au lieu d'être agi consciemment, nous sommes souvent aveugles à l'emprise nocive qu'il a sur nous.

4. Êtes-vous autodestructeur ?

La question : « Êtes-vous autodestructeur ? » est si fréquemment posée que rarement nous l'entendons avec adéquation. Elle signifie : « Détruisez-vous votre Moi ? » Et ce qu'on nous demande vraiment, c'est : « Détruisez-vous votre vraie nature ? »

Beaucoup de gens pris au piège de la vertu ne semblent pas être autodestructeurs au premier regard. En voulant être de bons maris, de bons pères, de bonnes mères, de bonnes épouses, de bons professeurs... ils se sont construit un faux Moi agréable aux autres et qui reçoit l'approbation générale. Ce faux Moi est toujours patient, toujours désireux de différer ses besoins pour pouvoir répondre aux besoins ou aux demandes des autres (« Quel grand homme ! Ce Fred a perdu ses billets de concert pour m'aider à déménager un vendredi soir... »).

Vertueux à l'excès, ces créateurs piégés ont détruit leur vrai Moi, le Moi qui ne rencontrait pas beaucoup d'approbation en tant qu'enfant. Le Moi qui a entendu de façon répétée : « Ne sois pas égoïste ! » Le vrai Moi est un personnage perturbateur, sain et parfois anarchiste qui sait comment jouer, comment dire non aux autres et oui à lui-même.

Les créateurs qui sont pris au piège de la vertu n'arrivent pas encore à avoir une bonne opinion de leur vrai

> « *Personne ne s'oppose à ce qu'une femme soit un bon écrivain, un bon sculpteur ou un bon généticien si, en même temps, elle s'arrange pour être une bonne épouse, une bonne mère, pour être jolie, avoir le caractère facile, être soignée et dépourvue d'agressivité.* »
>
> **Leslie M. McIntyre.**

Moi. Ils ne peuvent le montrer au monde sans redouter la désapprobation continuelle des autres : « Pouvez-vous le croire ? Fred était un type si sympa, toujours prêt à rendre service. N'importe quand, n'importe où. Je lui ai demandé de m'aider à déménager la semaine dernière et il m'a répondu qu'il allait au théâtre. Depuis quand Fred est-il devenu si cultivé, je vous le demande ? »

Fred sait bien qu'il n'est plus aussi agréable ; le Fred fabuleux, son alter ego exceptionnel de gentil garçon, mordra la poussière.

Mary, martyrisée, se trouve dans la même situation, en acceptant pour la cinquième fois de garder les enfants de sa sœur afin que celle-ci puisse sortir. Dire non à sa sœur, c'était dire oui à elle-même. Et voici une responsabilité que Mary ne pouvait pas assumer. Libre un vendredi soir, que ferait-elle d'elle-même ? Voici une bonne question, une parmi tant d'autres que la vertu de Mary et de Fred voulait ignorer.

« Êtes-vous autodestructeur ? » Voilà une question à laquelle quelqu'un d'apparemment vertueux serait tenu de répondre par un non retentissant. Ensuite, il fait toute la liste de ses responsabilités. Mais responsable envers qui ? La question est la suivante : « *Êtes-vous* autodestructeur ? » et non : « *Apparaissez-vous* comme autodestructeur ? » Et surtout pas : « Êtes-vous agréable avec les autres ? »

Nous écoutons les idées des autres sur l'autodestruction sans jamais considérer si leur Moi et notre Moi ont des besoins semblables. Pris au piège de la vertu, nous refusons de nous demander : « Quels sont mes besoins ? Que ferais-je si ce n'était pas trop égoïste ? »

« *Il y a le risque que vous ne pouvez pas vous permettre de prendre et le risque que vous ne pouvez pas vous permettre de ne pas prendre.* »

Peter Drucker.

« Êtes-vous autodestructeur ? » est une question à laquelle il est très difficile de répondre. Pour commencer, il faut connaître quelque chose de son vrai Moi (et c'est précisément ce Moi que nous avons systématiquement détruit).

Une façon rapide de vérifier le degré de dérive est de se poser la question suivante : « Qu'est-ce que j'essaierais si je n'étais pas aussi fou ? »

— Parachutisme, plongée sous-marine...

— Danse du ventre, tango...

— Faire publier mes poèmes...

— Acheter des percussions...

— Faire du cyclotourisme à l'étranger...

Si votre liste semble assez excitante, même folle, alors vous êtes sur la bonne voie. Ces idées folles sont en fait des voix provenant de notre vrai Moi. « Que ferais-je si je n'étais pas trop égoïste ? »

— M'inscrire à des cours de plongée sous-marine...

— Suivre les cours de tango à l'école Y...

— Acheter *La Revue des poètes* et faire un envoi par semaine...

— Acheter à mon cousin ses percussions...

— Appeler mon agence de voyages et réserver pour l'étranger...

En cherchant le Créateur qui est en nous et en embrassant nos propres dons de créativité, nous apprenons à être spirituels dans ce monde, à croire que Dieu est bon et que nous aussi, nous le sommes, et qu'il en est de même pour toute création. De cette manière, nous évitons le piège de la vertu.

Le questionnaire du piège de la vertu :

1. Le plus grand manque dans ma vie, c'est...
2. La plus grande joie dans ma vie, c'est...
3. Ce qui me prend le plus de temps, c'est...

4. Comme je joue davantage, je travaille...

5. Je me sens coupable d'être...

6. Je me préoccupe pour...

7. Si mes rêves se réalisent, ma famille va...

8. Je me sabote, ainsi les gens vont...

9. Si je me laisse aller aux sentiments, je suis en colère contre...

10. Une des raisons pour laquelle je me sens triste parfois, c'est que...

Est-ce que votre vie sert à vous ou aux autres ? Êtes-vous autodestructeur ?

5. Exercice : joies interdites

Un des tours favoris des créateurs bloqués, c'est de se dire non. Il est étonnant de prendre conscience de tous les petits gestes, avares et mesquins, que nous nous adressons. Quand je le mentionne à mes étudiants, ils protestent souvent en disant que ce n'est pas vrai – qu'ils sont bons envers eux-mêmes. Ensuite, je leur demande de faire cet exercice :

Citez dix choses que vous aimez et que vous aimeriez faire, mais que vous ne vous autorisez pas à faire. Votre liste peut ressembler à la suivante :

1. Aller danser.
2. Avoir sur soi un carnet à croquis.
3. Faire du roller-skate.
4. Acheter de nouvelles bottes de cow-boy.
5. Se faire faire des mèches blondes.
6. Partir en vacances.
7. Prendre des cours de vol.
8. Déménager dans un appartement plus grand.
9. Monter une pièce de théâtre.
10. Suivre des cours de dessin avec modèle vivant.

Très souvent, le seul acte d'écrire votre liste de joies interdites fait tomber les barrières qui vous empêchent de le faire. Accrochez votre liste dans un endroit bien en vue.

6. Exercice : la liste des vœux

La meilleure façon d'échapper à notre Censeur, c'est d'utiliser la technique de l'écriture rapide. Parce que les souhaits ne sont que des souhaits, ils peuvent être frivoles (et, le plus souvent, ils devraient être pris très au sérieux). Aussi vite que vous le pouvez, terminez les phrases suivantes :

1. Je souhaite…
2. Je souhaite…
3. Je souhaite…
4. Je souhaite…
5. Je souhaite…
6. Je souhaite…
7. Je souhaite…
8. Je souhaite…
9. Je souhaite…
10. Je souhaite…
11. Je souhaite…
12. Je souhaite…
13. Je souhaite…
14. Je souhaite…
15. Je souhaite…
16. Je souhaite…
17. Je souhaite…
18. Je souhaite…

« *Vous allez faire des choses stupides, mais faites-les avec enthousiasme.* »

Colette.

19. Je souhaite...
20. Ce que je souhaite le plus, c'est...

7. Exercices de la semaine

Les exercices suivants explorent et étendent votre relation à la source :

1. La raison pour laquelle je ne peux pas vraiment croire en un Dieu *qui porte secours*, c'est... [répertoriez cinq doléances] (Dieu peut les accepter).

2. Commencez un dossier d'images : « Si j'avais, soit la foi, soit l'argent, j'essaierais... [nommez cinq désirs]. » Pour la semaine prochaine, soyez attentif aux images évoquant ces désirs. Quand vous en découvrez, accrochez-les, achetez-les, photographiez-les, dessinez-les, rassemblez-les d'une manière ou d'une autre. Avec ces images, commencez un dossier de rêves qui vous parlent. Ajoutez-en régulièrement jusqu'à la fin du cours.

3. Une fois de plus, nommez cinq vies imaginaires. Ont-elles changé ? Est-ce que vous réalisez davantage de parties d'elles-mêmes ? Il se peut que vous désiriez ajouter des images à ces vies dans votre classeur d'images.

4. « Si j'avais vingt ans et si j'avais de l'argent, je ferais... [faites la liste de cinq aventures]. » À nou-

> « *La signification spécifique de Dieu dépend de ce qui est le bien le plus désirable pour une personne.* »
>
> **Erich Fromm.**

veau, rajoutez des images à votre classeur d'images visuelles.

5. « Si j'avais soixante-cinq ans et de l'argent… [faites la liste de cinq plaisirs que vous avez remis à plus tard]. » À nouveau, rassemblez ces images. Voici un outil très puissant : « J'habite maintenant dans une maison que *j'ai imaginée* pendant dix ans. »

6. « Les dix façons qui prouvent que je suis mesquin envers moi-même sont… » De même que lorsqu'on rend explicite le positif, cela aide à ce qu'il arrive dans notre vie, de même expliciter le négatif peut nous aider à l'exorciser.

7. « Les dix objets que je n'ai pas et que j'aimerais bien avoir sont… » Et, à nouveau, il se peut que vous aimiez rassembler ces images. Afin de faire monter les ventes, les experts en motivation des ventes enseignent souvent à des vendeurs inexpérimentés d'accrocher des images de ce qu'ils aimeraient posséder. Cela marche.

8. « Honnêtement, mon blocage créatif favori, c'est… [regarder la télévision, lire beaucoup, rencontrer des amis, travailler, secourir les autres, faire beaucoup de sport…]. » Nommez-le. Que vous sachiez dessiner ou non, je vous prie de faire une bande dessinée qui vous représenterait en train de vous adonner à votre blocage favori.

9. « Mon bénéfice à rester bloqué, c'est… » Peut-être voudriez-vous explorer cela dans vos pages du matin ?

« Accepter la responsabilité d'être un enfant de Dieu, c'est accepter ce que la vie a de mieux à vous offrir. »

Stella Terrill Mann.

---

10. « La personne que je rends responsable de mon blocage, c'est… » À nouveau, utilisez vos pages du matin pour réfléchir sur ce point.

8. Contrôle de votre semaine

1. Combien de fois par jour cette semaine avez-vous fait vos pages du matin ? Commencez-vous à les aimer – pas du tout ? Comment a été cette expérience pour vous ? Avez-vous *déjà* découvert le *point de vérité* de la page et demie ? Beaucoup d'entre nous découvrent que le bénéfice d'écrire survient après une page et demie d'improvisation.

2. Avez-vous pris rendez-vous avec votre artiste en vous cette semaine ? Avez-vous entendu des réponses pendant votre temps de loisir ? Qu'avez-vous fait pour votre rendez-vous ? Comment cela s'est-il passé ? Avez-vous déjà pris un rendez-vous avec l'artiste qui sentait vraiment l'aventure ?

3. Avez-vous expérimenté une certaine synchronie cette semaine ? Quelle était-elle ? Essayez de lancer une conversation sur la synchronie avec vos amis.

4. Y avait-il d'autres problèmes cette semaine que vous considérez significatifs pour votre reconquête ? Décrivez-les.

SEMAINE 6

Retrouver le sens de l'abondance

*C*ETTE *semaine, vous allez travailler sur un blocage créatif important : l'argent. On vous demande de faire vraiment le point sur l'idée que vous vous faites de Dieu, de l'argent et de l'abondance créative. Les essais vont explorer en quoi vos attitudes limitent l'abondance et le luxe dans votre vie actuelle. Vous allez vous familiariser avec la comptabilité, outil d'une efficacité à toute épreuve qui permet une meilleure clarté et une meilleure utilisation de votre argent. Cette semaine pourra vous paraître explosive.*

1. Le Grand Créateur

« Je suis croyante, déclare Nancy. Je ne peux tout simplement pas croire que Dieu soit mêlé aux histoires d'argent. » Nancy a deux convictions qui la sabotent, mais elle ne veut pas le reconnaître. Non seulement elle croit que Dieu est bon (trop bon pour gagner de l'argent), mais aussi que l'argent, c'est mal. Nancy, comme beaucoup d'entre nous, a besoin d'avoir une autre image de Dieu pour retrouver pleinement sa créativité.

Pour beaucoup d'entre nous, élevés dans l'idée que l'argent est l'unique source de sécurité, dépendre de Dieu semble téméraire, suicidaire, voire risible. Quand nous voyons des lis dans les champs, ils nous semblent avoir un charme désuet, trop à l'écart du monde moderne. Nous ne voulons pas tout perdre : nous conservons nos vêtements, nous faisons les courses. On se dit que l'on consacrera du temps à notre art quand on aura assez d'argent pour le faire aisément.

Et quand ça sera ?

Nous voulons un Dieu qui ressemble à un chèque d'un bon salaire et qui nous donne l'autorisation de le dépenser à notre guise. En écoutant la chanson de la sirène qui dit d'avoir toujours *plus,* nous restons sourds à la voix encore faible qui attend dans notre âme pour chuchoter : « Vous avez *suffisamment.* »

« Cherche d'abord le royaume du Paradis et tout s'y trouvera », nous ont souvent dit, depuis l'enfance, des gens qui citaient la Bible. Nous n'y croyons pas. Et surtout pas pour ce qui concerne l'art. Dieu pourrait nous nourrir et nous vêtir en cas d'extrême nécessité, mais nous procurer des fournitures de peinture ? Une visite des musées européens, des cours de danse ? Dieu n'est pas prêt à sauter pour ce genre de choses, c'est ce que nous nous disons. Nous nous accrochons à nos préoccupations financières de façon à éviter non seulement notre art, mais aussi notre croissance spirituelle. Notre foi réside dans le billet de banque. « Je dois avoir un toit sous lequel dormir, se dit-on. Personne ne va me payer pour être plus créatif. »

Nous en sommes tout à fait sûrs. La plupart d'entre nous ont l'intime conviction que le travail, c'est le tra-

---

« *L'argent, c'est Dieu en action.* »
Raymond Charles Barker.

vail et non le jeu, et tout ce que nous voulons vraiment faire – comme écrire, jouer, danser – est considéré comme frivole et relégué à un second plan lointain. Ce n'est pas vrai.

Nous agissons toujours selon une vieille croyance pernicieuse qui préconise que la volonté de Dieu et la nôtre relatives à nos projets sont totalement opposées. « Je veux être comédienne, mais Dieu veut que je serve à table… » Ainsi va le scénario. Donc si j'essaie d'être comédienne, je finirai par être serveuse.

Cette façon de penser provient de l'idée que l'on se fait de Dieu : il serait un parent sévère qui a des idées très rigides sur ce qui est bien pour vous. « Et tu ferais mieux de croire que nous n'allons pas aimer tes idées ! » Il faut revoir ce concept d'un Dieu qui maîtrise tout.

Cette semaine, dans vos pages du matin, écrivez sur le dieu auquel vous croyez et le dieu auquel vous aimeriez croire. Pour certains d'entre nous, cela signifie : « Et si Dieu était une femme, il serait de mon côté ? » Pour d'autres, c'est un Dieu d'énergie. Pour d'autres encore, un ensemble de forces plus élevées qui nous fait avancer vers notre bien le plus élevé. Si vous avez conservé la conscience divine de l'enfance, vous êtes probablement confronté à un Dieu pernicieux. Que

---

« *Plus nous apprenons à fonctionner dans le monde en ayant confiance en notre intuition, plus notre canal sera fort, et plus nous aurons de l'argent.* »

Shakti Gawain.

« *L'argent viendra quand vous ferez la chose juste.* »

Mike Philips.

pourrait penser un Dieu bienveillant de vos objectifs de création ? Serait-il possible qu'un tel Dieu existe ? Si tel est le cas, l'argent, votre travail ou votre amant resteraient-ils la plus haute puissance ?

Beaucoup d'entre nous rapprochent la difficulté de la vertu, et l'art signifierait perdre son temps. Le travail ardu est bon. Un emploi difficile doit construire notre fibre morale. Quelque chose – un talent pour la peinture, dirons-nous – qui nous vient facilement et semble en accord avec notre personnalité est sans doute un stratagème bon marché qu'il ne faut pas prendre au sérieux. D'un côté nous semblons croire que Dieu veut que nous soyons heureux, gais, et libres ; d'un autre côté, nous avons l'intime conviction que Dieu désire que nous soyons fauchés, que nous allons être si décadents à vouloir être artiste. En avons-nous la moindre preuve ?

En portant notre regard sur ce que Dieu a créé, il est évident que le Créateur lui-même ne savait pas quand s'arrêter. Il n'y a pas qu'une seule fleur rose, ni même cinquante, mais des centaines. Les flocons de neige, bien sûr, constituent le dernier acte créateur purement jubilatoire. Il n'y en a pas deux semblables. Ce Créateur ressemble de manière suspecte à celui qui pourrait tout simplement nous envoyer son soutien pour nos aventures créatives.

> « *Laissez toujours suffisamment de temps dans votre vie pour faire quelque chose qui vous rende heureux, satisfait, même joyeux. Cela porte plus à conséquence sur le bien-être économique que tout autre facteur.* »
> **Paul Hawken.**

« Nous avons un nouvel employeur, telle est la promesse du *Grand Livre des Alcooliques anonymes* pour guérir les alcooliques. Si nous prenons soin de l'affaire de Dieu, il prendra soin de nous. » Pour les nouveaux Alcooliques anonymes meurtris, penser ainsi est vital. Recherchant désespérément une façon de parvenir à la sobriété, ils s'accrochent à cette pensée parce qu'ils sont incapables, de par leur précarité, de vivre réellement. En attendant une aide divine, ils ont tendance à la recevoir. Des vies enchevêtrées s'adoucissent ; des relations enchevêtrées gagnent en santé mentale et en douceur.

Pour ceux qui sont moins désespérés, de telles assurances semblent stupides, même décevantes, comme si nous étions dupés. Quel Dieu a un travail pour nous ? Quel Dieu a un travail dans lequel on se réalise ? Quel Dieu détient l'abondance et la dignité, un million de possibilités, les clés qui ouvriraient toutes les portes ? Ce Dieu peut paraître très suspect, tel un filou.

Ainsi donc, quand il faut choisir entre un rêve chéri et la besogne ingrate que nous faisons, souvent nous ignorons le rêve et rejetons la responsabilité de notre continuelle misère sur Dieu. Nous l'accusons de n'avoir pas pu aller en Amérique, de n'avoir pas suivi ce cours de dessin, de n'être pas partis pour ce safari-photo. En fait, c'est nous et non Dieu qui avons décidé de ne pas y aller. Nous avons préféré être sensés – même si nous n'avons aucune preuve que Dieu le soit – plutôt que voir si l'univers n'aurait pas pu supporter quelque saine extravagance.

Le Créateur peut être notre père/mère/source, mais ce n'est sans doute pas le père/la mère/l'église/le professeur/les amis, ici sur terre, qui nous ont insufflé leurs idées de ce qui est sensé pour nous. La créativité n'est pas et n'a jamais été sensée. Pourquoi devrait-elle l'être ? Pourquoi devriez-vous l'être ? Pensez-vous encore qu'il y a quelque vertu morale à être martyrisé ?

Si vous voulez faire de l'art, faites de l'art. Ne serait-ce qu'un tout petit peu… deux phrases. Une rime. Une comptine toute bête :

> *Dieu aime l'art.*
> *Voici la partie que mes parents*
> *voulaient ignorer.*
> *Dieu aime l'art.*
> *Et je fais de l'art.*
> *C'est pour cela que Dieu m'aime.*

Au début, faire de l'art, c'est faire du foin pendant que le soleil brille. Au début, c'est entrer dans le *maintenant* et profiter de votre journée. Au début, c'est vous accorder quelques égards et un peu de repos. « C'est extravagant, mais Dieu est ainsi. » Voici une bonne attitude à adopter lorsque vous accordez à votre artiste des égards, quelques sophistications et beautés. Souvenez-vous : *c'est vous l'avare et non Dieu.* Si vous vous attendez que Dieu soit plus généreux avec vous, Il sera capable de l'être.

Ce que nous voulons vraiment faire, c'est ce à quoi nous avons été destinés. Quand nous faisons ce que nous sommes censés faire, l'argent vient à nous, les portes s'ouvrent sur notre passage, nous nous sentons utiles et notre travail ressemble à un jeu pour nous.

Nous allons continuer à travailler cette semaine avec nos idées sur l'argent pour voir comment elles façonnent nos idées sur la créativité (« Il est dur de gagner sa vie… Il faut travailler de longues heures pour gagner de l'argent… En premier, il faut se préoccuper de l'argent, ensuite de la créativité… »).

2. Le luxe

Pour les anorexiques de la créativité qui désirent être créateurs et refusent de satisfaire cette faim qu'il y a en eux à tel point qu'ils se focalisent de plus en plus sur leur privation, un luxe un peu authentique peut faire un long chemin. Le mot-clé ici est le mot *authentique*. Parce que l'art naît de l'expansion, de la conviction, de la nécessité de ressources suffisantes, il est essentiel de nous choyer pour éprouver le sentiment d'abondance.

En quoi consiste ce dorlotement ? Cela variera selon les personnes. Pour Gillian, ce sont des pantalons en tweed, nouveaux pour elle, trouvés dans une friperie qui lui évoquent le rire de Carole Lombard et des roadsters pleins de caractère. Pour Jean, une seule pâquerette bien épanouie sur sa table de nuit lui a fait dire que sa vie fleurissait de possibilités. Matthew a découvert que l'odeur de la cire qu'il emploie pour ses meubles lui donnait un sentiment de sécurité, de solidité et d'ordre. Constance considère comme un luxe un abonnement à un magazine (pour une somme, au fond, relativement modique, elle s'offre des images et de l'indulgence pendant une année).

Bien trop souvent, nous devenons bloqués et en rejetons la responsabilité sur le manque d'argent. Ce n'est *jamais* un blocage authentique. Le blocage réel, c'est le

> « *Toute substance est de l'énergie en mouvement. Cela vit et coule. L'argent, symboliquement, c'est le courant doré de l'énergie vitale concrétisée qui coule.* »
>
> **Le Travail magique de l'âme.**

sentiment de notre crispation, c'est notre sentiment d'impuissance. L'art exige que l'on s'autorise à faire des choix. Au niveau le plus élémentaire, cela signifie : *faire le choix de prendre soin de soi*.

Un de mes amis est un artiste plein de talent, de renommée mondiale. Ses contributions dans son domaine artistique lui assureront une place dans l'histoire. Il est recherché des jeunes artistes et respecté des plus âgés. Bien qu'il n'ait pas encore cinquante ans, il a déjà été honoré par de nombreux prix de réalisation. Néanmoins, c'est un artiste qui souffre les affres de l'anorexie artistique. Bien qu'il continue à travailler, il le fait au prix d'efforts de plus en plus coûteux. Pourquoi maintenant, se demande-t-il parfois, le travail de sa vie ressemble-t-il tant au travail de sa vie ?

Pourquoi ? Parce qu'il s'en est refusé le luxe.

Soyons clairs : pour moi, le mot *luxe* ne signifie pas appartements de grand standing avec vues imprenables, habits de grands couturiers, voitures de sport étrangères et ultrarapides, voyages en première classe. Cet homme possède tous ces privilèges mais, ce dont il ne profite pas, c'est de sa vie. Il s'est refusé le luxe du temps : du temps avec ses amis, du temps avec sa famille, et surtout, du temps avec lui-même, en laissant de côté tout programme de réalisation surnaturelle. Ses nombreuses passions d'antan se sont rétrécies, devenant de simples intérêts, trop occupé pour se distraire. Il se dit qu'il n'a pas de temps à perdre. L'horloge fait tic-tac et il l'utilise pour devenir célèbre.

Récemment, je me suis acheté un cheval pour la première fois depuis dix ans. En apprenant la nouvelle, mon ami accompli s'est immédiatement transformé en rabat-joie : « Bien, j'espère que tu ne t'attends pas à le monter trop, ni même à le voir beaucoup ! » Au fur et à mesure que nous vieillissons, nous faisons de moins en moins ce que nous apprécions. La vie consiste de plus en plus à remplir nos obligations.

Parce que j'ai appris à comprendre ces messages de rabat-joie pour ce qu'ils sont, je n'ai pas été ébranlée par ces propos. Mais j'en ai été attristée. Cela m'a rappelé la vulnérabilité de tous les artistes, même des plus célèbres, face à l'humiliation. Ils se disent : « Je devrais être en train de travailler » et c'est cette partie d'eux-mêmes qui se trouve en conflit avec le plaisir de créer.

Pour se réaliser en tant qu'artiste – et aussi en tant que personne – il faut se montrer disponible au flux universel, ne pas refréner la joie dont nous sommes capables en rejetant, comme si nous étions anorexiques, les petits et les grands cadeaux de la vie. Ceux qui, comme mon ami artiste, sont engagés dans de longs travaux artistiques, filtrent leur âme pour trouver des images en puisant dans leurs précédentes œuvres, en ayant recours à des astuces de savoir-faire plutôt que d'enrichir leur art.

Ceux qui ont complètement étouffé le flux du travail verront leur vie désolée et dénuée d'intérêt, même s'ils ont pu la remplir de choses qui n'ont pas vraiment de sens.

Qu'est-ce qui nous procure de la vraie joie ? C'est la question à se poser en ce qui concerne le luxe et, pour chacun, la réponse sera très différente. Pour Bérénice, la réponse sera des framboises, des framboises fraîches. Cela la fait rire d'être si facilement satisfaite. Pour le prix d'une livre de framboises, elle s'achète une expérience d'abondance qu'elle peut mélanger à des

---

> *« Je préfère avoir des roses sur ma table que des diamants autour du cou. »*
>
> **Emma Goldman.**

céréales, de la glace ou de la pêche. Elle peut acheter son abondance au supermarché et même la surgeler s'il le faut.

« Elles coûtent plus ou moins cher, selon la saison. Je me dis toujours qu'elles sont trop chères, mais la vérité, c'est vraiment une affaire pour une semaine de luxe. Cela revient moins cher qu'une place de cinéma. Moins cher qu'un cheese-burger de luxe. Sans doute, je pense que c'est trop cher pour ce que cela vaut. »

Pour Alan, la musique est un grand luxe. Musicien quand il était plus jeune, il s'est longtemps refusé le droit de jouer. Comme la plupart des artistes bloqués, il a souffert d'un duo mortel : anorexie artistique et perfectionnisme mêlé d'orgueil. Il n'y avait pas de possibilités de tâtonnements pour ce joueur. Il voulait être au sommet et, s'il ne pouvait pas y être, il ne serait nulle part, avec sa musique bien-aimée.

Pris dans une impasse, c'est ainsi qu'Alan parlait de son blocage : « J'essaie de jouer et je m'entends, et ce que je *peux* faire est si éloigné de ce que je *veux* faire que j'ai un mouvement de recul [et ensuite j'abandonne]. »

En travaillant sur la reconquête de sa créativité, Alan a commencé par se permettre le luxe d'acheter un nouvel enregistrement par semaine. Il n'a plus fait de la musique pour travailler et a recommencé à se divertir. Il s'est mis à acheter des enregistrements fous, et non pas seulement du grand art. Il oublia les aspirations très élevées. Qu'est-ce qui ressemblait à du divertissement ?

Alan commença à explorer. Il acheta de la musique gospel, de la country music, de la western music, de la musique de percussions indiennes. Un mois à ce

« *Explorez chaque jour la volonté de Dieu.* »
Carl Gustav Jung.

rythme et, impulsivement, il acheta des baguettes d'entraînement. Puis il les laissa traîner, traîner et… trois mois plus tard il était en train de tambouriner sur le guidon de son vélo d'appartement tandis que du rock and roll marchait à fond dans le baladeur. Deux mois plus tard, il s'est dégagé un espace dans le grenier et a acheté d'occasion un ensemble de percussions.

« J'ai pensé que ma femme et ma fille seraient embarrassées de savoir que j'étais mauvais », explique-t-il. Pris dans ses blâmes, il plaide coupable : « En fait, c'était moi qui étais embarrassé, mais maintenant je ne fais que me divertir et je me sens vraiment mieux. Pour un vieux gars, je dirais que mes rythmes reviennent. »

Pour Laura, s'acheter au marchand du coin des pastels a été sa première incursion dans le luxe. Pour Kathy, cela a été une boîte de crayons de luxe, « le genre que ma mère ne voulait jamais m'acheter. Je me suis permis de faire deux dessins la première soirée, et l'un d'eux me représentait dans ma nouvelle vie ; c'est celui sur lequel je vais travailler. »

Mais pour de nombreux créateurs bloqués, imaginer avoir un peu de luxe demande un certain travail. Pour la plupart des gens, le luxe, ça s'apprend. Les créateurs bloqués sont souvent les Cendrillons du monde. Focalisés sur les autres à nos dépens, nous pouvons nous sentir menacés si, une fois, nous nous gaspillons. « N'essaie pas de laisser partir Cendrillon, conseille mon amie écrivain Karen. Garde Cendrillon, mais cherche à te procurer la pantoufle de vair. La deuxième moitié de ce conte de fées est géniale. »

Quand nous parlons luxe, nous faisons très souvent référence à un changement de la conscience plutôt qu'à un flux ; en constatant et en désirant ce qui semble le plus luxueux pour nous, en fait nous déclenchons peut-être une augmentation de ce flux.

Une vie créative a besoin du temps comme luxe, que nous nous taillons pour nous-mêmes – même si ce ne sont que quinze minutes pour faire rapidement les pages du matin, ou dix minutes après le travail pour prendre un bain.

Une vie créative a besoin d'espace comme luxe, même si tout ce que nous arrivons à tailler n'est qu'une bibliothèque particulière et un rebord de fenêtre, mais *qui nous appartient* (mon studio a une vitrine pleine de presse-papiers et de coquillages). Souvenez-vous que votre artiste est un jeune et que les jeunes aiment des choses qui sont « à eux » : ma chaise, mon livre, mon oreiller...

Désigner certaines choses comme particulières et vous appartenant peut vous procurer le sentiment d'être choyé. N'importe quel quartier chinois vous offre une belle tasse à thé avec sa soucoupe pour une somme modique. Des magasins d'articles d'occasion ont souvent des assiettes de porcelaine dépareillées qui rendent les collations de l'après-midi plus attrayantes.

La majeure partie de ce que nous faisons au cours d'une reconquête créative peut paraître bête. Se sentir bête, c'est une défense que notre adulte rabat-joie utilise pour réprimer notre artiste enfant. Faites attention au mot « bête » que vous vous envoyez à la figure. Oui, les rendez-vous avec l'artiste sont bêtes, là est toute la chose.

La créativité vit du paradoxe : l'art sérieux naît du jeu sérieux.

> « *La vraie vie n'est vécue que lorsque de petits changements surviennent.* »
>
> **Léon Tolstoï.**

3. Exercice de comptabilité

Durant cette semaine, vous allez découvrir où passe votre argent. Achetez un petit carnet de poche et notez-y chaque centime que vous dépensez. Peu importe l'achat, si insignifiant soit-il, si minime qu'en soit le prix. De petites sommes sont toujours de l'argent.

Chaque jour, inscrivez la date sur la page et comptabilisez ce que vous avez acheté, ce que vous avez dépensé : alimentation, déjeuner, taxi, tickets de métro... ou la somme prêtée à votre frère. Soyez méticuleux, consciencieux, et ne portez aucun jugement. C'est un exercice d'auto-observation, non d'automortification.

Peut-être allez-vous adopter cette pratique pendant un mois entier ou davantage. Cela vous indiquera ce que vous valorisez dans vos dépenses. Souvent nos dépenses diffèrent de nos valeurs réelles. Nous gaspillons de l'argent pour des choses auxquelles nous ne tenons pas et nous ne l'admettons pas. Pour beaucoup, compter, c'est l'apprentissage du luxe de la création.

4. Exercice : folie d'argent

Complétez les phrases suivantes :

1. Les personnes qui ont de l'argent sont ....
2. L'argent rend les gens ....
3. J'aurais plus d'argent si ....
4. Mon père pensait que l'argent était ....
5. Ma mère a toujours pensé que l'argent serait ......
6. Dans ma famille, l'argent provoquait ....
7. L'argent équivaut à ....
8. Si j'avais de l'argent, je ....
9. Si je pouvais me le permettre, je ....
10. Si j'avais un peu d'argent, je ....
11. Je crains que si j'avais de l'argent, je ....

12. L'argent, c'est ....
13. L'argent engendre ....
14. Avoir de l'argent, ce n'est pas ....
15. Pour avoir plus d'argent, j'aurais besoin de ....
16. Quand j'ai de l'argent, j'ai l'habitude de ....
17. Je pense que l'argent ....
18. Si je n'étais pas si facile, je ....
19. Les gens pensent que l'argent ....
20. Être fauché signifie ....

5. Exercices de la semaine

1. *Abondance naturelle.* Trouvez cinq pierres, jolies ou intéressantes. J'aime particulièrement cet exercice parce que les roches peuvent être transportées dans les poches, maniées lors de réunions d'affaires. Elles seront de constantes réminiscences de votre conscience créative.

2. *Abondance naturelle.* Cueillez cinq fleurs ou feuilles. Peut-être voudriez-vous les faire sécher dans du papier paraffiné et les conserver dans un livre ? Si vous l'avez fait quand vous étiez au jardin d'enfants, c'est bien. La plupart du travail créatif se fait à cet âge-là. Autorisez-vous à le faire une fois de plus.

3. *Nettoyage.* Jetez ou donnez cinq vêtements usagés.

4. *Création.* Faites un gâteau (si vous avez un problème de sucre, faites une salade de fruits). La créa-

---

> « *En tant qu'artiste, il est important de n'être pas satisfait ! Ce n'est pas de la gloutonnerie, bien que ce soit de l'appétit.* »
>
> **Lawrence Calcagno.**

tivité ne doit pas toujours concerner l'art avec un grand A. Très souvent, cuisiner peut vous aider à cuisiner quelque chose sur un autre mode créatif. Quand je me sens bloquée pour écrire, je fais des soupes et des tourtes.

5. *Communication*. Envoyez des cartes postales à cinq amis. Ce n'est pas un exercice. Envoyez-les concrètement à des personnes dont vous aimeriez avoir des nouvelles.

6. Relisez les « Principes de base » (p. 23). Faites-le une fois par jour. Lire une prière d'artiste : la vôtre de la « semaine 4 » ou la mienne (p. 334-335). Faites-le une fois par jour.

7. *Nettoyage*. De nouveaux changements dans l'environnement de votre maison ? Faites-en quelques-uns.

8. *Acceptation*. Un nouveau flux dans votre vie ? Apprenez à dire oui aux extra.

9. *Prospérité*. Des changements dans votre situation financière ou des perspectives de changement ? De nouvelles idées – même folles – sur ce que vous aimeriez faire ? Recherchez des images sur ce thème et ajoutez-les à votre classeur d'images.

6. Contrôle de votre semaine

1. Combien de fois avez-vous fait les pages du matin cette semaine ? (Les avez-vous déjà utilisées pour penser à un luxe créatif pour vous-même ?) Comment a été l'expérience pour vous ?

2. Avez-vous pris rendez-vous avec votre artiste en vous cette semaine ? (Avez-vous envisagé que vous

pourriez en prendre deux ?) Qu'avez-vous fait ?
Qu'avez-vous ressenti ?

3. Avez-vous éprouvé quelque synchronie cette semaine ? Quelle était-elle ?

4. Y avait-il d'autres problèmes cette semaine que
vous considériez significatifs pour votre reconquête ?
Décrivez-les.

SEMAINE 7

Retrouver le sens des liens

*N*OUS *passerons cette semaine à la pratique des bonnes attitudes propres à la créativité. L'accent est
mis sur vos compétences à recevoir et à agir. Les
essais et exercices ont pour but d'approfondir la nature
authentique de l'intérêt que vous avez pour la création en
faisant le lien avec vos rêves personnels.*

1. Savoir écouter

La capacité d'écoute est une compétence que nous af-
finons avec les pages du matin et les rendez-vous avec
l'artiste. Les pages nous entraînent à entendre au-delà
de notre Censeur. Les rendez-vous avec l'artiste nous
aident à saisir la voix de l'inspiration. Ces deux activités
n'ont apparemment aucun lien avec la pratique de l'art,
cependant elles sont essentielles au processus créateur.

L'art, ce n'est pas penser à *monter quelque chose*. C'est
justement le contraire : *démonter quelque chose*. Les directions sont importantes ici. Si nous essayons de penser à monter quelque chose, nous peinons pour
atteindre quelque chose qui est simplement hors de

notre portée : « Là-haut, dans la stratosphère, où l'art réside bien haut… » Quand nous essayons de démonter quelque chose, il n'y a pas d'effort. Nous ne faisons pas, nous obtenons. Quelqu'un ou quelque chose d'autre fait ce qu'il y a à faire. Au lieu de parvenir à des découvertes, nous sommes engagés dans l'écoute.

Quand un comédien est sur scène, il ou elle s'engage à écouter créativement ce qui vient juste après. Quand un peintre peint, il ou elle peut commencer avec un plan, mais ce plan est vite remis au propre plan de la peinture. Cela s'exprime souvent par des : « Le pinceau prend la prochaine touche. » En danse, en composition, en sculpture, l'expérience est la même : nous sommes davantage le conduit que le créateur de ce que nous exprimons.

L'art, c'est régler et tomber dans le puits. C'est comme si toutes les histoires, la peinture, la musique, les spectacles du monde vivaient juste en dessous de la surface de notre conscience normale. Comme une rivière souterraine, ils coulent en nous comme un courant d'idées que nous pouvons exploiter. En tant qu'artistes, nous nous laissons tomber au fond du puits, dans le courant. Nous entendons ce qui se passe là-dessous et nous agissons dessus – plutôt comme si nous faisions une dictée et non pas des choses fantaisistes relatives à l'art.

Un de mes amis, cinéaste remarquable, est connu pour sa planification rigoureuse. Et pourtant, ses plus

> **« Dans le judaïsme ésotérique de la Kabbale, le Moi profond est appelé le Neshamah, à partir de la racine ShmShm, « entendre ou écouter » : le Neshamah est Celle Qui Écoute, l'Âme qui nous inspire ou nous guide. »**
>
> **Starhawk.**

brillantes prises de vues se font à l'improviste, avec toute sa présence d'esprit, rapidement quand elles se présentent.

Il faut que ces moments de claire inspiration soient reconnus dans la foi. Ces petits sauts dans la foi peuvent se pratiquer tous les jours, dans nos pages et nos rendez-vous avec l'artiste. Non seulement nous pouvons apprendre à écouter, mais aussi à entendre avec plus de précision cette voix intuitive, inspirée, qui dit : « Fais ceci, fais cela, dis ceci... »

Beaucoup d'écrivains ont eu le sentiment d'« attraper » un poème ou un paragraphe ou deux d'écriture achevée. Nous considérons ces découvertes comme de petits miracles. Ce que nous n'arrivons pas à réaliser, c'est qu'ils en sont, en fait, la norme. Nous sommes l'instrument plus que l'auteur de notre travail.

Michel-Ange aurait, dirait-on, remarqué avoir libéré David du bloc de marbre où il l'avait trouvé. « La peinture a une vie propre. J'essaie de la laisser venir », disait Jackson Pollock. Quand j'enseigne l'écriture de scénario, je rappelle à mes étudiants que leur film existe déjà dans sa totalité. Le travail qu'ils ont à faire, c'est de l'écouter, de le regarder avec leur esprit, et de l'écrire.

Cela est aussi vrai pour toute forme d'art. Si la peinture et les sculptures nous attendent, il en va de même des sonates, des livres, des pièces, des poèmes aussi. Notre travail consiste simplement à les transcrire. Pour cela, il faut descendre dans le puits.

Pour certaines personnes, il est plus facile d'imaginer le courant de l'inspiration comme différentes ondes radio que l'on a diffusées à tout moment. Avec de la pratique, nous apprenons à nous mettre à la demande sur la fréquence désirée. Comme un parent, nous apprenons à entendre la voix de l'enfant actuel de notre cerveau parmi les voix des autres enfants.

Lorsque vous avez accepté qu'il est naturel de créer, vous êtes prêt à accepter une seconde idée : le Créateur va vous tendre tout ce qui est nécessaire pour votre projet. Dès l'instant où vous désirerez accepter l'aide de ce collaborateur, vous assisterez à des manifestations de cette aide précieuse à chaque moment de votre vie. Soyez attentif : il existe une seconde voix, une harmonique plus élevée, que l'on ajoute et qui augmente votre voix créatrice intérieure. Cette voix se montre elle-même fréquemment synchrone.

Vous allez entendre le dialogue qu'il vous faut, vous trouverez la chanson adaptée à la séquence, vous verrez exactement la couleur de la peinture que vous aviez presque en tête... et ainsi de suite. Vous aurez l'expérience de découvrir des choses – des livres, des séminaires, du matériel jeté – qui conviennent exactement à ce que vous faites.

Apprenez à accepter la possibilité que l'univers vous aide dans ce que vous faites. Apprenez à désirer voir la main de Dieu et à l'accepter comme un ami vous offrirait de vous aider dans ce que vous faites. Parce que beaucoup d'entre nous, inconsciemment, craignent, de façon timorée, que Dieu trouve nos créations décadentes, frivoles (ou voire pire), nous avons tendance à ne pas tenir compte de cette aide de Créateur à créateur.

Essayez de vous souvenir que Dieu est le Grand Artiste. Un artiste comme d'autres artistes.

Attendez-vous que l'univers soutienne votre rêve, et il le fera.

« *Écouter, c'est une manière d'accepter.* »
Stella Terrill Mann.

2. Le danger du perfectionnisme

Tillie Olsen l'appelle correctement le « couteau de l'attitude perfectionniste dans l'art ». Vous pouvez l'appeler par un autre nom : *faire les choses bien* ou *y remédier avant d'aller plus loin* ; *avoir des normes*. Tout cela, vous devriez l'appeler *perfectionnisme*.

Le perfectionnisme n'a rien à voir avec le fait de bien faire les choses. Cela n'a rien à voir avec le fait de remédier aux choses. Cela n'a rien à voir avec les normes. Le perfectionnisme, c'est le refus d'aller de l'avant. C'est une boucle – un système obsessionnel, fermé, débilitant qui vous arrête sur les détails, dans votre écriture, votre peinture pour vous en faire perdre l'ensemble.

Au lieu de créer librement, permettant aux erreurs de devenir, par la suite, des visions intérieures, souvent nous nous acharnons à vouloir obtenir les détails justes. Nous corrigeons notre originalité dans une uniformité qui manque de passion et de spontanéité. « N'ayez pas peur des erreurs, nous dit Miles Davis. Rien n'est erreur. »

Le perfectionniste réécrit le vers d'un poème toujours et toujours – jusqu'à ce que plus aucun vers n'aille. Le perfectionniste retrace la ligne du menton d'un portrait jusqu'à ce que le papier se déchire. Le perfectionniste écrit tant de versions de la scène I qu'il n'arrive jamais à la fin de sa pièce. Le perfectionniste écrit, peint, crée avec un œil sur son public. Au lieu d'avoir du plaisir à créer, le perfectionniste est constamment en train d'évaluer les résultats.

> « *La cogitation, c'est l'ennemi de l'originalité dans l'art.* »
>
> **Martin Ritt.**

Le perfectionniste a épousé le côté logique du cerveau. Le critique règne en roi dans le ménage créatif du perfectionnisme. Une description brillante en prose est critiquée avec des gants blancs : « Mmm. Qu'est-ce que c'est que cette virgule ? Est-ce que cela s'écrit comme ça… ? »

Pour le perfectionniste, il n'y a pas de premiers essais, de croquis bruts, d'exercices d'échauffement. Chaque essai est prévu pour être définitif, parfait, serti.

Au milieu d'un projet, le perfectionniste décide de le relire dans sa totalité, d'en faire un compte rendu et de voir où cela l'emmène.

Et où cela conduit-il ? Très tôt, nulle part !

Le perfectionniste n'est jamais satisfait ; il ne dit jamais : « C'est assez bien. Je pense que je vais continuer. » Pour lui, il y a toujours possibilité de faire mieux. Le perfectionniste appelle cela l'humilité. En réalité, c'est de l'égoïsme. C'est la fierté qui nous pousse à écrire un script parfait, à peindre une peinture parfaite, à réaliser un monologue d'audition parfait.

Le perfectionnisme, ce n'est pas une quête du meilleur. C'est la poursuite du pire de nous-mêmes, cette partie en nous qui dit que rien de ce que nous faisons ne sera jamais assez bon, que nous devrions essayer à nouveau.

Non. Il ne le faut pas.

« Une peinture n'est jamais finie. Elle s'arrête simplement dans des lieux intéressants », dit Paul Gardner. Un livre n'est jamais fini. Mais à un certain point, vous arrêtez de l'écrire et vous passez à l'étape suivante. Un film n'est jamais monté parfaitement mais, à un certain point vous lâchez du lest et vous décidez qu'il est fini. C'est normal dans la créativité – laisser aller. Nous faisons toujours du mieux possible à la lumière de ce qu'il faut voir.

3. Le risque

Question : Que ferais-je si je ne devais pas le faire à la perfection ?
Réponse : Beaucoup plus que je ne fais !

Nous avons tous entendu qu'une vie sur laquelle on ne s'interroge pas ne vaut pas la peine d'être vécue, mais considérez aussi qu'une vie non vécue ne vaut pas la peine qu'on l'interroge. Le succès d'une reconquête créative dépend de notre capacité à oublier nos préoccupations face à l'action. Cela nous amène carrément à prendre des risques. La plupart d'entre nous savent parler d'eux sans prendre de risques. Nous sommes des spéculateurs chevronnés face à l'éventuelle douleur de s'exposer.

« Je ressemblerai à une idiote », disons-nous, conjurant les images de notre premier cours d'art dramatique, de notre première nouvelle boiteuse, de nos terribles dessins. Une partie du jeu, ici, c'est d'aligner les maîtres et de mesurer nos pas de bébé en fonction de leur art

> « *Vivre, c'est une manière de ne pas être sûr, de ne pas savoir ce qu'il va survenir dans l'immédiat, ni comment. Dès l'instant où vous le savez, vous commencez à mourir un peu. L'artiste ne le sait jamais totalement. Nous devinons. Il se peut que nous nous trompions, mais nous faisons saut après saut dans l'obscurité.* »
>
> **Agnès de Mille.**

achevé. Nous ne comparons pas nos films d'étudiant aux films de George Lucas, étudiant. Par contre, nous les comparons à *La Guerre des étoiles*.

Nous refusons d'admettre qu'avant de faire quelque chose bien, il faut être prêt à le faire mal. Par contre, nous choisissons de fixer nos limites à l'endroit où nous nous sentons assurés du succès. En vivant dans ces frontières, il se peut que nous nous sentions étouffés, réprimés, désespérés, avec ennui. Mais, oui, nous nous sentons en sécurité. Et la sécurité est une illusion qui coûte très cher !

Pour prendre des risques, il faut larguer les amarres : celles des limites que nous acceptons. Nous devons passer au travers des « Je ne peux pas parce que… [je suis trop vieux, trop fauché, trop timide, trop fier ? Sur la défensive ? Timoré ?…] ».

Habituellement, quand nous disons que nous ne pouvons pas faire quelque chose, ce que nous voulons dire, c'est que nous ne ferons rien à moins d'être sûrs de pouvoir le faire parfaitement.

Les artistes qui produisent ont conscience de la bêtise de cette position. Il y a une blague très connue parmi les metteurs en scène : « Oh ! oui, je sais toujours exactement comment je devrais monter le film – après l'avoir terminé ! »

« *Nous ne pouvons pas échapper à la peur. Nous pouvons seulement la transformer en un compagnon qui nous accompagne dans toutes nos aventures trépidantes… Prenez un risque par jour – un petit mouvement hardi qui fera que vous vous sentez bien une fois que vous l'aurez fait.* »
Susan Jeffers.

En tant qu'artistes bloqués, nous attendons de façon irréaliste le succès et l'exigeons, et d'autres reconnaissent qu'ils le reconnaissent. Puisque telle est notre demande non formulée, de nombreuses choses restent hors du champ de nos possibilités. En tant que comédien, nous avons tendance à nous enfermer dans un rôle plutôt que de travailler à élargir nos possibilités d'acteur. En tant que chanteur, nous restons marié à notre matériel sûr. En tant qu'écrivain de chansons, nous essayons de répéter un succès au hit.

Ainsi, les artistes qui n'apparaissent pas bloqués au regard des autres se vivent-ils bloqués intérieurement, incapables de prendre le risque de se diriger vers un nouveau domaine artistique plus satisfaisant.

Une fois que nous voulons accepter que tout ce qui vaut la peine d'être fait pourrait bien valoir la peine d'être un peu plus mal fait, nos possibilités s'élargissent.

> **« Si je n'avais pas à le faire parfaitement, j'essaierais bien... » :**
>
> ... la comédie ?
> ... la danse moderne ?
> ... le rafting en eaux vives ?
> ... le tir à l'arc ?
> ... d'apprendre l'allemand ?
> ... le dessin selon modèle vivant ?
> ... le patinage artistique ?
> ... d'être blonde platine ?
> ... d'être marionnettiste ?
> ... le trapèze ?
> ... le ballet aquatique ?

> *« Il n'y a pas d'obligation en art parce que l'art est libre. »*
>
> **Wassily Kandinsky.**

... le polo ?
... de maquiller mes lèvres en rouge vif ?
... de suivre un cours de couture ?
... d'écrire des nouvelles ?
... de lire mes poèmes en public ?
... de prendre des vacances à l'improviste sous les tropiques ?
... d'apprendre à filmer en vidéo ?
... d'apprendre à faire de la bicyclette ?
... de suivre un cours d'aquarelle ?

Dans le film *Raging Bull*, le frère de Jake La Motta – qui est aussi son manager – lui explique pourquoi il doit perdre du poids et combattre avec un partenaire inconnu. Après un baratin compliqué qui laisse La Motta déconcerté, il conclut : « Bon, fais-le. Si tu gagnes, tu gagnes et si tu perds, tu gagnes. » Il en est toujours ainsi lorsque l'on prend des risques.

En d'autres termes, très souvent cela vaut la peine de prendre un risque simplement pour le fait de le prendre. Il y a quelque chose de gai dans le fait d'élargir la définition que nous avons de nous-mêmes ; et prendre des risques, c'est justement cela. Choisir un pari et le relever crée un sentiment de puissance personnelle qui servira de base à tous les défis qui seront relevés par la suite. Vu de cette façon, courir un marathon augmente vos chances d'écrire une pièce dans sa totalité. Écrire une pièce dans sa totalité vous échauffe pour le marathon.

Terminez la phrase suivante : « Si je n'avais pas à le faire de façon parfaite, j'essaierais... »

4. Le poison de la jalousie

La jalousie, je l'ai souvent entendu dire, est une émotion humaine normale. Quand j'entends cela, je pense : « Peut-être votre jalousie... pas la mienne. »

Ma jalousie me rugit dans la tête, me comprime la poitrine, noue mon estomac. Pendant longtemps, j'ai considéré ma jalousie comme ma plus grande faiblesse. Ce n'est que très récemment que j'ai réalisé à quel point elle était une amie à l'amour vache.

La jalousie est une carte. Chacune de nos cartes personnelles de jalousie diffère. Vous serez sans doute surpris par certaines choses que vous découvrez seul. Moi, par exemple, je n'ai jamais été rongée par la haine que pouvaient me causer certaines femmes romancières à succès. Mais j'ai pris un intérêt malsain pour les bonheurs et les malheurs des auteurs dramatiques femmes. J'étais leur plus dure critique jusqu'au jour où j'ai écrit ma première pièce.

À la suite de quoi ma jalousie a disparu et a été remplacée par un sentiment de camaraderie. En fait, ma jalousie masquait la peur que je pouvais ressentir face à quelque chose que je voulais vraiment faire, mais pour quoi je ne me sentais pas encore assez courageuse.

La jalousie est toujours un masque cachant la peur : la peur de ne pas être capable d'obtenir ce que nous voulons ; la frustration, lorsque quelqu'un semble obtenir ce qui nous revenait de plein droit, même si nous étions trop effrayés pour aller le chercher. À sa racine, la jalousie est une émotion misérable. Elle ne tient pas compte de l'abondance et de la multiplicité de l'univers. La jalousie nous dit qu'il n'y a de place que pour une seule personne : un poète, un peintre... qui que ce soit que vous rêvez d'être.

« *Visez la lune. Même si vous la ratez, vous atterrirez parmi les étoiles.* »

Les Brown.

La vérité, qui se fait jour en agissant selon ses rêves, est qu'il y a de la place pour chacun d'entre nous. Mais la jalousie produit une vision en tunnel. Elle rétrécit notre champ de vision et nous empêche de voir les choses en perspective. Elle nous prive de notre capacité à entrevoir d'autres possibilités. Le plus gros mensonge que nous dit la jalousie, c'est que nous n'avons pas d'autre choix, sinon d'être jaloux. Avec entêtement, la jalousie nous prive de notre volonté d'agir quand l'action détient la clé de notre liberté.

5. Exercice : la carte de jalousie

Votre carte de jalousie comportera trois colonnes. Dans les deux premières, nommez ceux dont vous êtes jaloux. En face de chaque nom, écrivez pourquoi. Soyez aussi spécifique et précis que possible. Dans la troisième colonne, citez ce que vous pouvez faire pour prendre des risques créatifs et sortir de la jalousie.

Même les plus grands changements commencent par de petits. Le vert est la couleur de la jalousie, mais c'est aussi la couleur de l'espoir. Quand vous apprendrez à canaliser la féroce énergie de la jalousie pour votre propre intérêt, la jalousie fera partie du combustible qui vous transporte dans un futur plus verdoyant et rieur.

Quand la jalousie mord, comme une morsure de serpent, il faut immédiatement un antidote. Sur le papier, dressez votre propre carte de jalousie :

« Avec courage, vous allez oser prendre des risques, avoir la force d'être compatissant et la sagesse d'être humble. Le courage, c'est la base de l'intégrité. »

Keshavan Nair.

Qui :	Pourquoi :	Antidote :
Ma sœur Julie	Elle a un vrai studio d'art	Aménager la pièce libre
Mon ami Robert	Il écrit de bons romans policiers	Essayer d'en écrire un
Anne Sexton	Poète célèbre	Publier mes poèmes stockés depuis longtemps

6. Exercice : travail d'archéologie sur soi

Les débuts de phrases ci-dessous sont un devoir supplémentaire du travail de détective. Très souvent, nous avons enfoui des parties de nous-mêmes, et qui peuvent se retrouver en fouillant un peu. Non seulement vos réponses vous disent ce dont vous avez manqué dans le passé, mais elles vous diront aussi ce que vous pouvez faire maintenant pour réconforter et encourager votre enfant artiste. Il n'est pas trop tard, quoi que puisse vous dire votre ego.

Complétez ces phrases :

— Enfant, je n'ai pas eu la chance de ....

— Enfant, j'ai manqué de ....

— Enfant j'aurais pu utiliser ....

— Enfant, j'ai rêvé d'être ....

— Enfant, je voulais un ....

— Dans ma maison, nous n'avons jamais eu assez de ....

— Enfant, j'avais besoin de plus ....

« Je n'ai pas beaucoup de respect pour le talent. Le talent est génétique. C'est ce que vous en faites qui compte. »

Martin Ritt.

— Je suis désolé de ne plus jamais voir ....
— Pendant des années, j'ai raté et me suis posé des questions sur ....
— Je m'en veux énormément d'avoir perdu ....

Il est important de prendre conscience de nos points positifs, tout comme de nos défauts. Faites l'inventaire de votre potentiel positif pour construire dans le présent.

Terminez ces phrases :

— J'ai un ami fidèle qui est ....
— Une chose que j'aime dans ma ville, c'est ....
— Je pense que j'ai de jolis ....
— Écrire mes pages du matin m'a fait constater que je peux ....
— Je prends le plus vif intérêt en ....
— Je crois que je m'améliore dans ....
— Mon artiste a commencé à prêter plus d'attention à ....
— Prendre soin de moi, c'est ....
— Je sens plus ....
— Probablement, ma créativité, c'est ....

7. Exercices de la semaine

1. Faites de cette phrase un mantra : « Me considérer comme un objet précieux me rendra plus fort. » Écrivez cette phrase à l'aquarelle, aux pastels ou en calligraphie. Placez-la à un endroit où vous pourrez la voir tous les jours. Nous avons tendance à croire que le fait de

« *Ayez confiance en vous. Vos perceptions sont souvent beaucoup plus fines que vous ne voulez le croire.* »
Claudia Black.

nous endurcir nous rendra plus forts. Mais c'est en nous choyant que nous acquerrons de la force.

2. Prenez le temps d'écouter la face d'un album, simplement pour le plaisir. Peut-être voudriez-vous griffonner tout en écoutant, vous laisser aller à dessiner les formes, les émotions, les pensées que vous entendez dans la musique. Remarquez combien vingt minutes seulement peuvent vous rafraîchir. Apprenez à vous accorder des mini-rendez-vous avec l'artiste afin de casser le stress et permettre la vision intérieure.

3. Allez dans un espace sacré – une église, une synagogue, une librairie, un bosquet d'arbres – pour vous permettre de savourer le silence et la solitude de la guérison. Chacun se fait une idée personnelle de ce qu'est un endroit sacré. Pour moi, un grand magasin de pendules ou un grand magasin d'aquariums peut engendrer un sens de l'éternel merveilleux. Faites-en l'expérience.

4. Créez une odeur merveilleuse dans votre maison avec de la soupe, de l'encens, des branches de sapin, des bougies... avec quoi que ce soit.

5. Portez vos vêtements préférés, sans qu'il y ait une occasion spéciale.

6. Achetez-vous une merveilleuse paire de chaussettes, une merveilleuse paire de gants... quelque chose de merveilleusement réconfortant, quelque chose de « narcissisant ».

« Quand vous commencez une peinture, c'est une chose qui se situe à l'extérieur de vous. En la terminant, vous semblez entrer dans la peinture. »
Fernando Botero.

---

7. *Collage*. Récupérez au moins dix magazines dont vous vous autoriserez à arracher les feuilles. En vous fixant vingt minutes comme temps limite pour vous-même, déchirez (littéralement) les magazines pour rassembler les images qui reflètent votre vie ou vos intérêts. Pensez à ce collage comme à une sorte d'autobiographie en images. Introduisez-y votre passé, votre présent, votre avenir et vos rêves. C'est bien d'y inclure des images que vous aimez, tout simplement. Continuez à arracher jusqu'à ce que vous ayez une bonne pile d'images (au moins vingt).

Maintenant, prenez une grande feuille de papier, une agrafeuse, de la colle ou du ruban adhésif et disposez les images de la manière qui vous sied (voici un de mes exercices préférés pour les étudiants).

8. Rapidement, citez cinq de vos films préférés. Voyez-vous des dénominateurs communs entre eux ? Sont-ils des films romantiques, des films d'aventures, des œuvres classiques, des drames politiques, des épopées familiales, des films à suspense ? Voyez-vous des traces de vos thèmes cinématographiques dans votre collage ?

9. Nommez cinq sujets de lecture que vous préférez : religion comparative, cinéma, perception extrasensorielle, physique, romans, histoires de trahisons et d'amour, découvertes scientifiques, sports... Ces sujets sont-ils représentés dans votre collage ?

10. Donnez à votre collage une place d'honneur. Même une place d'honneur secrète est acceptée : dans

> « *Quand une problématique interne n'est pas rendue consciente, elle nous apparaît extérieure, comme étant le destin.* »
>
> **Carl Gustav Jung.**

votre armoire, dans un tiroir ou tout lieu vous appartenant. Il est possible que vous vouliez en faire un autre dans quelques mois, ou faire un collage plus complet englobant un rêve que vous essayez d'accomplir.

8. Contrôle de votre semaine

1. Combien de fois cette semaine avez-vous fait vos pages du matin ? Vous êtes-vous permis de rêver à quelques risques créatifs ? Est-ce que vous dorlotez votre artiste enfant avec les amours de votre enfance ?

2. Avez-vous pris un rendez-vous avec votre artiste cette semaine ? L'avez-vous utilisé pour prendre des risques ? Qu'avez-vous fait ? Qu'avez-vous ressenti ?

3. Avez-vous expérimenté une certaine synchronie cette semaine ? Quelle était-elle ?

4. Y a-t-il eu d'autres problèmes cette semaine que vous considériez comme significatifs pour votre reconquête ? Décrivez-les.

SEMAINE 8

Retrouver un sentiment de force

*C*ETTE *semaine, nous allons travailler sur un autre blocage majeur : le temps. Vous allez examiner comment vous avez utilisé votre conception du temps pour vous trouver dans l'impossibilité de prendre des risques. Vous allez identifier les changements immédiats et les pratiques que vous pouvez apporter à votre vie actuelle. Vous allez chercher à savoir si un conditionnement précoce vous a peut-être poussé à vous fixer des objectifs inférieurs à ceux que vous désiriez.*

1. La survie à la perte

Une des tâches les plus difficiles – et qui est essentielle – à laquelle un artiste doit se confronter est celle de la survie artistique. Tous les artistes doivent apprendre l'art de survivre à la perte : perte d'espoir, perte de la face, perte d'argent, perte de la croyance en soi... Outre nos nombreux gains, nous souffrons inévitablement de ces pertes dans une carrière artistique. Elles représentent les dangers de la route et, en de nombreuses façons, ses signaux. Il faut transformer les pertes artistiques en gains et en forces artistiques, mais cela ne se fera pas en restant seul, et assailli par ces pertes.

De même que les experts en santé mentale sont rapides à déceler la perte pour la surmonter et pour avancer, nous devons en prendre conscience et la partager. Parce que les pertes artistiques sont rarement reconnues ou pleurées ouvertement, elles deviennent des cicatrices artistiques qui bloquent notre croissance créatrice. Considérées comme trop douloureuses, trop bêtes ou trop humiliantes pour être partagées et donc guéries, elles deviennent, à la place, des pertes secrètes.

Si les créations artistiques sont les enfants de notre cerveau, les pertes artistiques représentent nos fausses couches. Souvent, les femmes en privé souffrent terriblement de perdre l'enfant prématuré. Et en tant qu'artistes, nous souffrons des pertes terribles quand le livre ne se vend pas, quand le film n'est pas retenu, quand la commission du jury ne prend pas nos peintures, quand la meilleure poterie se casse, quand les poèmes ne sont pas acceptés, quand l'entorse à la cheville nous met sur la touche pour toute la saison de danse.

Il faut se souvenir que notre artiste est un enfant et ce qu'il peut gérer intellectuellement est bien supérieur à ce qu'il peut sur le plan émotionnel. Il faut être attentif pour signaler et pleurer nos pertes.

La réception décevante que l'on fait à un bon travail, l'incapacité à se mouvoir dans un milieu ou dans des rôles différents à cause des attentes que les autres ont de nous sont des pertes artistiques qu'il faut pleurer.

> « *Je ne deviendrai maître en cet art qu'après une longue pratique.* »
>
> **Erich Fromm.**

Cela ne réconforte pas de dire : « Oh ! cela arrive à tout le monde ! » ou : « Qui est-ce que je faisais marcher, de toute façon ? » La déception que l'on n'accepte pas s'érige en barrière qui nous sépare de nos rêves futurs. Ne pas être pris pour le rôle qui est le « vôtre », ne pas nous demander d'entrer dans la société, voir son spectacle annulé ou sa pièce ne recevoir aucune critique... tout cela, ce sont des pertes.

Peut-être la perte artistique la plus dévastatrice concerne-t-elle les critiques. L'artiste en nous, comme l'enfant en nous, est rarement blessé par la vérité. Je dirai à nouveau que beaucoup de vraies critiques libèrent l'artiste à qui elles s'adressent. Nous sommes comme des enfants et non enfantins. Une flèche bien placée, précise et importante quand elle fait sa marque, s'accompagne souvent d'une jubilation intérieure. L'artiste pense : « Oui ! Je peux voir ça ! C'est juste ! Je peux changer cela ! »

La critique qui fait du mal à un artiste est celle qui – bien ou malintentionnée – ne contient aucun grain salvateur de vérité, mais qui cependant présente une certaine plausibilité destructrice ou un jugement énoncé de telle façon qu'il ne peut être réfuté rationnellement.

Pour un jeune artiste, les professeurs, les rédacteurs et les mentors sont souvent des figures d'autorité ou des figures parentales. Il y a une croyance sacrée inhérente au lien qui unit le professeur et l'étudiant. Cette confiance, quand elle est violée, a l'impact d'un viol parental. Ce

---

« *Faire un nouveau pas, prononcer un nouveau mot, c'est ce que les gens craignent le plus.* »
Fiodor Dostoïevski.

dont nous sommes en train de parler ici, c'est d'un inceste émotionnel.

Un étudiant confiant entend un professeur sans scrupules dire que son travail (que lui-même juge bon) est mauvais ou qu'il n'est pas prometteur, ou que lui, le professeur gourou, ressent une limite au talent réel de l'étudiant ou qu'il s'est trompé sur son talent, ou doute qu'il ait du talent… Personnelle quant à sa nature, nébuleuse quant à sa spécificité, cette critique ressemble à un harcèlement sexuel voilé – une expérience avilissante, difficile cependant à quantifier. L'étudiant en sort honteux, se sentant mauvais artiste ou, pire, imbécile d'essayer.

2. La tour d'ivoire

Au cours de ces dix dernières années, je considère comme un privilège périlleux – en tant que professeur – d'avoir pu entreprendre une incursion dans les bocages académiques. En tant qu'artiste visiteur, j'ai pu constater que de nombreux professeurs sont eux-mêmes des artistes profondément frustrés par leur incapacité à créer. Doués pour le discours intellectuel, qui les éloigne de leurs propres désirs artistiques, ils trouvent souvent très dérangeante la créativité des étudiants dont ils ont la responsabilité.

Dévoués comme ils le sont à l'appréciation académique de l'art, la plupart des professeurs trouvent, et à juste titre, la bête intimidante lorsqu'on la voit pour la première fois. Ils ont tendance à considérer les ateliers d'écriture comme suspects : ces personnes, en fait,

> « *L'imagination est plus importante que le savoir.* »
>
> **Albert Einstein.**

n'étudient pas la créativité, ils la pratiquent. Qui sait où cela pourrait conduire ?

Je pense précisément à un réalisateur de ma connaissance, occupant une chaire d'un département de cinéma, très doué et qui, des années durant, a été incapable de s'exposer aux rigueurs et aux déceptions de la création ou ne le voulait pas. Canalisant ses violents désirs de création dans la vie de ses étudiants, il exerçait sur eux soit un contrôle excessif, soit il décourageait leurs meilleures tentatives, cherchant indirectement à occuper ou à justifier sa propre position d'être sur la touche.

Si fort que je voulais haïr cet homme – et certainement je n'appréciais pas ses conduites – je me suis vue incapable de le regarder sans compassion. Sa propre créativité contrariée, si lumineuse dans ses premiers films, s'est obscurcie pour ombrager d'abord sa propre vie et ensuite celle de ses étudiants. Au sens le plus vrai du terme, il était un monstre de création.

Cela m'a demandé encore plusieurs années d'expérience d'enseignement pour réaliser que l'université abrite les adversaires les plus subtils et les plus implacables pour l'esprit créateur. Après tout, on peut rencontrer une hostilité catégorique. Beaucoup plus dangereux, beaucoup plus frémissant pour l'âme est le subtil rabaissement, effectué dans le bosquet académique, qui peut engourdir la créativité de l'étudiant.

Je pense maintenant à une université de recherche distinguée où j'avais enseigné et où mes collègues avaient fait de nombreuses publications – excellentes –

> *« Entourez-vous de gens qui vous respectent et qui vous considèrent. »*
> **Claudia Black.**

concernant des sujets de films allant du plus ésotérique au plus exotique. Hautement considérés parmi leurs pairs intellectuels, profondément plongés dans leurs propres carrières académiques, ces collègues offraient aux étudiants créateurs sous leur tutelle un pâle reflet. Ils négligeaient de dispenser les nourritures les plus élémentaires : les encouragements.

La créativité ne peut être confortablement quantifiée en termes intellectuels. De par sa nature, la créativité s'abstient d'un tel endiguement. Dans une université où la vie intellectuelle se construit sur l'art de la critique – ou sur la déconstruction d'un travail de création – l'art de la création, l'art de la construction créative rencontre peu de soutien, de compréhension ou d'approbation. Pour être franc, la plupart des académiciens savent comment défaire les choses, mais non comment les assembler.

Le travail des étudiants, quand il était examiné soigneusement, était rarement *apprécié*. Loin de là. Si authentiques que pouvaient être leurs réalisations, on n'en voyait que les défauts. Plus d'une fois, j'ai vu un travail prometteur être accueilli par une volée de « Aurait dû faire... Aurait pu faire et pourrait avoir fait... » au lieu d'être vu comme il était.

Que le milieu universitaire se transforme en un atelier exalté d'artistes n'est pas mon propos. Mon but, cependant, c'est que les artistes qui essaient d'exister, de grandir et même de s'épanouir dans ce milieu reconnaissent que toute la confiance de l'intellectualisme va à l'encontre de leurs impulsions créatrices. Pour un artiste, devenir ouvertement cérébral, c'est devenir infirme. Cela ne veut pas dire que les artistes manquent de rigueur, mais plutôt que cette rigueur artistique s'enracine différemment que ne l'admettent habituellement les intellectuels.

Les artistes et les intellectuels sont complètement différents. Pour moi, jeune artiste, cela était très troublant. J'ai moi-même des dons de critique considérables. Les avoir mis en pratique m'a fait gagner des prix nationaux. C'était, pour moi, un regret amer de découvrir que ces mêmes compétences étaient mal appliquées quand elles étaient focalisées sur des tentatives artistiques embryonnaires – les miennes ou celles d'autres personnes. Les jeunes artistes sont de jeunes pousses. Leurs premières œuvres ressemblent à un fourré et à un sous-bois, même à de mauvaises herbes. L'Université préfère les théorèmes intellectuels élevés et fait peu pour soutenir la vie du parterre forestier. En tant que professeur, cela a été une triste expérience de constater que de nombreux créateurs, pleins de talent, se décourageaient très tôt et à tort parce qu'ils se sentaient incapables de se conformer à une norme qui n'était pas la leur. Je souhaiterais que les professeurs qui lisent ce livre et appliquent la méthode le fassent en ayant une autre appréciation de l'authenticité qu'ils ont de la croissance pour la croissance. En d'autres termes, en tant qu'arbres plus grands, ne laissons pas nos pouvoirs de critique plus sombres jouer sans entraves sur les jeunes artistes de notre milieu.

De nombreux artistes doués languissent pendant des années sous les stigmates de tels coups s'ils ne possèdent pas les outils spécifiques et un Moi suffisamment fort. Honteux face à leur supposé manque de talent, honteux de leurs rêves « grandioses », les jeunes artistes peuvent canaliser leurs dons dans des tentatives commerciales et ensuite oublier leurs rêves d'approfondir un travail. Il se peut qu'ils deviennent rédacteurs au lieu

> « *Pour l'esprit rationnel, il semble que les processus mentaux intuitifs fonctionnent à rebours.* »
> **Frances Wickes.**

d'écrivains, scénaristes au lieu de metteurs en scène, artistes commerciaux au lieu d'artistes plasticiens... qu'ils restent bloqués, tout près de leurs rêves. Souvent l'audace – et non le talent authentique – confère à l'artiste la renommée. Le manque d'audace – renforcé par une critique abusive ou entretenue par la négligence – peut paralyser de nombreux artistes bien supérieurs à ceux que nous acclamons publiquement.

Pour retrouver l'espoir et le courage nécessaires à la création, nous devons prendre conscience des cicatrices qui nous bloquent et les pleurer. Ce processus peut sembler à la fois douloureux et insignifiant, mais c'est un rite de passage nécessaire. De même qu'un adolescent doit devenir autonome par rapport à un parent autoritaire, un artiste doit gagner son autonomie par rapport à des mentors artistiques malveillants.

Quand Ted eut fini d'écrire son premier roman, avec courage il envoya son manuscrit à un agent littéraire. Il avait joint un chèque de cent dollars pour dédommager l'agent du temps et de la peine qu'il allait prendre à le lire. Ce qu'il a obtenu en retour ne fut qu'une seule page exprimant une réaction imprécise, irresponsable et inexploitable : « Ce roman est à moitié bon et à moitié mauvais. C'est le pire genre. Je ne sais que vous dire pour y remédier. Je vous suggère de le détruire. »

Quand j'ai rencontré Ted, cela faisait sept ans qu'il était bloqué. Comme de nombreux débutants, il n'avait même pas su s'enquérir d'une autre opinion. C'est avec beaucoup de difficulté qu'il m'a remis son roman. En

> « *Ayez confiance en cette petite voix, immobile, qui dit : "Cela pourrait fonctionner et je vais essayer."* »
> **Diane Mariechild.**

tant qu'amie de Ted, je souffrais à sa place de ce que son roman ait été maltraité. En tant que professionnelle, j'étais impressionnée – si impressionnée que ce fut le premier étudiant avec qui j'ai travaillé sur les blocages.

« S'il te plaît, essaie d'écrire à nouveau. Tu peux le faire. Je sais que tu peux le faire », ai-je commencé à lui dire. Ted désirait prendre le risque d'enrayer ses blocages. Cela fait maintenant douze ans que Ted travaille avec ses pages du matin. Il a écrit trois romans et deux films. Il a un agent littéraire imposant et une réputation grandissante.

Afin d'arriver à ce qu'il est maintenant, Ted a dû revivre les blessures qu'il avait endurées jeune écrivain et les pleurer. Il devait faire la paix en lui pour toutes ces années perdues. Une page à la fois, un jour à la fois, il devait lentement construire sa force.

Comme toute carrière de tout athlète, la vie d'un artiste a ses blessures. Elles vont avec le jeu. L'astuce, c'est de survivre, d'apprendre à les guérir. De même qu'un joueur ignore qu'un muscle douloureux risque de se déchirer, de même un artiste qui, après avoir subi des pertes, enfouit sa peine, se paralysera dans le silence. Donnez-vous la dignité d'admettre vos blessures artistiques. C'est là le premier pas vers leur guérison.

Aucun inventaire de nos blessures artistiques ne serait complet si nous n'y incluions pas celles que nous nous infligeons. Très souvent, en tant qu'artiste une chance nous est offerte et nous nous y dérobons, soit par peur, soit par manque d'estime, ou tout simplement à cause de notre emploi du temps.

> *« L'homme ne peut apprendre qu'à condition d'aller du connu vers l'inconnu. »*
> **Claude Bernard.**

Grace a reçu une bourse d'art dans une autre ville, mais elle ne veut pas quitter Jerry, son ami. Elle refuse la bourse.

On propose à Jack un travail de rêve, dans son domaine professionnel, dans une ville très éloignée. C'est un poste superbe mais il le refuse parce que tous ses amis et sa famille vivent près de lui.

Angela reçoit de mauvaises critiques pour sa pièce. Un autre rôle lui est offert pour relever le défi. Elle le refuse.

Ces chances perdues souvent nous hantent amèrement des années durant. Plus tard, nous approfondirons ce point lorsque nous évoquerons les « demi-tours artistiques » mais, pour l'instant, prendre conscience des chances qu'on laisse passer permet d'amorcer le processus de guérison de ces pertes.

3. Gain déguisé en perte

L'art, c'est structurer le temps. « Regarde-moi de cette manière, dit une œuvre d'art. Voici comme je me vois. » Comme le remarque mon amie facétieuse, la romancière Eve Babitz, « tout est dans le cadre ». C'est tout à fait vrai quand nous traitons avec la perte artistique. Toute perte doit toujours être vécue comme un gain potentiel ; tout est dans le cadre.

Chaque fin est un commencement. Nous le savons. Mais nous avons tendance à l'oublier lorsque nous souffrons. Frappés par une perte, nous nous accrochons, et cela est fort compréhensible, à ce que nous laissons derrière nous : ce rêve de réaliser une œuvre fructueuse et de la voir accueillie avec enthousiasme. Nous devons nous concentrer sur ce qui est devant nous. C'est peut-être délicat. Il y a beaucoup de chances pour qu'on ne sache pas ce qui peut se présenter à l'avenir. Et si le présent fait terriblement mal, nous ne pouvons envisager l'avenir qu'apportant avec lui de la souffrance.

« Le gain déguisé en perte », voilà un puissant outil pour un artiste. Pour l'acquérir simplement, brutalement, demandez : « En quoi cette perte va-t-elle m'être utile ? Comment indique-t-elle la direction de mon travail ? » Les réponses vous surprendront et vous libéreront. L'astuce, c'est de métaboliser la douleur en énergie. Pour y arriver, il faut savoir, croire et agir comme si toute expérience difficile était positive ; il faut être prêt à travailler différemment et à franchir d'autres portes, celles que vous auriez hésité à franchir.

« Pour attraper la balle, il faut vouloir l'attraper », disait le metteur en scène John Cassavetes en début de carrière. C'est ainsi que j'ai compris ces paroles : « Arrête de te plaindre des terribles méandres dans lesquels tu as été jetée et tires-en le maximum, va vers ce que tu veux vraiment. » J'ai essayé de suivre ce conseil.

Pendant des années j'ai joué à la roulette de studio. À maintes reprises des scénarios ont été achetés et non réalisés. À maintes reprises une œuvre d'art se languissait sur les étagères du studio, victime d'avoir fait tourner les portes du studio. Des films mouraient dans la nuit, sauf dans mon cœur de metteur en scène – qui se brisait.

« Les choses sont ainsi, ne cessait-on de me répéter. Si vous voulez voir vos films portés à l'écran, il faut

---

« Je ne peux pas m'attendre même que mon propre art fournisse toutes les réponses – seulement espérer qu'il continue à poser les bonnes questions. »

Grace Hartigan.

d'abord vous vendre comme écrivain et ensuite, *si* l'un de vos scénarios est joué et *si* ce film est un succès et *si* le climat se réchauffe un peu, alors vous pourriez avoir la possibilité de pouvoir tourner... »

Pendant très longtemps j'ai écouté cette sagesse conventionnelle, me torturant perte après perte, écrivant scénario sur scénario. Finalement, après une perte de trop, j'ai commencé à chercher une autre porte, celle par laquelle j'avais refusé de passer. J'ai décidé d'attraper la balle : je suis devenue réalisatrice indépendante.

J'ai quitté Hollywood. Je suis venue à Chicago, j'ai acheté une caméra d'occasion et, avec l'argent gagné en écrivant pour *Miami Vice*, j'ai tourné mon premier long métrage, une comédie romantique dans le style des années 1940. Cela m'a coûté 31 000 dollars et le film semblait bon. Puis, chose incroyable, on a volé les bandesson. En tout cas, j'ai terminé le film en le doublant dans sa totalité (oui, cela semble fou, mais Cassavetes, mon modèle à « émuler », l'était aussi). Le résultat, c'est que ce film a été distribué à l'étranger et y a reçu de bonnes critiques. Et j'ai beaucoup appris.

Parce que je me suis posé la question du « Comment ? » et non du « Pourquoi moi ? », j'ai maintenant à mon crédit un premier long métrage, modeste certes. Cela aurait pu arriver si je n'avais pas pris l'affaire en main, mais cela aurait tout aussi bien pu ne pas arriver. Depuis 1974, j'ai travaillé avec acharnement et de manière exhaustive en tant que scénariste. J'ai écrit – et

> « *L'art est une technique de communication. L'image est la technique la plus complète de toute communication.* »
> **Claes Oldenburg.**

vendu – des longs et des courts métrages, des documentaires, des docudrames, des pièces pour la télévision, des séries hebdomadaires, et ce film abâtardi, les miniséries. De façon moins visible, j'ai travaillé en tant que docteur en scénarios, accréditée ou non, pour le travail et pour l'amour.

De surcroît, j'ai écrit plus d'une centaine d'essais sur des films, des interviews de films, des pièces de réflexion, des pièces à tendance, des articles sur l'esthétique... et plus encore. J'ai beaucoup travaillé comme écrivain dans des publications aussi diverses que *Rolling Stone*, le *New York Times*, le *Village Voice*, *New York*, *New West*, le *Los Angeles Times*, le *Chicago Tribune* et, de façon plus remarquable, dans *American Film* où j'ai collaboré comme rédactrice pendant de nombreuses années. En bref, vous pourriez dire que j'ai fait mon dharma pour mon art préféré.

Pourquoi toute cette productivité si diverse ressemblait-elle à une tête d'hydre ? Parce que j'aime les films, j'aime les réaliser, et que je ne voulais pas me laisser démoraliser par mes pertes. J'ai appris, lorsque j'ai été frappée par la perte, à poser la bonne question : « Que faire ? » au lieu de : « Pourquoi moi ? »

Chaque fois que je demandais : « Qu'est-ce qu'il faut faire maintenant ? » j'avais déjà avancé. Chaque fois que j'avais répondu non, je m'étais trouvée en perte de vitesse et étais restée bloquée. J'ai appris que la clé pour affronter une carrière réside dans notre propre puissance et notre propre choix.

Si vous examinez les carrières longues et couronnées de succès, vous verrez ce principe à l'œuvre. Shirley Clarke, metteur en scène distinguée, a commencé sa carrière créative comme danseuse. Elle est d'abord devenue metteur en scène pour qu'il existe de bons films sur la danse. Elle a ensuite excellé dans la réalisation d'un long métrage ; elle était populaire en Europe lorsqu'elle ne dirigeait pas dans les studios américains. Clarke a été la première cinéaste américaine à filmer un long métrage à Harlem, la première cinéaste américaine à explorer la portée du Caméscope. John Cassavetes, Martin Scorsese et Paul Shrader l'ont tous reconnue comme faisant école dans leur propre formation artistique. Hélas ! c'était une femme et elle vivait à une époque difficile. Quand ses revenus de metteur en scène se sont amenuisés, elle devint l'une des premières artistes de vidéo, travaillant avec Sam Shepard, Joseph Papp, Ornette Coleman. Clarke soutint qu'il était plus difficile de frapper une cible en mouvement. Chaque fois qu'une avenue pour sa créativité était bloquée, elle en trouvait une autre.

Les annales du cinéma abondent d'histoires de ce genre. Elia Kazan, ayant moins de succès comme metteur en scène, écrivit des romans. Le metteur en scène John Cassavetes, aussi brillant acteur, s'est servi de son expérience de comédien pour la mise en scène, trop éclectique pour obtenir l'appui des studios. « S'ils ne veulent pas en faire un long métrage, *je le ferai* », dit Cassavetes, et il le fit. Plutôt que de rester bloqué, il a cherché une autre porte.

Nous ne pourrions pas apprécier la merveilleuse série *Fairytale Theater* si l'actrice-productrice Shelley Duvall était restée chez elle pour se plaindre quand elle n'avait pas d'offre de rôle de comédienne au lieu de diriger sa créativité vers d'autres sphères. *Non illegitimi te carborundum,* ce graffiti, dit-on, semble avoir marché dans les camps de prisonniers de guerre. Sa traduction rapide, très importante pour les artistes, est la suivante : « Ne vous laissez pas avoir par les salauds. » Les artistes qui le prennent à cœur survivent et souvent s'imposent. Leur clé, ici, c'est l'action. La souffrance qui n'est pas utilisée rapidement et à bon escient se solidifie en un cœur lourd, rendant toute action difficile.

Quand on est confronté à une perte, il faut immédiatement faire un petit geste pour soutenir l'artiste en vous. Même si tout ce que vous faites n'est qu'acheter un bouquet de tulipes et un carnet de croquis, votre geste signifie : « Je vous reconnais, vous et votre douleur. Je vous promets d'avoir un futur digne de vous. » Comme un petit enfant, notre artiste a besoin de réconfort de la part d'une mère. « Oh ! la la ! Ça fait mal. Voici quelques égards, une berceuse, une promesse... »

J'ai un ami, metteur en scène qui, lorsqu'il est sur le point de sortir un nouveau film et qu'il s'attend à la catastrophe de sa carrière, passe les pires nuits. Persuadé qu'il ne travaillera plus, seul, dans l'obscurité, il se console lui-même en cherchant le sommeil : « Si je ne peux pas filmer du 35 mm, je pourrai toujours filmer du 16 mm. Si je ne peux pas filmer du 16 mm, alors je peux faire de la vidéo. Si je ne peux plus faire de vidéo, je pourrai peut-être faire du super-8. »

4. L'âge et le temps : produit et procédure

Question : Sais-tu quel âge j'aurai quand je saurai jouer du piano ?

Réponse : Le même âge que tu aurais si tu n'apprenais pas à en jouer. Aussi, commence maintenant !

> « *Le monde de la réalité a ses propres limites ; le monde de l'imagination est illimité.* »
> **Jean-Jacques Rousseau.**

« Je suis trop vieux... Je n'ai pas d'argent... », voilà deux mensonges qui rendent service à notre Grand Blocage auquel nous avons recours pour empêcher toute exploration ultérieure. « Je suis trop vieux » est ce que nous nous disons pour nous épargner le coût émotionnel du dégonflement de l'ego, inhérent au fait d'être un débutant.

« Je suis trop vieille pour aller à une école de cinéma », me suis-je dit à trente-cinq ans. Et quand j'ai suivi une école de cinéma, j'ai découvert que j'avais en fait quinze ans de plus que mes compagnons. J'ai aussi découvert que j'avais un désir de création, une expérience de la vie et une facilité d'apprentissage beaucoup plus grands. Maintenant que j'ai moi-même enseigné dans une école de cinéma, je trouve que mes meilleurs étudiants sont très souvent ceux qui arrivent tardivement à leur travail.

« Je suis trop vieux pour être comédien », c'est ce dont se plaignent beaucoup de mes étudiants – et de façon dramatique, je pourrais ajouter qu'ils ne sont pas toujours contents quand je leur dis que ce n'est pas le cas. Le splendide comédien John Mahoney n'a commencé à jouer que lorsqu'il approchait de la quarantaine. Au bout de dix ans d'une carrière couronnée de succès, il a déjà signé trois contrats de films et travaille avec les meilleurs metteurs en scène de renommée mondiale.

« Je suis vraiment trop vieux pour être écrivain », voilà souvent une autre plainte. C'est une absurdité qui

> « *La satisfaction de la curiosité de chacun est une des plus grandes sources de bonheur dans la vie.* »
>
> **Linus Pauling.**

tend à ménager notre ego. Raymond Chandler a publié une fois la quarantaine passée. Le superbe roman *Jules et Jim* a été le premier roman d'un homme de soixante-dix ans.

« Je suis trop vieux » est une tactique dilatoire, toujours utilisée pour contrecarrer la peur.

Maintenant, regardons l'autre côté des choses : « Je me permettrai d'essayer quand je serai à la retraite. » Voilà un autre chemin de traverse, intéressant, qui rejoint celui de vouloir épargner notre ego. Notre culture glorifie et permet à la jeunesse de faire l'expérience. Et elle dénigre les vieillards en leur accordant, certes, le droit d'être un petit peu fous.

De nombreux créateurs bloqués se disent qu'ils sont à la fois trop vieux et trop jeunes pour se permettre de poursuivre leurs rêves. Vieux et toqués, ils pourraient essayer. Jeunes et idiots, ils pourraient essayer. Dans l'un ou l'autre scénario, être fou est la condition nécessaire à l'exploration créative. Nous ne voulons pas paraître fous. Et essayer une telle chose (de quelque nature que ce soit) à notre âge (quel qu'il soit) paraîtrait insensé.

Oui, peut-être.

La créativité survient dans l'instant, et dans l'instant nous sommes éternels. Nous le découvrons en prenant l'engagement de reconquérir notre créativité. « Je me sens comme un enfant », dira-t-on peut-être après avoir pris un rendez-vous avec l'artiste qui a été satisfaisant. Les enfants ne sont pas gauches et, une fois que nous nous trouvons vraiment dans le flux de notre créativité, nous ne le sommes pas non plus.

« Combien de temps me faudra-t-il pour apprendre ? » C'est ce qu'on se demande tout en restant incapable de se lancer dans l'activité que l'on désire faire depuis si longtemps.

« Il me faudra peut-être un an pour être vraiment bon » est souvent une réponse qui revient. « Cela dépend... »

Les créateurs bloqués aiment prétendre qu'une année ou même plusieurs années, c'est long, trop long. Notre ego nous joue ce petit tour pour nous empêcher de démarrer. Au lieu de nous permettre un voyage dans la création, nous nous arrêtons sur la longueur du voyage. « C'est un parcours si long... » est ce qu'on se dit. En effet, cela peut l'être, mais chaque jour n'est qu'un jour de plus qui renferme un certain mouvement, et le mouvement pour atteindre ce but est très agréable.

Au cœur de l'anorexie de l'évitement artistique se trouve le déni du processus. Nous aimons nous concentrer sur l'apprentissage d'une compétence ou sur la réalisation de l'œuvre d'art. Cette attention prêtée à la forme finale ignore que la créativité est ce qui se fait et non ce qui est fait.

Écrire un scénario, c'est infiniment plus intéressant pour l'âme que de l'avoir fait, ce qui plaît à l'ego. Suivre un cours d'art dramatique est infiniment plus intéressant que de l'avoir suivi il y a quelques années.

En un sens, aucun art créateur n'est jamais fini. L'art ne peut pas s'apprendre parce qu'il y a toujours plus à apprendre. De façon argumentative, vous ne pouvez même pas réaliser un film parce que vous serez toujours en train de le réaliser à nouveau, même des années plus tard. Si vous continuez à travailler, vous saurez alors ce que vous auriez pu faire et ce que vous ferez ensuite si vous continuez à travailler. Cela ne veut pas dire que ce qui était déjà fait était sans valeur. Loin de là. Cela veut simplement dire que ce n'est que par un travail constant que l'on s'achemine vers la réalisation de nouvelles œuvres meilleures encore.

En adhérant à ce concept, une vie créative ressemble à une aventure. Si on se fixe sur le résultat, la même vie créative semblera stupide ou stérile. Nous devenons obsédés par le résultat et par l'idée que l'art réalise des produits finis pour notre société de consommation. Cette obsession engendre de nombreux blocages créatifs. Il est possible qu'en tant qu'artistes productifs nous voulions explorer un nouveau domaine artistique, mais nous ne voyons pas où cela nous mènera. Nous nous demandons si ce serait bien pour notre carrière. Obsédés par le besoin d'avoir à montrer quelque chose de notre travail, nous nous refusons souvent à toute curiosité. Chaque fois que nous le faisons, nous nous bloquons.

Mettre notre âge en avant comme un blocage à la création s'accorde bien avec la conception néfaste que nous avons de penser le produit fini. Il a été fixé un âge pour certaines activités : obtenir ses diplômes universitaires, faire médecine, écrire un premier livre. Cet ego artificiel nous demande d'avoir réalisé quelque chose quand ce dont nous mourons d'envie, c'est de commencer quelque chose.

« Si je ne pensais pas que je ressemblerais à un pauvre type auprès des jeunes, je m'inscrirais bien à un cours de perfectionnement. »

« Si mon physique ressemblait à celui que j'avais il y a vingt ans, je m'inscrirais bien à un cours de danse jazz à l'école Y. »

« *Il y a une logique des couleurs, et c'est avec ceci uniquement, et non avec la logique du cerveau que le peintre doit s'adapter.* »
Paul Cézanne.

« Si je ne pensais pas que ma famille me considére-rait comme un vieil imbécile, je recommencerais bien à jouer du piano. Je me souviens encore de certaines de mes leçons. »

Si ces excuses commencent à vous paraître trop piètres, c'est une bonne chose ! Demandez-vous si vous n'en avez pas utilisé quelques-unes. Ensuite, demandez-vous si vous pouvez être assez humble pour commencer quelque chose en dépit de la réserve de votre ego.

La grâce d'être un débutant est toujours la meilleure prière pour un artiste. L'humilité et l'ouverture d'esprit d'un débutant conduisent à l'exploration, qui elle-même conduit à la réalisation. Tout commence par le commencement en faisant, au début, des pas, petits et peureux.

5. Remplir le formulaire

Que veux-je dire par *remplir le formulaire* ? Pour moi, c'est faire un petit pas et non un bond en avant parce que vous risquez de n'y être pas préparé. Soyons très précis : pour vendre un scénario, il faut d'abord en écrire un. Pour en écrire un, il faut d'abord avoir une idée et ensuite la concrétiser sur du papier, une page à la fois jusqu'à ce que vous obteniez un scénario de cent vingt pages. *Remplir le formulaire*, c'est, chaque jour, écrire vos pages. Lorsque l'obsession frappera – et elle le fera –, lorsque vous n'arriverez pas à comprendre que ce que vous faites n'est pas bon, il faudra vous dire que vous vous poserez cette question plus tard et vous

« *L'art ? Vous en faites.* »

Martin Ritt.

remettre immédiatement au travail, faire le prochain pas, c'est-à-dire écrire les pages du jour.

Si vous divisez un scénario en fractions journalières, la petite quantité d'écriture peut se faire rapidement – avant de faire la lessive. Et sans doute arriverez-vous en fin de journée en étant moins préoccupé et sans ressentir de culpabilité.

La plupart du temps, le prochain pas à faire est petit : laver vos pinceaux, vous arrêter au magasin pour acheter de la terre, vérifier dans le journal de votre quartier une liste de cours d'art dramatique. En règle générale, il est mieux d'admettre qu'on peut toujours prendre une mesure par jour pour sa créativité. S'engager à prendre une mesure par jour, c'est remplir le formulaire.

Bien trop souvent, quand on espère avoir une vie plus créative, on éprouve une attente ou une peur dont on ne parle pas et dont parfois on n'a pas conscience ; si on en prend conscience, on pourrait abandonner cette vie.

— « Je ne peux être écrivain et rester marié. »

— « Je ne peux pas continuer à peindre et conserver cet emploi morne. »

— « Je ne peux pas devenir comédien et rester à Lyon... ou à Marseille ou à Bordeaux... »

Les créateurs bloqués prennent du plaisir à penser qu'ils devraient changer de vie, brusquement. Cette forme de grandeur s'annule très souvent d'elle-même. En se fixant des sauts trop hauts et en marquant un prix trop élevé sur l'étiquette, l'artiste en reconquête court droit à la défaite. Qui peut se concentrer sur un premier cours de dessin quand il est obsédé par l'idée de divorcer et de quitter la ville ? Quelle femme pourra s'appliquer dans une posture de danse jazz si elle est occupée à lire les petites annonces à la recherche d'un nouvel appartement puisqu'elle devra rompre avec son compagnon pour se concentrer sur son art ?

Les créateurs sont dramatiques, et ils utilisent des drames négatifs pour fuir, affolés, loin de leur créativité puisque, pour eux, cela signifie changement total, en bloc et souvent destructeur. En rêvant de poursuivre leur art à temps complet, ils échouent à le poursuivre à temps partiel – ou même pas du tout.

Au lieu d'écrire trois pages par jour sur un scénario, nous préférons nous préoccuper d'un déménagement à Hollywood au cas où le scénario serait acheté. Ce qui, de toute façon, ne peut pas se produire puisque nous sommes trop occupés à nous préoccuper de sa vente plutôt que de son écriture.

Au lieu de trouver un cours de dessin selon modèle vivant au centre culturel du coin, nous achetons le *Magazine des Arts* pour bien nous rappeler que notre production n'est pas dans la tendance. Comment pourrait-elle l'être ? Elle n'existe pas encore !

Au lieu de débarrasser la pièce attenante à la cuisine pour avoir un endroit où travailler la terre, nous nous plaignons de ne pas avoir d'atelier – une plainte que nous-mêmes ne pouvons prendre au sérieux puisque nous n'avons aucun travail pour défendre notre situation.

En imaginant avec frénésie ce que serait notre vie si nous étions un *vrai* artiste, il nous est impossible de prévoir un quelconque changement créatif, si infime soit-il, que nous pourrions apporter. Penser selon l'expression : « Regarde la grande image » nous fait ignorer qu'une vie créative repose sur de nombreux nombreux petits pas, et très très peu de grands sauts.

Au lieu de faire des pas de bébé encore mal assurés en direction de nos rêves, nous préférons nous précipiter au bord de la falaise et ensuite, nous tenir là, tout tremblants, et dire : « Je ne peux pas sauter. Je ne peux pas. Je ne peux pas… »

Personne ne vous demande de sauter. Ce n'est qu'un drame et, dans le cas d'une reconquête créative, le drame appartient à la page, à la toile, à l'argile, au cours d'art dramatique ou à l'acte de la créativité, si petit soit-il.

Pour être créatif, il faut être actif, voilà sans doute une mauvaise nouvelle pour la plupart d'entre nous. Cela nous rend responsables et nous n'aimons pas trop. Voulez-vous dire que je dois agir pour aller mieux ?

Oui ! Et la plupart d'entre nous n'aiment pas *agir* quand l'esprit est occupé ailleurs, par une obsession. Ce que nous préférons faire – au lieu de pratiquer notre art –, c'est de miser sur nos chances.

Dans une carrière créative, penser « chances », c'est comme prendre un verre de poison émotionnel. Cela nous enlève la dignité de l'art-comme-processus et nous met à la merci de puissances imaginées *là-bas.* Boire cette coupe d'un trait nous conduit à une cuite grave et nocive sur le plan émotionnel. Cela nous amène à penser : « Quelle en est l'utilité ? » au lieu de : « Qu'est-ce qu'il y a après ? »

En règle générale, les chances, c'est ce que nous utilisons pour déterminer le prochain pas que nous devons faire. C'est l'addiction à l'angoisse plutôt que l'action. Une fois que nous nous y agrippons, c'est foutu. Examinez-vous pendant une semaine pour noter la façon dont vous allez saisir une pensée anxieuse, presque comme un joint, pour faire exploser – ou tout au moins pour retarder – votre prochain acte de création.

Vous vous êtes libéré un matin pour écrire ou peindre, mais alors vous réalisez que vos vêtements sont sales. « Je vais simplement réfléchir à ce que je veux peindre pendant que je lave les habits », pensez-vous. Ce que vous voulez vraiment dire, c'est : « Au lieu de peindre quoi que ce soit, je vais m'en préoccuper davantage. » Pour une raison ou une autre, la lessive prendra toute la matinée.

La plupart des créateurs bloqués présentent une addiction active à l'angoisse. Nous préférons la douleur lancinante et les crises de panique qui, de temps en temps, nous arrêtent le cœur au travail fastidieux des pas quotidiens, simples et petits, dans la bonne direction.

Remplir le formulaire, c'est aussi s'obliger à travailler avec ce que nous avons plutôt que de se languir en plaintes sur ce que nous n'avons pas. En tant que metteur en scène, j'ai remarqué que les acteurs qui obtiennent du travail sont les acteurs qui travaillent – qu'ils travaillent ou qu'ils ne travaillent pas. Je pense tout particulièrement à Marge Kottlisky, actrice et comédienne raffinée qui s'est toujours rendue disponible au travail et au matériel des ateliers des écrivains. Elle a travaillé avec le jeune dramaturge David Mamet au Saint Nicholas Theater Group à Chicago avec qui elle travaille toujours, où que ce soit, lui étant devenu un peu plus âgé et un peu plus affirmé. Au lieu de se reposer sur ses lauriers, elle s'engage dans une sorte de frénésie créative très saine. Quand elle n'a pas de contrat pour une pièce, elle prend souvent des cours pour ne pas perdre la main, et elle s'arrange toujours pour être disponible pour lire les nouvelles pièces. Comme tous les autres acteurs, elle souffre du syndrome « Je ne vais jamais plus travailler » mais, à la différence de nombreux acteurs moins engagés, elle ne s'autorise

> *« Aucune trompette ne retentit quand les décisions importantes de notre vie sont prises. Le destin se fait connaître en silence. »*
>
> **Agnès de Mille.**

jamais à travailler pour les autres sans être payée. Oui, elle veut être payée, et je ne veux pas dire par là que les acteurs devraient travailler gratuitement. Ce que je dis, c'est que le travail engendre le travail. Les petites actions de nos vies créatives nous conduisent à de plus grands mouvements.

Beaucoup d'acteurs se permettent le luxe douteux de remettre leur carrière entre les mains de leurs agents au lieu de garder leur art sous la vigilance de leur âme. Quand un agent est responsable de votre vie créative, vous pouvez facilement désespérer en disant : « Mon agent n'en fait pas assez » au lieu de vous demander ce que vous pourriez faire *vous-même* pour affûter votre art. Remplir le formulaire. Que pouvez-vous faire, maintenant, dans votre vie telle qu'elle est actuellement constituée ? Faites-le.

Chaque jour, décidez de faire quelque chose au lieu de vous perdre dans de grandes questions auxquelles nous n'arrivons pas à trouver de réponses simples. Ce dont nous parlons ici, c'est d'un concept de changement enraciné dans le respect – le respect de où nous sommes aussi bien que de où nous souhaitons aller. Nous n'envisageons pas de grands mouvements de changement – bien qu'ils puissent survenir – mais, à la place, une bonne gestion créative de tout ce qui se trouve dans le présent : ce travail, cette maison, cette relation...

Il est courant que les créateurs en voie de guérison passent par des crises de rage féroce et de grande souffrance quand ils regardent toutes ces années perdues. Quand ces kriyas créatifs surviennent, nous voulons désespérément effacer ces traces pour sortir de l'enfer de la vie que nous menons. À la place, procédez à de petits changements, correspondant à votre situation. Utilisez votre créativité pour remplir ce formulaire jusqu'à ce qu'il prenne une nouvelle forme plus grande – au plan organique.

Comme le poète Theodore Roethke le formule :
« Nous apprenons en allant
Où nous devons aller. »

Nous le savons une fois le formulaire rempli : souvent nous n'avons pas besoin de faire de grands changements. Ceux-ci se font petit à petit. Penser en termes de vol dans l'espace est très utile : si l'on modifie très légèrement la trajectoire de l'atterrissage, il peut se produire une grande différence au niveau temps.

6. Exercice : modèles précoces

Les nombreuses pertes que nous subissons actuellement ont souvent un rapport avec notre conditionnement le plus précoce, mais nous ne faisons que rarement le lien. En effet, on dit aux enfants soit qu'ils ne peuvent rien faire, soit – de façon tout aussi préjudiciable – qu'ils devraient être capables de tout faire très facilement. Dans les deux cas l'enfant se bloque. Le but des questions ci-dessous est d'aider à prendre conscience de votre conditionnement et de vous en défaire. Peut-être que certaines d'entre elles ne vous sembleront pas adéquates. Notez tout ce qu'elles déclenchent chez vous.

— Enfant, mon père pensait que mon art était… Cela provoquait chez moi un sentiment de…

— Je me souviens une fois quand il…

— Je me suis senti très… et… à propos de cet événement. Je ne l'ai jamais oublié.

— Enfant, ma mère m'a enseigné que les rêveries étaient…

— Je me souviens qu'elle me disait toujours d'en sortir en me rappelant…

— La personne dont je me souviens et qui croyait en moi, c'était…

— Je me souviens une fois quand…

— J'ai ressenti… et… à ce sujet. Je ne l'ai jamais oublié.

— La chose qui a perverti la chance que j'avais d'être un artiste, c'était…

— La leçon négative que j'en ai tirée, qui n'était pas logique mais à laquelle je crois toujours, c'est que je ne peux pas… et être un artiste.

— Quand j'étais petit, j'ai appris que… et… étaient de gros péchés que je devais faire très attention de ne pas commettre.

— J'ai grandi en pensant que les artistes étaient…

— Le professeur qui a détruit ma confiance était…

— On m'a dit que…

— J'ai cru ce professeur parce que…

— Le mentor qui m'a donné un bon modèle à « émuler » était…

— Quand les gens me disent que j'ai du talent, je pense qu'ils veulent…

— Le fait est, je doute de…

— Je ne peux pas simplement croire que…

— Si je crois que j'ai vraiment du talent alors, je suis fou à lier pour… et… et… et… et…

« *Je suis dans le monde uniquement dans le but de composer.* »

Franz Schubert.

7. Affirmations

Le but des affirmations suivantes est de vous persuader qu'il est de votre droit de pratiquer votre créativité. Sélectionnez cinq affirmations à partir desquelles vous allez travailler cette semaine :

> — Je suis une personne pleine de talents.
> — J'ai le droit d'être artiste.
> — Je suis quelqu'un de bien et un bon artiste.
> — La créativité est une bénédiction que j'accepte.
> — Ma créativité bénit les autres.
> — Ma créativité est appréciée.
> — Maintenant, je suis plus souple envers moi-même et envers ma créativité.
> — Maintenant, je suis plus généreux envers moi-même et envers ma créativité.
> — Maintenant, je partage ma créativité de façon plus ouverte.
> — Maintenant, j'accepte l'espoir.
> — Maintenant, j'agis de façon positive.
> — Maintenant, j'accepte de reconquérir ma créativité.
> — Maintenant, je me permets de guérir.
> — Maintenant, j'accepte l'aide de Dieu pour épanouir ma vie.
> — Maintenant, je crois que Dieu aime les artistes.

8. Exercices de la semaine

1. *Recherche d'objectifs*. Il est possible que vous jugiez les exercices suivants difficiles. Qu'importe, autorisez-vous à les faire. Si vous avez de nombreux rêves, faites l'exercice pour chacun d'eux. Le simple fait d'évoquer un rêve en donnant des détails précis nous aide à ce qu'il se réalise. Imaginez que votre recherche d'objectifs soit comme les premiers croquis d'un architecte, qui représenteraient la vie que vous rêvez d'avoir.

Les étapes :

a) Nommez votre rêve. C'est un bon rêve. Notez-le. « Dans un monde parfait, j'aimerais secrètement être... »

b) Nommez un objectif précis qu'il vous soit possible de réaliser. Sur votre boussole émotionnelle, ce but indique le vrai nord. (Par exemple, deux femmes veulent devenir comédiennes ; elles ont le même rêve. Pour l'une, l'objectif précis sera d'obtenir un article dans le magazine *People*. Pour elle, le glamour, c'est toute l'émotion de son rêve ; le glamour, c'est son vrai nord. Quant à la deuxième comédienne, son objectif est d'obtenir une bonne critique dans une pièce jouée à Broadway. Pour elle, être respectée pour la créativité, c'est toute l'émotion de son rêve ; le respect, c'est son vrai nord. Il est possible que l'actrice n° 1 soit heureuse en star de séries télévisées à l'eau de rose. La comédienne n° 2 aura besoin des planches pour réaliser son rêve. En surface, les deux semblent désirer la même chose.)

c) Dans un monde parfait, où aimeriez-vous être dans cinq ans par rapport à votre rêve et au vrai nord ?

d) Dans le monde actuel, quelle mesure peut-on prendre, cette année, pour se rapprocher de ce rêve ?

e) Quelle mesure pouvez-vous prendre ce mois ? Cette semaine ? Ce jour ? Tout de suite ?

f) Notez votre rêve (par exemple, devenir metteur en scène célèbre). Notez le vrai nord de votre vie (respect et conscience plus grande, communication de masse). Choisissez un modèle à « émuler » (Walt Disney, Ron Howard, Michael Powelle...). Faites votre plan d'action. Cinq ans... Trois ans... Un an... Maintenant... Choisissez une action. *Lire ce livre, c'est déjà une action.*

2. *Nouvelle enfance.* Qu'auriez-vous pu vraiment être si vous aviez été nourri(e) parfaitement ? Écrivez une page sur cette enfance imaginée. Que vous aurait-on donné ? Pouvez-vous vous materner de cette manière, maintenant ?

3. *Plans de couleur.* Choisissez une couleur et écrivez rapidement quelques phrases qui vous décrivent à la première personne :

« Je suis argent, high-tech et aérienne, la couleur des rêves et de l'accomplissement, la couleur de la semi-lumière et de l'entre-deux, je me sens sereine. »

« Je suis rouge, je suis la passion, le coucher du soleil, la colère, le sang, le vin et les roses, les armées, le meurtre, la luxure, et les pommes. »

Quelle est votre couleur préférée ? Que possédez-vous de cette couleur ? Que diriez-vous d'une pièce entière ? Il s'agit de votre vie et de votre maison ?

4. Citez cinq choses que vous ne vous permettez pas de faire : tuer votre patron, hurler à l'église, sortir nue, faire une scène, démissionner de votre travail… Maintenant, faites-le sur le papier. Écrivez, dessinez, peignez, mettez en scène, faites un collage. Maintenant, mettez de la musique et dansez.

5. *Recherche de style.* Citez vingt choses que vous aimez faire (ce peut être celles que vous avez énoncées précédemment, ou d'autres) et répondez à toutes les questions les concernant :

« *Votre désir est votre prière. Imaginez la réalisation de votre désir maintenant et percevez-le comme une réalité et vous allez éprouver la joie de la prière exaucée.* »

Dr Joseph Murphy.

— Est-ce payant ou gratuit ?
— Cher ou bon marché ?
— Seul ou avec quelqu'un ?
— En rapport avec le travail ?
— Cela présente-t-il des risques physiques ?
— À vive allure ou lentement ?
— Intellectuel, physique ou spirituel ?

6. *Jour idéal.* Prévoyez un jour parfait dans votre vie telle qu'elle est actuellement constituée, à l'aide de l'information glanée ci-dessus.

7. *Jour optimal.* Prévoyez un jour parfait dans votre vie comme vous souhaiteriez qu'il soit. N'y mettez aucune restriction. Permettez-vous d'être et d'avoir tout ce que votre cœur désire : votre environnement idéal, travail, maison, cercle d'amis, relations intimes, importance dans votre forme d'art... vos rêves les plus fous.

8. Choisissez un aspect festif de votre jour idéal. Permettez-vous de le vivre. Cependant, il se peut que vous ne puissiez pas vous déplacer à Rome mais, même dans un appartement grunge, vous pouvez apprécier un cappuccino fait maison et un croissant.

9. Contrôle de votre semaine

1. Combien de fois par semaine avez-vous fait les pages du matin ? (Avez-vous été très tenté de les abandonner ?) Qu'avez-vous ressenti ?

2. Avez-vous pris votre rendez-vous avec l'artiste cette semaine ? (Vous êtes-vous laissé saboter par un excès de travail ou par d'autres engagements ?) Qu'avez-vous fait ? De quoi cela avait l'air ?

3. Avez-vous expérimenté une synchronie cette semaine ? Quelle était-elle ?

4. Y avait-il d'autres problèmes cette semaine que vous avez considérés comme significatifs pour votre reconquête ? Décrivez-les.

Retrouver le sentiment de compassion

C ETTE semaine, vous vous trouverez confronté aux blocages internes de votre créativité. Arrivé à ce stade, vous serez peut-être tenté d'abandonner le navire. Surtout pas ! Nous allons explorer et reconnaître les difficultés émotionnelles qui nous ont assiégés dans le passé, quand nous nous efforcions de créer. Nous allons guérir de la honte des échecs passés. Nous allons gagner en compassion en maternant l'enfant artiste en nous effrayé qui désire la réalisation créative. Nous allons apprendre à nous servir d'outils qui nous aideront à nous défaire de nos blocages émotionnels et à supporter de prendre de nouveaux risques.

1. La peur

L'une des tâches les plus importantes dans la reconquête artistique, c'est d'apprendre à nommer les choses et nous-mêmes avec exactitude. Nous avons, pendant des années, utilisé des noms peu appropriés pour nos conduites. Nous avons voulu créer, avons été incapables de le faire et avons appelé cette incapacité « paresse ». Ce n'est pas uniquement de l'imprécision. C'est de la cruauté. La précision et la compassion sont beaucoup plus utiles.

Les artistes bloqués ne sont pas paresseux. Ils sont bloqués.

Être bloqué et être paresseux sont deux choses différentes. Il est caractéristique de l'artiste bloqué de dépenser beaucoup d'énergie – et qui ne se voit pas. L'artiste bloqué met toute son énergie dans la haine qu'il se porte, dans les regrets, la douleur et la jalousie. L'artiste bloqué dépense toute son énergie à douter de lui.

L'artiste bloqué n'arrive pas à démarrer par des pas de bébé. Par contre, il n'a de pensées que pour des tâches de grande envergure, effrayantes et impossibles : d'emblée un livre, un long métrage, un spectacle en solo, un opéra... L'artiste bloqué ne peut les réaliser, ni même les commencer, et il appelle ça de la paresse.

N'appelez pas paresse l'incapacité à démarrer. Appelez-la peur.

La peur, c'est ce dont souffre l'artiste bloqué. Ce peut être la peur de l'échec ou la peur du succès. Le plus fréquemment, c'est la peur de l'abandon. Cette peur remonte à l'enfance. La plupart des artistes bloqués ont essayé de devenir artistes, même si les souhaits et les jugements de leurs parents – supposés bons – étaient contraires. Pour un jeune, c'est vraiment un conflit. Aller ouvertement à l'encontre des valeurs parentales signifie qu'il vaut mieux savoir ce que l'on fait. Ce serait mieux de n'être pas simplement artiste, mais un grand artiste va faire tant souffrir ses parents...

Les parents peuvent blesser leur enfant quand celui-ci se rebelle et, pour eux, se déclarer artiste est en général considéré comme un acte de rébellion. Malheureusement, si l'on pense trop souvent qu'être artiste fait partie de la révolte de l'adolescent, tout acte d'art signifierait prendre le risque de se séparer de ceux qu'on aime et de les perdre. Mais les artistes se sentent coupables parce que leur désir de créer est si profond et si tenace.

Cette culpabilité les pousse à vouloir être de grands artistes pour que cette révolte soit justifiée, mais la nécessité d'être un grand artiste rend difficile d'être artiste.

La nécessité de produire une grande œuvre d'art rend difficile la production de tout art, quel qu'il soit. S'il vous est difficile de commencer un projet, cela ne veut pas dire que vous n'en serez pas capable. Cela signifie que vous aurez besoin d'aide – d'une puissance plus élevée, d'amis positifs et de vous-même. D'abord, vous devez vous autoriser à commencer par de petits pas de bébé, qui doivent être récompensés. Se fixer des buts impossibles engendre une peur terrifiante, qui se transforme en une tendance à tout remettre à plus tard, et que nous appelons à tort la paresse.

N'appelez pas paresse la tendance à tout remettre au lendemain. Appelez-la peur. La peur, c'est ce qui bloque un artiste. La peur de n'être pas assez bon. La peur de ne pas finir. La peur de l'échec et du succès. La peur de commencer. Il n'existe qu'un seul remède contre la peur : l'amour.

Utilisez l'amour pour guérir votre artiste de la peur. Arrêtez de vous crier dessus. Soyez indulgent. Appelez la peur par son nom véritable.

2. La valeur de l'enthousiasme

« Je dois tant me discipliner pour être artiste », nous disent souvent les gens bien intentionnés qui ne sont pas artistes, mais qui souhaiteraient l'être. Quelle tentation ! Quelle séduction ! Ils nous invitent à nous enorgueillir face à une audience admirative, pour adhérer à l'image, si héroïque et si spartiate – et fausse.

Il est dangereux pour les artistes de bâtir leur propre image selon une discipline militaire. À court terme, la discipline peut apporter des résultats, mais ce ne sera que pour un temps. De par sa nature même, la discipline provient de l'admiration que l'on a pour soi-même (pensez à la discipline comme à une batterie, utile mais de courte durée). Nous nous admirons d'être si merveilleux. La question, c'est la discipline en elle-même et non le flux créatif.

Notre partie en nous qui crée le mieux n'est pas l'automate discipliné que la volonté fait marcher et qui a un amplificateur de fierté pour le soutenir. Cela fonctionne à partir de notre propre détermination. Vous voyez l'image : se lever à l'aube avec une précision militaire, saluer le bureau, le chevalet, la table de dessin…

Sur toute période plus longue, être un artiste requiert davantage d'enthousiasme que de discipline. L'enthousiasme n'est pas un état émotionnel. C'est un engagement spirituel, une reddition aimante à notre processus créateur, une reconnaissance aimante de toute la créativité autour de nous.

L'enthousiasme (du grec « rempli avec Dieu ») est un apport constant d'énergie puisée dans le flot de la vie. L'enthousiasme s'enracine dans le jeu et non dans le travail. Loin d'être un soldat à l'intelligence engourdie, notre artiste est en fait l'enfant en nous, notre compagnon de

> « *Cela ne veut rien dire si je n'arrive pas à avoir ce swing.* »
> **Duke Ellington et Irving Mells.**

jeu intérieur. Comme avec tous les compagnons de jeu, c'est la joie et non le devoir qui tisse des liens durables.

Vrai, il est possible que notre artiste se lève à l'aube pour accueillir la machine à écrire ou le chevalet dans la quiétude du matin. Mais cet événement se rapproche plus de l'amour d'un enfant pour une aventure secrète que d'une discipline de fer. Ce que les autres considèrent comme discipline n'est qu'un rendez-vous de jeu que nous prenons avec notre enfant artiste : « Je vous donne rendez-vous à 6 heures du matin et nous allons nous divertir avec ce script, cette peinture, cette sculpture... »

La meilleure façon d'amener notre enfant artiste au travail, c'est de considérer le travail comme un jeu. La peinture, c'est un truc génial. C'est amusant d'avoir soixante crayons taillés. De nombreux écrivains n'utilisent pas l'ordinateur parce qu'ils préfèrent entendre le cliquetis réconfortant, sympathique, de la puissante machine à écrire qui avance, tel un poney au trot. Pour bien travailler, de nombreux artistes ont résolu leur espace de travail en le concevant comme un espace de jeu : des murals de dinosaures, des jouets de bazar, de minuscules miniatures de lumières de Noël, des monstres en papier mâché, des cristaux suspendus, des brins de feuille, un aquarium...

Peut-être notre notion romanticisée d'être un vrai artiste est-elle aussi attractive que l'idée d'une cellule vir-

> « *L'art évoque le mystère, sans quoi le monde n'existerait pas.* »
>
> **René Magritte.**

ginale, monastique dans sa sévérité, mais la vérité exploitable est un peu plus embrouillée. La plupart des enfants s'ennuieraient dans une pièce austère et dépouillée. Notre enfant artiste n'est pas une exception.

Souvenez-vous que l'art est un processus. Le processus est supposé être divertissant. Pour servir nos buts, « le voyage, c'est toujours la seule arrivée » peut être interprété de la manière suivante : notre travail créatif, en fait, c'est notre créativité en train de jouer dans le champ du temps. Au cœur de ce jeu réside le mystère de la joie.

3. Demi-tours créatifs

Se défaire de nos blocages d'artiste, c'est comme récupérer d'une maladie ou d'une blessure importante. Il faut, pour cela, s'engager sur la voie de la santé. À un moment donné, il faut se décider à faire un choix et à renoncer aussi aux joies et aux privilèges accordés à l'invalide émotionnel. Un artiste qui crée est assez souvent heureux. Ce concept peut être très menaçant pour ceux qui ont l'habitude de satisfaire leurs besoins en étant malheureux.

« J'aimerais, mais vous voyez... J'éprouve ces peurs paralysantes... » peut attirer l'attention des autres sur notre personne. Les artistes handicapés attirent davantage la compassion que les artistes productifs. Ceux qui s'adonnent à la compassion au lieu de créer peuvent se

---

> « *L'homme n'est pas libre de refuser de faire ce qui lui procure plus de plaisir que toute autre action imaginable.* »
>
> **Stendhal.**

---

sentir de plus en plus menacés au fur et à mesure qu'ils deviennent de plus en plus opérants. De nombreux artistes en reconquête deviennent si effrayés qu'ils font demi-tour et se sabotent eux-mêmes.

En général, nous commettons un hara-kiri créatif, soit à la veille soit à la suite d'une première victoire créative. L'éblouissement du succès (un poème, un travail de comédien, une chanson, une nouvelle, un film, ou tout autre succès) peut précipiter à nouveau l'artiste en reconquête dans la caverne de l'autodéfaite. Il est plus confortable d'être victime d'un blocage d'artiste que de se risquer à être toujours productif et sain d'esprit.

Un revirement artistique arrive lors d'une soudaine vague d'indifférence. Nous accueillons notre produit nouvellement inventé ou notre processus délicieux par un : « Ah ! qu'est-ce que ça peut faire maintenant ? Ce n'est qu'un démarrage. Tous les autres sont tellement plus avancés… »

Oui, et ils le resteront toujours si nous nous arrêtons de travailler. Le problème, c'est que nous avons voyagé des années-lumière depuis notre blocage. Nous sommes maintenant sur la route, et la route est effrayante. Nous commençons à être attirés par les attractions qui se trouvent sur le bas-côté de la route ou détournés par les bosses.

— Un scénariste connaît un agent qui serait intéressé pour reprendre un scénario à condition d'y apporter quelques changements. Il ne fait pas les changements.

— On offre à un artiste du spectacle un espace qu'il peut utiliser pour travailler son nouveau matériel. Il le fait une fois, il n'aime pas la réception mitigée que l'on fait de son spectacle, indiquant par là qu'il lui faut encore travailler. Puis, il interrompt tout.

— On demande à un acteur de se faire faire des photos et de contacter un agent prestigieux. Il ne se fait pas photographier, ni ne prend contact.

— On offre à une productrice – comédienne qui a un scénario en béton – un contrat avec un studio afin qu'elle puisse développer davantage son projet. Elle critique le contrat et envoie son projet au placard.

— Un peintre est invité à une exposition collective, la première pour lui, mais il se querelle avec le propriétaire de la galerie.

— Un poète lit ses poèmes à un public très réceptif, lors d'un récital en plein air dans un lieu du voisinage. Au lieu de continuer à ce niveau pour prendre plus d'assurance, le poète concourt à un slam (une sorte de match de boxe pour les poètes jugé par les non-poètes), perd et arrête ses lectures publiques.

— Un artiste lyrique se lie avec un nouveau compositeur et, ensemble, ils font vraiment de la bonne musique. Ils enregistrent trois chansons, qui sont accueillies avec enthousiasme, et ensuite arrêtent de travailler ensemble.

— Une photographe inexpérimentée est vivement encouragée par son professeur qui s'intéresse beaucoup à son travail. Elle gâche le développement d'une pellicule de photos et ne va plus au cours, le jugeant trop ennuyeux.

En prise avec nos demi-tours créatifs, nous devons d'abord nous accorder quelque compassion. La créativité est effrayante, et dans toutes les professions il existe des revirements. Quelquefois, ceux-ci sont davantage considérés comme des périodes de recyclage. Nous faisons un saut créatif, nous y échappons tel un cheval nerveux, ensuite nous faisons plusieurs fois le tour du terrain avant de tenter de sauter la barrière à nouveau.

Lors d'un demi-tour créatif, il est caractéristique d'avoir honte deux fois : d'abord pour notre peur et ensuite pour notre réaction à cette peur. À nouveau, permettez-moi de dire que, dans toutes les professions, on éprouve ces peurs.

Pendant deux ans, lorsque j'avais la trentaine, j'ai écrit des reportages d'art pour le *Chicago Tribune*. À cet égard, je me suis entretenue avec Akira Kurosawa, Kevin Klein, Julie Andrews, Jane Fonda, Blake Edwards, Sydney Pollack, Sissy Spacek, Sigourney Weaver, Martin Ritt, Gregory Hines et quelque cinquante autres. J'ai abordé avec la plupart d'entre eux le thème du découragement – ce qui signifiait parler de ces demi-tours. La capacité à éviter ou à récupérer de leurs revirements créatifs a caractérisé leurs carrières autant que l'a fait leur talent.

Une carrière créative couronnée de succès se construit toujours sur des échecs créatifs réussis. L'astuce, c'est de parvenir à surmonter ces échecs. Avoir présent à l'esprit que même nos artistes les plus célèbres ont connu des demi-tours créatifs en leur temps nous aide énormément.

Blake Edwards a mis en scène quelques comédies parmi les plus drôles et les plus réussies de ces trois dernières décennies. Néanmoins, il a passé sept ans en Suisse en s'imposant l'exil parce qu'un scénario, le meilleur d'après lui, avait été écarté lors d'une pré-

> « *La vie se rétrécit ou s'élargit selon le courage de chacun.* »
>
> **Anaïs Nin.**

production, sa prise de matériel étant différente de celle de la vedette engagée par le studio.

Renvoyé de son propre projet, Edwards resta sur la touche pour voir son film bien-aimé réalisé par d'autres et mutilé. Telle une panthère blessée, il s'est retiré dans les Alpes pour panser ses blessures. Il est revenu à la mise en scène sept longues années plus tard, quand il est parvenu à la conclusion que la créativité – et non le temps – guérirait le mieux ses blessures créatives. Adhérant à cette philosophie, il a depuis lors produit de façon agressive ; en évoquant ces années passées à l'étranger, il était triste et peiné pour le temps que cela lui avait coûté.

Ayez de la compassion. Les demi-tours créatifs sont toujours dus à la peur – à la peur du succès ou de l'échec. Que ce soit l'un ou l'autre, cela n'a pas vraiment d'importance. Le résultat est le même.

Pour récupérer d'un demi-tour créatif – ou de plusieurs – nous devons d'abord admettre qu'ils existent. Oui, j'ai réagi de façon négative, par peur et par souffrance. Oui, j'ai besoin d'aide…

Pensez à votre talent comme à un jeune poulain nerveux que vous amenez avec vous. Ce cheval a beaucoup de talent, mais il est aussi jeune, nerveux et inexpérimenté. Il fera des erreurs, sera effrayé par des obstacles qu'il n'avait pas vus auparavant. Peut-être même s'enfuira-t-il, essaiera-t-il de vous désarçonner, feindra-t-il de boiter ? Votre travail, tout comme celui du jockey créatif, c'est de faire en sorte que le cheval continue d'avancer et de le cajoler jusqu'à la fin de la course.

D'abord, regardez quels sont les sauts qui rendent votre cheval très nerveux. Peut-être trouverez-vous certains obstacles beaucoup plus effrayants que d'autres. Un saut d'agent peut vous effrayer davantage qu'un saut d'atelier. Un saut de critique peut être bien accepté tandis qu'un saut d'une réécriture effraiera à mort votre talent. Souvenez-vous que dans une course de chevaux il y a d'autres chevaux sur le terrain. Un tour que fait un jockey expérimenté, c'est de placer un cheval vert dans le sillage d'un cheval plus vieux, plus stable et plus expérimenté. Vous aussi, vous pouvez le faire.

— Qui, parmi mes connaissances, a un agent ? Alors demandez-lui comment il l'a obtenu.

— Qui est-ce que je connais qui a fait une réécriture réussie ? Demandez-lui comment en faire une.

— Est-ce que je connais quelqu'un qui a survécu à une critique sauvage ? Demandez-lui ce qu'il a fait pour en guérir.

Une fois que nous avons admis le besoin d'aide, l'aide arrive. L'ego veut toujours clamer l'autosuffisance. Il préférerait poser comme créateur solitaire plutôt que de demander de l'aide. De toute façon, demandez.

Bob était un jeune metteur en scène plein de promesses quand il a réalisé son premier documentaire. C'était un film court, remarquable, qui évoquait son père, ouvrier d'usine. Au moment du montage, Bob le montra à son professeur, réalisateur qui avait eu du talent mais qui était bloqué lui-même. Le professeur l'attaqua violemment. Bob abandonna le film. Il fourra le film dans des boîtes qu'il rangea dans sa cave et les oublia jusqu'à ce que le sous-sol fût inondé. « Ah ! bon ! C'est aussi bien ! » se dit-il alors, supposant que le film était fichu.

J'ai rencontré Bob cinq ans plus tard. Après nous être liés d'amitié, il m'a raconté l'histoire de ce film. J'avais le sentiment trouble qu'il était bon. « Il est perdu, me dit-il. Même le laboratoire a perdu le métrage que je leur avais donné. » En parlant du film, Bob s'effondra – puis récupéra. Il commença à pleurer son rêve abandonné.

Une semaine plus tard, Bob reçut un appel du laboratoire. « C'est incroyable, raconta-t-il, ils ont retrouvé le métrage ! » Je n'étais pas trop surprise. Je crois que le Créateur garde un œil sur les artistes et protégeait ce film. Grâce à l'encouragement de son amie scénariste – qui est maintenant sa femme – Bob a fini le film. Ils en ont fait ensemble un deuxième documentaire novateur.

Confronté à un demi-tour créatif, demandez-vous la chose suivante : « À qui puis-je demander de l'aide, face à ce revirement ? » Alors, commencez à demander.

4. Faites voler en éclats les blocages

Pour travailler librement sur un projet, un artiste doit se défaire de tout ressentiment (colère) et de toute résistance (peur). Que voulons-nous dire par là ? Nous voulons dire que toute barrière enfouie doit être mise au jour pour que le travail puisse avancer. Il en est de même pour tous les bénéfices secondaires que l'on obtient en ne travaillant pas.

« *La musique, c'est votre propre expérience, vos pensées, votre sagesse. Si vous ne la vivez pas, elle ne sortira pas de votre corne.* »

Charlie Parker.

Les blocages sont rarement mystérieux. Au contraire, ce sont des défenses artistiques pour se protéger face à un environnement perçu (à tort ou à raison) comme hostile.

Souvenez-vous : *votre artiste est un enfant créatif*. Il boude, pique des colères, garde des rancunes et abrite des peurs irrationnelles. Comme la plupart des enfants, il a peur du noir, du père fouettard et de toute aventure effrayante qui ne soit pas sécurisante. En tant que parent de votre artiste et gardien, son grand frère, son guerrier et compagnon, il vous incombe de le convaincre que vous pouvez sortir en toute sécurité pour (travailler) jouer.

Au début de tout nouveau projet, c'est une bonne idée de poser quelques questions simples à votre artiste. Ces questions vont aider à faire disparaître les loups-garous les plus courants, qui se mettent entre votre artiste et votre travail. Ces mêmes questions, posées lorsque le travail devient difficile ou s'enlise, agissent habituellement pour dégager le courant obstrué.

1. Faites la liste de tous les ressentiments (colère) que vous avez par rapport à ce projet. Peu importe que ces ressentiments paraissent à votre Moi adulte aussi insignifiants, aussi difficiles à satisfaire et irrationnels. Pour votre enfant artiste, c'est vraiment important : des rancunes.

Quelques exemples : « Je n'ai pas pu admettre d'arriver second artiste et non premier [je suis aussi le meilleur]... Cette rédactrice me déplaît fortement, elle trouve toujours à redire. Elle ne dit jamais rien de bon... J'ai du mal à travailler pour cet idiot ; il me paie toujours en retard... »

2. Demandez à votre artiste de faire la liste de toutes les peurs projetées sur l'œuvre d'art et/ou sur toute personne s'y rapportant. À nouveau, ces peurs peuvent être aussi bêtes que celles que peut éprouver un enfant de deux ans. Cela n'a pas d'importance qu'elles n'aient aucun fondement au regard de l'adulte. Ce qui importe, c'est que ce sont de grands monstres effrayants pour votre artiste.

Quelques exemples : « Je crains que le travail ne soit pas bon et de ne pas le savoir... J'ai peur que toutes mes idées soient rebattues et démodées... J'ai peur que mes idées soient d'avant-garde... J'ai peur de mourir de faim... J'ai peur de ne jamais finir... Je crains d'être gêné [je suis déjà gêné]...» La liste peut s'allonger.

3. Demandez-vous si tout est là. Avez-vous laissé de côté une quelconque petite peur ? Avez-vous supprimé toute colère « stupide » ? Notez-le sur la page.

4. Demandez-vous ce que vous pensez gagner en ne réalisant pas cette œuvre d'art.

Quelques exemples : « Si je n'écris pas la pièce, personne ne pourra la détester... Si je n'écris pas la pièce, mon pauvre type de rédacteur s'inquiétera... Si je ne peins pas, ne sculpte pas, ne joue pas, ne chante pas, ne danse pas... je peux critiquer les autres, sachant que je pourrais faire mieux... »

5. Faites le marché suivant : « D'accord, Force Créative, vous vous chargez de la qualité, je prendrai soin de la quantité. » Signez votre contrat et postez-le.

Un mot d'avertissement : c'est un exercice très puissant ; il peut causer des dégâts fatals à un blocage créatif.

5. Exercices de la semaine

1. Lisez vos pages du matin ! Il est bien d'utiliser deux feutres de couleur : un pour mettre en évidence les visions intérieures, l'autre pour mettre en évidence les mesures à prendre. Ne jugez pas vos pages, ni vous-même ; c'est très important. Oui, elles vont être ennuyeuses. Oui, elles peuvent être douloureuses. Faites comme si elles représentaient une carte. Prenez-les pour des renseignements et non comme des mises en accusation.

Faites le point : de qui vous êtes-vous constamment plaint ? Qu'avez-vous tendance à remettre à plus tard ? Que vous êtes-vous permis de changer ou d'accepter de façon bienheureuse ?

Prenez du courage : on en remarque beaucoup parmi nous qui ont une tendance alarmante à voir les choses soit blanches, soit noires : « Il est horrible... Il est merveilleux... Je l'aime... Je le déteste... C'est un travail génial... C'est un travail détestable... » et ainsi de suite. N'en soyez pas démobilisé.

Reconnaissance : ces pages nous ont permis de nous décharger sans nous autodétruire, de faire des projets sans interférence, de nous plaindre sans avoir d'auditoire, de rêver sans restriction, de connaître nos propres pensées. Donnez-vous crédit pour les avoir entreprises. Donnez-leur crédit pour les changements et la croissance qu'elles ont fomentés.

« *Soyez vraiment entier.*
Et toutes les choses viendront à vous. »
Lao-tseu.

---

2. *Visualisation.* Vous avez déjà fait un travail important en définissant vos objectifs et en identifiant le vrai nord. L'exercice suivant vous demande d'imaginer pleinement que votre objectif est atteint. Je vous prie d'y consacrer suffisamment de temps pour donner les détails savoureux qui rendront l'expérience merveilleuse.

Nommez votre objectif : « Je suis... »

Au temps présent, décrivez-vous en train de le faire à la hauteur de vos pouvoirs ! Voici bouclée votre scène idéale. Lisez-la à voix haute pour vous-même. Accrochez-la dans votre coin travail. Lisez-la à haute voix tous les jours !

Durant la semaine suivante, rassemblez des photos de vous, actuelles, que vous mélangerez à des images de magazine pour faire le collage de la scène idéale décrite plus haut. Souvenez-vous : voir, c'est croire, et l'ajout d'une réplique visuelle de votre Moi réel dans votre scène idéale peut le rendre encore plus réel.

3. *Priorités.* Faites pour vous-même la liste de vos buts créatifs pour l'année. Faites pour vous-même la liste de vos buts créatifs pour le mois. Faites pour vous-même la liste de vos buts créatifs pour la semaine.

4. *Demi-tours créatifs.* Tous, parmi nous, ont eu des demi-tours créatifs. Citez un des vôtres. Nommez-en trois supplémentaires. Nommez celui qui vous tue.

Pardonnez-vous. Pardonnez-vous tous les échecs nerveux, d'emploi du temps et d'initiative. Faites une liste

---

« *Apprendre, c'est être en mouvement à chaque instant.* »

Krishnamurti.

personnalisée des affirmations qui vous aideront davantage dans le futur.

Doucement, *très doucement*, demandez-vous si des enfants de votre cerveau qui ont été avortés, abandonnés, maltraités, sabotés peuvent être secourus. Souvenez-vous : vous n'êtes pas seul. Chacun d'entre nous a eu des revirements créatifs.

Choisissez un demi-tour créatif. Réparez-le. Recollez-le.

Ne faites pas un demi-tour créatif maintenant. À la place, remarquez votre résistance. Les pages du matin vous semblent difficiles ? Stupides ? Sans intérêt ? Trop évidentes ? De toute façon, faites-les.

Quels sont les rêves créatifs – encore vacillants bien sûr – qui laissent entrevoir une possibilité ? Admettez qu'ils vous effraient.

5. Choisissez un totem d'artiste : ce peut être une poupée, un animal empaillé, une figurine sculptée ou un jouet que l'on remonte. L'intérêt, c'est de choisir un objet pour lequel vous éprouvez immédiatement une profonde tendresse et que vous voudriez protéger. Donnez à votre totem une place d'honneur et alors honorez-le en ne frappant pas votre enfant artiste.

6. Contrôle de votre semaine

1. Combien de fois cette semaine avez-vous fait vos pages du matin ? En ce qui concerne les demi-tours,

> « *Nous apprenons à faire quelque chose en le faisant. Il n'y a pas d'autre façon.* »
> **John Holt (éducateur).**

vous êtes-vous permis de bouger vers un sentiment de compassion, au moins sur la page ?

2. Avez-vous pris votre rendez-vous avec l'artiste cette semaine ? Avez-vous continué à privilégier le divertissement ? Qu'avez-vous fait ? Qu'avez-vous ressenti ?

3. Avez-vous ressenti une synchronie cette semaine ? Quelle était-elle ?

4. Y avait-il d'autres problèmes cette semaine que vous imaginiez significatifs pour votre reconquête ? Décrivez-les.

SEMAINE 10

Retrouver le sentiment de protection

*N*ous allons explorer, cette semaine, les dangers qui peuvent nous faire tomber en embuscade sur le chemin de notre créativité. Parce que la créativité est une question d'ordre spirituel, beaucoup de dangers sont spirituels. Dans les essais et les exercices de cette semaine, nous rechercherons les modèles nocifs auxquels nous nous accrochons et qui bloquent notre flux créatif.

1. Dangers de la piste

La créativité, c'est l'énergie de Dieu qui coule en nous, façonnée par nous, comme la lumière qui passe au travers d'un prisme de cristal. Quand nous sommes au clair sur ce que nous sommes et ce que nous faisons, l'énergie coule librement et nous ne subissons pas de tensions. Quand nous résistons à cette énergie qui pourrait nous montrer certaines choses ou nous emmener quelque part, souvent nous ressentons un sentiment d'insécurité et de perte de contrôle. Nous voulons arrêter ce flux et reprendre notre contrôle. Nous utilisons à mort les freins psychiques.

Toute personne créative possède une myriade de façons de bloquer sa créativité. Chacun de nous en privilégie une ou deux, particulièrement nocives parce qu'elles créent des blocages efficaces.

Pour certains, la nourriture est un problème de créativité. Manger du sucre, des graisses ou certains féculents provoque un sentiment de lourdeur, des nausées, une incapacité à se concentrer – un certain flou. Ils utilisent la nourriture pour bloquer l'énergie et le changement. Comme ils sentent qu'ils vont trop vite, mais qu'ils ne savent pas où ils vont, qu'ils vont s'effondrer, ils se rabattent sur la nourriture. Un grand bol de glace, une soirée de nourriture malsaine, et leur système s'encrasse : « À quoi étais-je en train de penser ? À quoi... ? Oh ! cela n'a pas d'importance... »

Pour certains, l'alcool représente le blocage favori. Pour d'autres, ce sont les drogues. Pour beaucoup, le travail est le blocage par excellence. Occupés, occupés, occupés... ils travaillent pour s'engourdir. Ils ne peuvent consacrer une demi-heure à une promenade : « Quelle perte de temps ! » Ils attirent les obligations et les projets multiples comme un soda au soleil attire les mouches. Ils vont, « Bzz, bzz, bzz, tap ! ». Ils repoussent la pensée égarée, la vision intérieure de la découverte capitale.

Pour d'autres, l'obsession d'un amour douloureux met le choix créatif hors de leur portée. En proie à la souffrance, ils deviennent immédiatement des victimes plutôt que de sentir leur propre puissance considérable. « Si seulement il ou elle m'aimait... »

> *« Dire non peut être l'ultime protection. »*
> **Claudia Black.**

Cette obsession noie la petite voix qui suggère de réaménager le salon, de suivre un cours de poterie, d'essayer une nouvelle introduction pour cette histoire qui se trouve dans une impasse. La minute où une idée créative pointe sa tête, elle est tranchée par l'obsession qui bloque la peur et empêche les risques. Sortir pour aller danser ? Refaire la pièce entière avec un thème dans la cité ? « Si seulement il ou elle m'aimait... » Au temps pour *West Side Story*.

Pour beaucoup, le sexe est le plus grand blocage. Un intérêt fascinant, titillant, hypnotique fait glisser de nouvelles possibilités érotiques devant le vrai roman. Le nouvel objet sexuel devient la cible des approches créatives.

Notez bien que la nourriture, le travail et le sexe sont tous bons en soi. C'est leur *abus* qui pose problème pour la créativité. Vous reconnaître artiste, c'est prendre conscience de ce dont vous abusez lorsque vous voulez vous bloquer. Si la créativité ressemble au jaillissement de la respiration de l'univers à travers la paille que chacun de nous représente, nous perçons la paille chaque fois que nous perçons un de ces blocages. Nous fermons notre flux. Et nous le faisons exprès.

Nous commençons à prendre conscience de notre potentiel réel et de toutes les possibilités qui nous sont ouvertes. Cela nous effraie. Donc, nous recherchons tous des blocages pour ralentir notre croissance. Si nous sommes honnêtes avec nous-mêmes, nous savons tous quels sont les blocages qui nous sont nocifs. Indice : c'est le blocage que nous défendons comme représentant notre droit.

Alignez les possibilités. Quelle est celle qui, par le seul fait de penser devoir l'abandonner, vous met en colère ? Ce blocage explosif est celui qui vous a causé le plus de dommages. Examinez-le. Quand on nous demande de nommer notre poison, nous pouvons presque tous le faire. Est-ce que la nourriture m'a saboté ? Est-ce que l'excès de travail m'a saboté ? Est-ce que le sexe ou l'obsession sexuelle a bloqué ma créativité ?

Mélanger et assortir, voilà une recette courante d'utilisation de blocages : en utiliser un, ajouter un second, mélanger avec un troisième... tout cela vous épuise. L'objet de tout ce blocage, c'est de soulager la peur. Nous nous tournons vers la drogue de notre choix pour bloquer notre créativité chaque fois que nous ressentons l'angoisse d'un vide intérieur. C'est toujours la peur – souvent déguisée, mais toujours présente – qui contraint à édifier un blocage.

En général, nous avons le sentiment que le choix du blocage n'est que coïncidence. « Elle a appelé... j'ai eu faim et il y avait de la glace... Il est passé avec des calmants... » Le choix du blocage marche toujours à court terme et échoue à long terme.

Le choix du blocage est un revirement créatif. Nous faisons demi-tour. Comme l'eau immobile, nous stagnons. L'honnêteté qui se tapit en chacun de nous sait toujours quand nous choisissons à l'encontre de notre plus grand bien. Elle le marque sur notre tableau spirituel : « Tu l'as encore fait ! »

Il faut de la grâce et du courage pour admettre nos blocages et les abandonner. Qui le veut ? Pas tant qu'ils sont à l'œuvre ! Bien sûr, longtemps après qu'ils se sont arrêtés de fonctionner, nous espérons contre tout espoir que cette fois ils fonctionneront à nouveau.

Les blocages sont essentiellement une question de foi. Plutôt que de faire confiance à notre intuition, notre talent, nos compétences, notre désir, nous avons

---

« *Au milieu de la difficulté repose l'opportunité.* »
Albert Einstein.

peur du lieu où notre Créateur nous emmène avec cette créativité. Plutôt que de peindre, écrire, danser, donner des auditions et de voir où cela nous emmène, nous formons un blocage. Bloqués, nous savons qui nous sommes et ce que nous sommes : une personne malheureuse. Sans blocages, nous pouvons être menaçants – être heureux. Pour la plupart d'entre nous, être heureux c'est terrifiant, non familier, hors de contrôle, trop risqué ! Est-ce étonnant de faire des demi-tours temporaires ?

Comme nous devenons conscients de nos dispositifs de blocage – nourriture, profession, alcool, sexe, drogues – nous prenons conscience de nos demi-tours en les faisant. Les blocages ne seront plus aussi efficaces. Après un certain temps, nous essaierons – peut-être lentement au départ et par à-coups – de surmonter l'angoisse pour voir ce qui émerge. L'anxiété est un combustible… Nous pouvons l'utiliser pour écrire, pour peindre, pour travailler.

J'éprouve de l'angoisse,
J'essaie d'utiliser cette angoisse !
Je sens que j'y suis arrivé ! Je n'ai pas eu de blocage !
J'ai utilisé l'anxiété et j'ai avancé !
Oh ! mon Dieu, je suis excité !

2. Se droguer par le travail

Trop travailler constitue une addiction qui, comme toutes les addictions, bloque l'énergie créatrice. En fait, on pourrait argumenter que le désir de bloquer le flux furieux de l'énergie créatrice est une raison sous-jacente à l'addiction. Quand les gens sont trop occupés à écrire les pages du matin, ou trop pris par leur rendez-vous avec l'artiste, sans doute sont-ils trop occupés à entendre la voix qui leur dicte leurs vrais besoins de création. Pour reprendre le concept d'un équipement radio, celui qui se drogue par le travail brouille les signaux par des interférences qu'il induit lui-même.

L'excès de travail n'ayant été reconnu que très récemment comme étant une addiction, il est encore beaucoup loué dans notre société. La phrase : « Je suis en train de travailler » renferme un certain air inattaquable de bien et de devoir. La vérité, c'est que nous travaillons très souvent pour nous éviter, éviter nos conjoints, éviter nos vrais sentiments.

Dans la reconquête créative, il est beaucoup plus facile d'obtenir le travail supplémentaire des pages du matin que de concrétiser le jeu assigné du rendez-vous de l'artiste. Le jeu peut rendre un homme surchargé de travail très nerveux. Se divertir fait peur.

« Si j'avais plus de temps, je m'amuserais davantage », dit-on avec plaisir, mais ce n'est que rarement vrai. Pour tester la validité de cette assertion, demandez-vous combien de temps vous vous allouez chaque semaine pour vous divertir : un divertissement pur, non productif, non frelaté ?

Pour la plupart des créateurs bloqués, le divertissement, c'est quelque chose qu'ils évitent presque avec autant d'acharnement que leur créativité. Pourquoi ? Parce que le divertissement conduit à la créativité. Il conduit à la rébellion. Il nous fait ressentir notre propre puissance, et cela est effrayant. « Il est possible que j'aie un petit problème avec une dose excessive de travail, se plaît-on à dire, mais je ne suis pas vraiment un drogué du travail. » Essayez de répondre à ces questions avant d'en être si sûr.

Êtes-vous un drogué du travail ?

— Je travaille en dehors
des horaires de bureau :   ❑ Rarement ❑ Souvent ❑ Jamais

— J'annule des rendez-vous
avec des êtres chers pour
travailler davantage : ❏ Rarement ❏ Souvent ❏ Jamais
— Je remets les sorties à
plus tard, lorsque la date
limite est passée : ❏ Rarement ❏ Souvent ❏ Jamais
— J'emporte du travail
pour le week-end : ❏ Rarement ❏ Souvent ❏ Jamais
— J'emporte du travail
pour les vacances : ❏ Rarement ❏ Souvent ❏ Jamais
— Je prends des vacances : ❏ Rarement ❏ Souvent ❏ Jamais
— Mes proches se plaignent
que je travaille toujours : ❏ Rarement ❏ Souvent ❏ Jamais
— J'essaie de faire deux
choses à la fois : ❏ Rarement ❏ Souvent ❏ Jamais
— Je m'accorde du temps
libre entre deux projets : ❏ Rarement ❏ Souvent ❏ Jamais
— Je me permets de
clôturer certaines tâches : ❏ Rarement ❏ Souvent ❏ Jamais
— Je fais traîner les
choses pour terminer ce
qui est encore flou : ❏ Rarement ❏ Souvent ❏ Jamais
— Je m'apprête à faire
un travail et
en commence trois
autres en même temps : ❏ Rarement ❏ Souvent ❏ Jamais
— Je travaille le soir
pendant le temps
réservé à la famille : ❏ Rarement ❏ Souvent ❏ Jamais
— Je laisse les appels
téléphoniques
interrompre, ou rallonger,
ma journée de travail : ❏ Rarement ❏ Souvent ❏ Jamais
— Je laisse une priorité
à ma journée : celle de
consacrer une heure
de travail/jeu créatif : ❏ Rarement ❏ Souvent ❏ Jamais

— Je place mes rêves
créatifs avant mon travail : ❏ Rarement ❏ Souvent ❏ Jamais
— J'accepte les projets
des autres et remplis
mon temps avec leurs
emplois du temps : ❏ Rarement ❏ Souvent ❏ Jamais
— Je m'accorde du temps
pour ne rien faire : ❏ Rarement ❏ Souvent ❏ Jamais
— J'utilise le mot date
limite pour décrire et
rationaliser ma charge
de travail : ❏ Rarement ❏ Souvent ❏ Jamais
— Aller quelque part,
même dîner, avec un
bloc-notes ou mes
numéros de travail,
c'est quelque chose
que je fais : ❏ Rarement ❏ Souvent ❏ Jamais

Afin de reconquérir notre créativité, nous devons apprendre à voir l'excès de travail comme un blocage plutôt que comme une pierre d'édification. L'abus de travail crée chez notre artiste le complexe de Cendrillon. Nous sommes toujours en train de rêver du bal et nous faisons toujours l'expérience du bal et de la chaîne.

Il y a une différence entre le travail plein d'enthousiasme pour atteindre un but chéri, et le travail comme une drogue. Cette différence réside moins dans les

« *Quand nous sommes vraiment honnêtes avec nous-mêmes, nous devons admettre que notre vie est tout ce qui nous appartient vraiment. Donc, c'est la manière dont on utilise notre vie qui détermine le genre d'hommes que nous sommes.* »

César Chavez.

heures passées que dans leur qualité émotionnelle. Se droguer par le travail constitue davantage une routine. Nous sommes dépendants d'une addiction et le regrettons. Pour une personne qui se drogue par le travail, le travail est synonyme de valeur, et ainsi nous hésitons à en abandonner une partie.

Dans tous les efforts que nous faisons pour libérer notre flux créatif, il faut reconsidérer clairement nos habitudes de travail. Peut-être ne pensons-nous pas travailler à l'excès jusqu'au moment où nous faisons le décompte des heures passées au labeur. Peut-être pensons-nous que notre travail est normal jusqu'au jour où nous le comparons avec une semaine normale de 35 heures.

Pour être clair par rapport au temps passé à travailler, il faut chaque jour enregistrer le temps passé à une tâche. Une seule heure de travail/jeu créatif peut contrebalancer le sentiment de désespoir engendré par l'excès de travail, qui maintient nos rêves à distance.

Parce que l'excès de travail est une addiction de processus (une addiction à une conduite plutôt qu'à une substance), il est difficile de dire quand nous nous y sommes laissé aller. Un alcoolique devient sobre en s'abstenant de toute prise d'alcool. Un drogué du travail devient sobre en s'abstenant de toute *surcharge* de travail. Toute la question est de définir ce qu'est une surcharge de travail – et c'est là souvent que nous nous mentons à nous-mêmes, marchandant pour nous accrocher à ces conduites maltraitantes qui nous sont encore utiles.

Afin de se préserver de la rationalisation, il est très utile de se fixer une *ligne générale* qui variera selon les individus. Mais toutes devraient mentionner de façon spécifique les conduites reconnues comme déviantes. Adopter une ligne de conduite précise permet de reconquérir sa créativité plus facilement et plus vite que prendre une résolution vague du genre : « Je vais faire mieux. »

Si vous manquez de temps, il faut vous ménager de la place. Sans doute avez-vous le temps, mais vous ne l'employez pas à bon escient. Organiser votre emploi du temps va vous aider à trouver des plages pendant lesquelles il faudra créer des frontières. *Frontière* est un autre mot pour ligne générale. « Ma ligne de conduite ne me permet pas de… » Voici votre frontière. (Voir « Ligne générale à adopter » dans la liste des exercices de cette semaine.)

De même que pour les demi-tours créatifs, il vous faudra peut-être demander de l'aide à vos amis. Pour vous guérir de la *drogue travail*, faites-leur part de ce que vous essayez de réaliser. Demandez-leur de vous rappeler gentiment à l'ordre lorsque vous vous écartez du programme que vous vous êtes fixé : prendre soin de vous. (Cela échouera si vous le demandez à des gens qui se tuent au travail comme vous, ou qui ont un désir de maîtrise si puissant qu'ils vont exercer sur vous un contrôle excessif.) Ayez présent à l'esprit, cependant, que c'est *votre* problème. Personne ne contrôlera votre reconquête. Mais dans certaines régions, il y a de plus en plus de réunions d'Alcooliques anonymes, et celles-ci peuvent vous aider énormément.

Une manière très simple, mais très efficace de vérifier si vous faites des progrès, c'est de mettre un panneau sur votre lieu de travail. Placez aussi ce signal à des

> « *La vie qui n'est pas examinée ne vaut pas la peine d'être vécue.* »
>
> **Platon.**

emplacements où vous pourrez le voir souvent : sur le miroir de la salle de bains, un autre sur le réfrigérateur, un sur la table de nuit, un dans la voiture… Le message dit : « *Se droguer par le travail est un blocage, non une pierre d'édification.* »

3. Périodes de sécheresse

Dans toute vie créative, il y a des saisons sèches. Ces sécheresses surgissent de nulle part et s'étendent à l'horizon, tel un panorama de la vallée de la Mort. La vie perd sa douceur ; notre travail semble mécanique, vide, contraint. Nous sentons que nous n'avons rien à dire et que nous sommes tentés de ne rien dire. Voici les périodes où les pages du matin sont les plus difficiles et où elles ont le plus de valeur.

Pendant toute période de sécheresse, le simple fait de se montrer face à la page, c'est comme marcher dans un désert sans traces : il faut faire un pas après l'autre, vers nul point apparent. Les doutes passent devant nous comme ces petits reptiles. « À quoi ça sert ? » sifflent-ils, ou : « Qu'attendez-vous ? » Les sécheresses nous disent qu'elles vont durer éternellement – et que nous, non. Avant l'heure, nous sommes obsédés par notre propre mort bien avant d'y être prêts, bien avant d'avoir réalisé quelque chose qui ait de la valeur ; cette image miroite devant nous, tel un mirage blême.

Que faisons-nous ? Nous trébuchons. Comment le faisons-nous ? Nous restons sur les pages du matin.

« *Vendez votre habileté et achetez de la perplexité.* »

Jalal Ud-Din Rumi.

Cette consigne ne s'adresse pas seulement aux écrivains (les pages n'ont rien à voir avec l'écriture, bien qu'elles puissent la faciliter ainsi que toute forme d'art). Pour tous les êtres créatifs, les pages du matin sont le chemin de la vie, la voie que nous explorons et la voie qui nous indique notre maison intérieure.

Pendant une période aride, les pages du matin semblent à la fois douloureuses et stupides. Elles ressemblent à des gestes vides – c'est comme préparer le petit déjeuner pour l'amant qui, de toute façon, va nous quitter. Espérer en dépit de tout espoir qu'un jour nous serons à nouveau créatifs, nous faisons semblant. Notre conscience est desséchée. Nous ne pouvons pas ressentir autant la nécessité d'un filet de grâce.

Pendant une sécheresse (pendant un *doute,* c'est ce que j'avais écrit en faisant un lapsus), nous combattons Dieu. Nous avons perdu la foi dans le Grand Créateur et dans nos Moi créateurs. Nous avons des comptes à régler, et il y en a partout. Notre cœur est sec. Nous recherchons un signe d'espoir et tout ce que nous voyons ne sont que les restes gauches de nos rêves évanouis tout au long du chemin.

❧❀❧

Et pourtant, nous écrivons nos pages du matin parce qu'il le faut.

Pendant tout ce temps, nos émotions se figent. Comme l'eau, elles peuvent exister quelque part en profondeur, mais nous n'y avons pas accès. Une sécheresse

> **« *Vraiment, c'est dans l'obscurité que l'on trouve la lumière, donc quand nous sommes en peine, alors, c'est cette lumière qui nous est la plus proche.* »**
>
> **Maître Eckhart.**

est un temps de souffrance, sans larmes. Nous sommes entre les rêves. Trop indolents pour même connaître nos pertes, nous remplissons notre cahier, page après page, plus par habitude que par espoir.

Et pourtant, nous écrivons nos pages du matin parce qu'il le faut.

Les sécheresses sont terribles. Les sécheresses font mal. Les sécheresses sont longues, sont des saisons sans un souffle d'air, des saisons de doute qui nous font grandir, nous permettent la compassion et qui fleurissent ensuite de façon aussi inattendue que des fleurs dans un désert.

Oui, les sécheresses prennent fin.

Les sécheresses s'arrêtent parce que nous avons continué à écrire nos pages. Elles s'arrêtent parce que nous ne nous sommes pas écroulés face à notre désespoir et que nous n'avons pas bougé. Nous avons douté, oui, mais nous avons continué, malgré nos faux pas.

Au cours d'une vie créative, les sécheresses sont nécessaires. Le temps mis à traverser le désert nous apprend la clarté et la charité. Quand vous traverserez une période de sécheresse, sachez que c'est pour quelque chose. Et continuez à écrire les pages du matin.

Écrire emprunte le chemin des *choses justes*. Tôt ou tard – toujours plus tard que nous l'aurions souhaité – nos pages du matin nous mettront dans la bonne direction. Un chemin se dessinera. Nous aurons une vision intérieure, un point de référence qui nous indiquera la sortie de ce monde sauvage. Danseur, sculpteur, acteur, peintre, dramaturge, poète, artiste du spectacle, potier, artiste... qui que vous soyez, les pages du matin sont pour vous votre monde sauvage et votre piste.

4. La drogue de la célébrité

La célébrité nous encourage à croire que si elle ne s'est pas encore montrée, elle ne viendra plus. Bien sûr, il s'agit de la célébrité qui n'est pas encore le succès et, au fond de nous-mêmes, nous le savons. Nous savons, pour l'avoir ressenti, ce qu'est le succès à la fin d'une bonne journée de travail. Mais la célébrité ? Elle est source d'addictions et nous laisse toujours sur notre faim.

La célébrité est une drogue spirituelle. Elle est souvent le dérivé du travail de l'artiste. La célébrité, le désir de l'atteindre, le désir de s'y accrocher, peut produire le syndrome du « Comment je me débrouille ? ». La question posée n'est pas : « Est-ce que le travail est bon ? », mais plutôt : « Comment voient-ils ça, eux ? »

Le travail, c'est le travail. La célébrité altère cette perception. Se poser des questions sur le travail d'acteur n'est plus à propos ; elle devient : « Comment devenir célèbre ? » Au lieu que la question de l'écriture concerne l'écriture, elle porte sur le fait d'être reconnu et non pas simplement d'être publié.

Nous créditons tous où le crédit est dû. En tant qu'artistes, nous ne l'obtenons pas toujours. Pourtant, se focaliser sur la célébrité – sur le fait de savoir si nous sommes assez célèbres – crée un sentiment continu de manque. La *drogue célébrité* n'est jamais en quantité suffisante. En vouloir plus, c'est toujours s'esquiver, discréditer nos réalisations, éroder notre joie à la vue de la réalisation d'un autre.

> « *L'inconscient veut la vérité. Il s'arrête de parler à ceux qui veulent autre chose que la vérité.* »
> **Adrienne Rich.**

Afin de le tester, lisez un quelconque magazine portant sur les gens en vogue – *Paris Match, Points de vue, Gala, Images du monde* par exemple – et voyez ensuite si votre vie ne vous paraît pas en quelque sorte plus triste, moins digne d'intérêt. Voilà la drogue célébrité au travail.

Souvenez-vous : vous considérer comme un objet précieux vous rendra fort. Si vous avez été intoxiqué par la drogue célébrité, vous aurez besoin de vous en désintoxiquer en vous dorlotant. Ce qui s'impose ici, c'est de vous accorder beaucoup de gentillesse et des égards qui indiquent que vous vous aimez. Le grand truc qui marche, c'est de vous envoyer des cartes postales, par exemple une sur laquelle serait écrit : « C'est génial ce que tu fais… » Il est très agréable de recevoir des lettres d'admirateurs, même s'ils ne sont que nous !

À la longue, les lettres d'admirateurs écrites par nous – et nos Moi créateurs – sont vraiment ce que nous recherchons. La célébrité est vraiment un raccourci de l'auto-approbation. Essayez de vous apprécier simplement comme vous êtes – et gâtez-vous avec des plaisirs de petit enfant.

Ce dont nous avons très peur, c'est de ne pas être aimés – comme artiste ou comme personne – si nous ne sommes pas célèbres. Pour remédier à cette peur, il faut nous autoriser des égards sous forme de petits gestes concrets et aimables. Il faut consciemment et constamment, activement et créativement, nourrir notre Moi artiste.

> « *Le vrai apprentissage se fait quand l'esprit de compétition a cessé.* »
>
> **Krishnamurti.**

Quand la drogue célébrité frappe, dirigez-vous vers votre chevalet, votre machine à écrire, votre caméra ou votre bloc d'argile. Prenez vos outils de travail et commencez à faire simplement un petit jeu créatif.

Bientôt, très bientôt, la drogue célébrité commencera à relâcher sa prise. Le seul remède contre la drogue célébrité, c'est d'essayer de créer. Ce n'est que lorsque nous créons dans le plaisir que nous attachons moins d'importance aux autres et à la manière dont nous le faisons.

5. La drogue de la compétition

Vous prenez un magazine – ou même les nouvelles de vos élèves – et quelqu'un, *quelqu'un que vous connaissez*, est allé plus loin, plus vite, dans le sens de votre propre rêve. Au lieu de vous dire : « En voici la preuve, cela est faisable », votre peur va vous faire dire : « Il ou elle a réussi à ma place. »

La compétition est une autre drogue spirituelle. Quand nous nous focalisons sur notre compétition, nous empoisonnons notre propre puits, nous entravons notre propre progression. Quand nous convoitons les réalisations des autres, nous détournons notre regard de notre propre ligne de parcours. Nous nous posons les mauvaises questions, et ces mauvaises questions nous apportent les mauvaises réponses.

« Pourquoi ai-je si peu de chance ? Pourquoi a-t-il fait ce film/cet article/cette pièce avant que je ne termine le mien/la mienne ? Est-ce par sexisme ? À quoi ça sert ? Qu'ai-je donc à offrir ? » Nous nous posons souvent ces questions quand, en essayant de réfléchir, nous sortons du champ de la création.

En nous posant ce genre de questions, nous en laissons d'autres de côté, plus utiles : « Est-ce que j'ai travaillé sur ma pièce aujourd'hui ? Ai-je respecté les dates limites d'envoi ? À ce propos, ai-je fait un certain travail de réseau ?... »

Voici les vraies questions, et s'y intéresser peut nous être difficile. Tenter de prendre le premier verre émotionnel à la place n'a rien d'étonnant, ni même que beaucoup parmi nous lisent le premier magazine venu traitant de célébrités et l'utilisent pour se vautrer dans une envie malsaine.

Nous trouvons toujours des excuses à notre évitement, des excuses qui incluent les autres. « Quelqu'un [d'autre] l'a probablement déjà dit, l'a probablement fait, pensé... et sûrement mieux que moi... En outre, il a eu des relations, un père riche, il appartient à une minorité recherchée, il arrive au sommet en dormant... »

La compétition constitue le départ de beaucoup de blocages créatifs. En tant qu'artiste, nous devons nous y plonger. Nous devons être attentifs à la direction vers laquelle nous pousse notre guide intérieur. Nous ne pouvons pas nous permettre de nous préoccuper de ce qui est à l'intérieur et de ce qui est à l'extérieur. S'il est trop tôt ou trop tard pour une œuvre, son temps viendra à nouveau.

Un artiste ne peut pas se permettre de penser à celui qui le dépasse et qui ne le mérite pas. Le désir d'être « mieux que... » peut tout simplement étouffer le simple désir d'*être*. Un artiste ne peut pas se permettre d'avoir de telles pensées. Cela l'emmène loin de ses propres voix et de ses propres choix et dans un jeu défensif dont l'essentiel se situe à l'extérieur de lui-même et de sa sphère d'influence. C'est définir sa propre créativité selon les termes d'un autre.

Il est possible que cette école de pensée qui consiste à faire des comparaisons et des contrastes puisse trouver sa place chez les critiques, mais non chez les artistes.

Laissez les critiques déceler les tendances. Laissez les chroniqueurs se préoccuper de ce qui est à la mode et de ce qui ne l'est pas. Préoccupons-nous, en tout premier lieu, de ce qui est en nous et qui combat pour naître.

Si nous nous mesurons à d'autres, si nous centrons nos préoccupations créatives d'après ce qui se fait, nous nous bousculons vraiment avec d'autres artistes dans une course à pied créative. C'est la mentalité du sprint.

En recherchant la victoire à court terme, en ignorant le bénéfice à long terme, nous court-circuitons la possibilité d'une vie créative guidée par nos propres lumières, et non par les projecteurs de la mode.

Chaque fois que vous êtes en colère contre quelqu'un qui vous dépasse, souvenez-vous de ceci : la mentalité de la course à pied provient *toujours* de l'ego qui ne demande pas simplement de bien courir, mais aussi d'être le meilleur pour arriver premier. C'est notre ego qui exige que notre travail soit totalement original – comme si c'était possible. Toute œuvre est influencée par une autre œuvre. Nous nous influençons tous mutuellement. Personne n'est une île et aucune œuvre d'art n'est un continent en soi.

Quand nous répondons à l'art, nous répondons à sa résonance en termes de notre propre expérience. C'est rare de l'envisager comme si c'était la découverte de quelque chose de complètement étranger. En fait, nous voyons une vieille lumière dans une nouvelle lumière.

Si l'exigence d'être original nous trouble encore, souvenez-vous de ceci : chacun représente son propre pays, un lieu intéressant à visiter. C'est déceler exactement

> « *Ce n'est que lorsqu'il ne sait plus ce qu'il fait que le peintre fait de bonnes choses.* »
> **Edgar Degas.**

nos intérêts créateurs qui invitera au terme *original*. Nous sommes l'*origine* de notre art, sa terre natale. Vue sous cet angle, l'originalité est le processus de rester authentique vis-à-vis de soi. L'esprit de compétition – en opposition à l'esprit de création – nous pousse souvent à voir rapidement si une idée ne semble pas conduire au succès. Ce peut être très dangereux car cela peut interférer avec notre capacité à mener un projet à terme.

Une cible compétitive encourage des jugements rapides : soit c'est génial, soit c'est nul. Est-ce que ce projet mérite d'avoir une vie ? (Non, dira notre ego s'il veut un projet infaillible qui réussit à coup sûr, tout de suite et pour toujours.) De nombreux succès ne se sont trouvés vérifiés que rétrospectivement. Avant d'en savoir plus, nous appelons de nombreux cygnes créatifs de vilains petits canards. Voilà une indignité que nous offrons aux enfants de notre cerveau quand ils relèvent la tête dans notre conscience. Nous les jugeons comme les adversaires d'un spectacle de beauté. D'un seul coup d'œil, nous pouvons les abattre. Nous oublions que tous les bébés ne naissent pas beaux, et ainsi nous avortons de projets maladroits et inconvenants qui pourraient se transformer en un travail plus recherché, nos vilains canards les plus créatifs. L'art a besoin de temps pour arriver à maturité. Porter un jugement trop tôt, c'est peut-être avoir un jugement faussé.

Ne jugez jamais, au grand jamais, un nouveau travail trop rapidement. Ayez la volonté de peindre ou d'écrire

> « *Celui qui connaît les autres est sage ; celui qui se connaît est éclairé.* »
>
> **Lao-tseu.**

pas très bien, même si votre ego glapit de résistance. Il se peut que votre mauvaise écriture indique l'effondrement syntaxique nécessaire au changement de votre style. Votre peinture minable peut vous indiquer une nouvelle direction à prendre. L'art a besoin de temps pour incuber, pour s'étendre un peu, pour être disgracieux et difforme et finalement pour émerger comme étant votre art. L'ego déteste ça. L'ego veut des gratifications instantanées et le succès qui crée la dépendance de la victoire reconnue.

Le besoin de gagner – tout de suite –, c'est le besoin de gagner l'approbation des autres. Comme antidote, nous devons apprendre à nous approuver. Travailler avec constance, régulièrement, voilà la victoire.

6. Exercices de la semaine

1. *Points mortels*. Prenez une feuille de papier et coupez-la en sept bandes. Sur chaque bande, écrivez chacun des mots suivants : *alcool, drogues, sexe, travail, argent, nourriture, famille/amis*. Pliez ces bandes de papier et placez-les dans une enveloppe. Nous appelons ces bandes pliées « les points mortels » ; vous allez savoir pourquoi dans une minute. Maintenant, sortez un point mortel de l'enveloppe et écrivez cinq circonstances où cela a eu un impact négatif sur votre vie (si celui que vous choisissez semble difficile ou inapplicable pour vous, considérez cette résistance). Vous allez le faire sept fois, en remettant chaque fois la précédente bande

---

« *Je vais vous dire ce que j'ai appris moi-même. Pour moi, une marche de huit à dix kilomètres aide. Et on doit aller seul et chaque jour.* »
Brenda Ueland.

---

de papier afin d'avoir toujours sept choix possibles pour le tirage. Oui, il peut arriver que vous tiriez toujours le même point mortel. Oui, c'est significatif. Très souvent, c'est le dernier impact de toute une série de propos décourageants du genre : « Oh ! non, pas celui-là à nouveau... » qui provoque la cassure et qui, par ce refus, nous éclaire.

2. *Pierres de touche*. Faites une liste rapide des choses que vous aimez, des « pierres de touche » qui représentent le bonheur. Des pierres de rivière polies, des saules, des bleuets, de la chicorée, du vrai pain italien, de la soupe aux légumes faite maison, des haricots noirs et du riz, l'odeur du gazon fraîchement tondu, du velours bleu, la tarte aux pommes de tante Minnie...

Accrochez cette liste là où cela peut vous consoler et vous rappeler vos propres pierres de touche. Peut-être aimeriez-vous acquérir un des articles de votre liste ? Si vous aimez le velours bleu, procurez-vous un coupon pour l'utiliser comme napperon sur un buffet ou une commode, ou fixez-le au mur et accrochez-y des images. Jouez un peu.

3. *L'affreuse vérité*. Répondez aux questions suivantes.

— Dites la vérité. Quelles sont vos habitudes qui entravent votre créativité ?

« *Combien de fois – même avant de commencer – avons-nous déclaré une tâche "impossible" ? Et combien de fois avons-nous interprété une image de nous-mêmes comme étant inadéquate ? Cela dépend beaucoup des schémas de pensée que nous choisissons et de l'insistance avec laquelle nous les affirmons.* »

Piero Ferrucci.

— Dites la vérité. Qu'est-ce qui pourrait faire l'objet d'un problème ? C'en est un.

— Quelle résolution avez-vous prise face à cette habitude ou à ce problème ?

— Quel bénéfice retirez-vous de rester accroché à ce blocage ?

— Si vous ne parvenez pas à le cerner, demandez à un ami digne de confiance de vous aider.

— Dites la vérité. Quels sont les amis qui vous font douter de vous ? (Le fait de douter de vous est déjà ancré en vous, mais ils le déclenchent.)

— Dites la vérité. Quels sont les amis qui croient en vous et en votre talent ? (Le talent est vôtre, mais ils font en sorte que vous le ressentiez.)

— Quel est le bénéfice de conserver vos amis destructeurs ? Si la réponse est : « Je les aime », la prochaine question sera : « Pourquoi ? »

— Quelles sont les habitudes destructrices que vos amis destructeurs partagent avec votre Moi destructeur ?

— Quelles sont les habitudes constructrices que vos amis constructeurs partagent avec votre Moi constructeur ?

4. *Fixer une limite.* En travaillant à partir de vos réponses aux questions ci-dessus, essayez de fixer une limite pour vous-même. Commencez par les cinq conduites qui vous sont les plus douloureuses (vous pouvez toujours en ajouter davantage par la suite) :

— Si vous remarquez que vos soirées sont constamment prises par des missions supplémentaires que vous

---

« C'est une drôle de chose à propos de la vie ; si vous n'acceptez que le meilleur, souvent vous l'obtenez. »

Somerset Maugham.

demande votre patron, alors une règle doit entrer en vigueur : ne plus accepter de travail après 18 heures.

— Si en vous levant à six heures du matin, vous pouviez écrire pendant une heure, au cas où vous ne seriez pas interrompue pour chercher des chaussettes, préparer le petit déjeuner ou faire du repassage, la règle pourrait être : « Ne pas déranger Maman avant 7 heures du matin. »

— Si vous travaillez trop dans des domaines trop différents, il serait bien de faire le compte. Est-ce que vous vous faites payer suffisamment ? Renseignez-vous. Que perçoivent vos collègues dans ces domaines ? Montez vos prix et diminuez votre charge de travail.

5. *Ligne générale à adopter.*
— Je ne vais plus travailler le week-end.
— Je ne vais plus apporter de travail avec moi lors de réunions sociales.
— Je ne vais plus placer mon travail avant mes engagements créatifs. (Plus d'annulation de mes cours de piano ou de dessin à cause d'une date limite imposée par mon patron, ce drogué du travail !)
— Je ne vais pas remettre à plus tard de faire l'amour parce que je dois lire pour mon travail.
— Je ne vais plus accepter d'appels professionnels chez moi après 6 heures du soir.

6. *Ce qu'on aime :*
— Citez cinq petites victoires.
— Citez trois actions de maternage prises pour votre artiste.
— Citez trois actions que vous pourriez prendre pour réconforter votre artiste.
— Faites-vous trois promesses agréables. Tenez-les.
— Faites pour vous-même une chose charmante chaque jour de cette semaine.

7. Contrôle de votre semaine

1. Combien de fois cette semaine avez-vous fait vos pages du matin ? Est-ce que le fait de lire vos pages a changé quelque chose ? Est-ce que vous vous autorisez toujours à les écrire librement ?

2. Avez-vous pris votre rendez-vous avec l'artiste cette semaine ? Avez-vous pris un rendez-vous supplémentaire ? Qu'avez-vous fait ? Qu'avez-vous ressenti ?

3. Avez-vous ressenti une synchronie cette semaine ? Quelle était-elle ?

4. Y avait-il d'autres problèmes cette semaine que vous imaginiez significatifs pour votre reconquête ? Décrivez-les.

SEMAINE 11

Retrouver le sentiment d'autonomie

*N*OUS *allons nous concentrer, cette semaine, sur notre autonomie artistique. Nous examinerons les façons évolutives qui permettront de nous nourrir et de nous accepter comme artiste. Nous explorerons les conduites qui peuvent renforcer notre base spirituelle et, par conséquent, notre puissance créative. Nous nous attarderons sur les façons dont on doit gérer le succès pour ne pas saboter notre liberté.*

1. S'accepter

Je suis un artiste. L'artiste a peut-être besoin d'une dose différente de stabilité et de flux par rapport aux autres personnes. Pour moi, un emploi de 9 à 17 heures peut me stabiliser et me laisser plus de liberté pour créer, ou alors ces horaires peuvent me prendre toute mon énergie et ne pas me permettre de créer. Je dois expérimenter ce qui est le mieux pour moi.

Il est caractéristique que le flux des liquidités d'un artiste soit irrégulier. Aucune loi ne dit que nous devons toujours être fauchés, mais il y a de bonnes chances pour que nous le soyons assez souvent. Parfois, du bon travail ne se vendra pas. Les gens achèteront mais ne paieront pas rapidement. Le marché peut être difficile, même si le travail est génial. Je ne peux pas contrôler ces facteurs. Dire la vérité à notre artiste intérieur engendre souvent des œuvres qui se vendent – mais pas toujours. Je dois me libérer du fait que je veuille déterminer ma valeur et la valeur de mon œuvre par rapport à la valeur de mon travail sur le marché.

Il est très difficile d'ébranler l'idée selon laquelle l'argent valide ma crédibilité. Si l'argent détermine le vrai art, alors Gauguin était un charlatan. En tant qu'artiste, il se peut que je n'aie jamais de maison qui ressemble à celles de la Côte d'Azur – ou peut-être que si. Mais, je peux avoir un recueil de poèmes, une chanson, un spectacle, un film.

L'artiste doit apprendre que sa crédibilité repose sur lui, sur Dieu et sur son travail. En d'autres termes, s'il a un poème à écrire il a besoin de l'écrire – qu'il se vende ou non.

J'ai besoin de créer ce qui demande à être créé. Je ne peux pas prévoir le déroulement de ma carrière en fonction du flux des liquidités et des stratégies commerciales. Il faut y penser, certes, mais y porter trop d'attention peut étouffer l'enfant en nous qui a peur et se met en colère quand il est continuellement rejeté. Les enfants, comme nous le savons tous, ne savent pas bien gérer le « Plus tard, pas maintenant... ».

Puisque mon artiste est un enfant, l'enfant naturel en moi, je dois faire quelques concessions par rapport à sa

> « *L'art survient – aucun taudis n'en est protégé, aucun prince ne peut en dépendre, l'intelligence la plus brillante ne peut le faire advenir.* »
> **James Abbott et McNeil Whistler.**

perception du temps. *Quelques* concessions ne signi-
fient pas irresponsabilité totale. Cela signifie permettre
à l'artiste d'avoir un temps de qualité, tout en sachant
que si on le laisse faire ce qu'il veut, il va coopérer avec
moi en faisant ce que j'ai besoin de faire.

Parfois je vais écrire très mal, dessiner mal, peindre
mal, jouer mal. J'ai le droit de le faire afin d'atteindre
l'autre rive. La créativité, c'est ma récompense.

Un artiste doit prendre le plus grand soin pour s'en-
tourer de gens qui le maternent – et non de gens qui
essaient de trop l'apprivoiser pour son propre bien. Certaines amitiés feront démarrer mon imagination artistique et d'autres l'endormiront.

Je peux savoir très bien cuisiner, ne pas savoir faire
le ménage et être une artiste de grande valeur. Je suis
bordélique, désorganisée sauf en ce qui concerne l'écriture ; j'ai le sens du détail créatif, mais je ne suis pas
vraiment intéressée par des détails comme cirer les
chaussures et les parquets.

Dans une certaine mesure, ma vie c'est mon art, et
quand elle devient triste il en va de même pour mon
œuvre. En tant qu'artiste, il se peut que je fouille dans
ce que les autres pensent être des impasses : un orches-
tre punk duquel je me suis éprise, un morceau de musique gospel qui accroche mon oreille interne, un
morceau de soie rouge que tout simplement j'aime et
que j'ajoute à un joli ensemble, le « gâchant » de ce fait.

En tant qu'artiste, je peux me faire friser ou porter
des vêtements étranges, dépenser trop d'argent pour un
parfum qui a un joli flacon même s'il pue parce que la

> « *Le travail de l'artiste, c'est toujours d'approfon-
> dir le mystère.* »
> **Francis Bacon.**

bouteille m'inspire pour écrire sur le Paris des années 1930.

En tant qu'artiste j'écris, que ce soit bon ou mauvais. Je tourne des films que d'autres gens peuvent détester. Je fais de mauvais croquis pour dire : « J'étais dans cette pièce. J'étais heureuse. Nous étions au mois de mai et je voyais quelqu'un que je voulais voir… »

Je me respecte en tant qu'artiste parce que je fais mon travail. Un spectacle à la fois, un engagement à la fois, une peinture à la fois. Deux ans et demi pour faire un film de quatre-vingt-dix minutes. Cinq projets pour une pièce. Deux ans de travail pour une comédie musicale. Pendant toute cette période, chaque jour je me présentais à mes pages du matin et j'ai écrit sur mes vilains rideaux, ma mauvaise coupe de cheveux, la joie que j'éprouve lorsque je vois la lumière frapper les arbres, pendant que je cours le matin.

En tant qu'artiste, je n'ai pas besoin d'être riche, mais j'ai besoin d'être soutenue richement. Je ne peux permettre à ma vie émotionnelle et intellectuelle de stagner, ou alors cela se verra dans mon travail comme dans ma vie. Cela se remarquera dans mon caractère : si je ne crée pas, je deviens revêche.

En tant qu'artiste, je peux littéralement mourir d'ennui. Je porte atteinte à ma vie quand je n'arrive pas à nourrir mon enfant artiste, parce que j'agis selon l'idée que se fait un autre de l'adulte. Plus je nourris mon artiste, plus je suis capable de me montrer adulte. En gâtant mon artiste, il me laissera taper une lettre

---

« *La fonction de l'artiste créateur est de faire des lois, et non pas de suivre les lois déjà faites.* »
Ferruccio Busoni.

professionnelle. Ignorer mon artiste signifie dépression grinçante.

Il existe un lien entre le fait de se nourrir et de se respecter. Si permettre que les autres me tyrannisent et m'intimident me pousse à être plus agréable et plus normale, je me vends. Ils peuvent me préférer ainsi, se sentir plus à l'aise lorsque j'adopte une apparence et une conduite plus conventionnelles mais, dans ce cas-là, je me haïrai. En me haïssant, je peux me fustiger moi-même et les autres.

Si je sabote mon artiste, je peux bien m'attendre à une orgie de bouffe, de sexe, de mauvaise humeur. Si cela vous arrive, examinez la relation que vous avez avec votre artiste et essayez de voir s'il n'y a pas de lien. Quand nous ne sommes pas en train de créer, nous, les artistes, nous ne sommes pas très normaux ou très agréables – envers nous-mêmes et envers les autres.

La créativité, c'est de l'oxygène pour notre âme. Couper notre créativité nous rend sauvages. Nous réagissons comme si on nous étranglait. Une rage véritable remonte à la surface, quand nous nous sentons contrariés comme si on nous enlevait le coton dans lequel nous nous trouvions pour nous réparer. Quand des parents et des amis bien intentionnés nous poussent au ma-

> « *Ce qui fait bouger les hommes de génie, ou plutôt ce qui inspire leur travail, ce ne sont pas les nouvelles idées, mais l'obsession qu'ils ont que ce qui a déjà été dit n'est pas suffisant.* »
> **Eugène Delacroix.**

riage, nous poussent à avoir un emploi de bureau ou quoi que ce soit d'autre qui empêche notre art de se développer, nous allons réagir comme si nous luttions contre notre vie – oui, c'est ça.

Être un artiste, c'est reconnaître le particulier. Apprécier l'étrange. Permettre le sens du jeu dans votre relation aux normes établies. Poser la question : « Pourquoi ? » Être un artiste, c'est risquer d'admettre que tout ce qui est argent, propriété et prestige vous paraisse un peu bête.

Être un artiste, c'est admettre l'étonnant. C'est permettre à un meuble ou à un objet de ne pas se trouver dans la bonne pièce, si nous l'aimons. C'est conserver un étrange manteau s'il nous rend heureux. Il ne s'agit pas de s'acharner à être quelque chose que nous ne sommes pas.

Si vous êtes plus heureux lorsque vous écrivez que lorsque vous n'écrivez pas, lorsque vous peignez que lorsque vous ne peignez pas, lorsque vous chantez que lorsque vous ne chantez pas, lorsque vous jouez que lorsque vous ne jouez pas, lorsque vous faites une mise en scène que lorsque vous ne la faites pas… pour l'amour de Dieu (et je le signifie de façon littérale), permettez-vous de le faire !

Tuer vos rêves parce que vous les jugez irresponsables, c'est être irresponsable. La crédibilité repose sur vous et sur Dieu et n'est pas votée par vos amis et vos connaissances.

Le Créateur nous a faits créatifs. Notre créativité, c'est le cadeau que Dieu nous a fait. L'utiliser, c'est le cadeau que nous faisons à Dieu. Accepter ce marché, c'est commencer à s'accepter soi-même en toute authenticité.

2. Le succès

La créativité est une pratique spirituelle. Ce n'est pas quelque chose qui peut être parfait, fini et mis de côté. De par mon expérience, nous atteignons des plateaux de réalisation créative uniquement pour ressentir une certaine impatience en nous. Oui, nous avons du succès. Oui, nous y sommes arrivés, mais...

En d'autres termes, seulement lorsque nous parvenons là-bas, *là-bas* disparaît. Non satisfaits de nos réalisations, quoique majestueuses, nous nous trouvons une fois de plus confrontés avec notre Moi créateur et à ses faims. Les questions qui viennent de se taire se posent alors à nouveau : « Qu'allons-nous faire... *maintenant ?* »

Cette qualité non finie, cet appétit sans relâche pour une plus grande exploration, nous teste. On nous demande de nous étendre afin de ne pas nous contracter. Fuir cet engagement – une évasion peut tous nous tenter – nous amène droit à la stagnation, au mécontentement, au malaise spirituel. « Est-ce que je peux me reposer ? » nous demandons-nous. En un mot, la réponse est non.

En tant qu'artistes, nous sommes des requins spirituels. La vérité impitoyable, c'est que si nous nous arrêtons d'avancer, nous sombrons et nous mourons. Le choix est très simple : soit nous voulons absolument nous reposer sur nos lauriers, soit nous pouvons recommencer à nouveau. L'exigence rigoureuse d'une vie créative soutenue, c'est avoir l'humilité de recommencer, encore et encore.

C'est cette volonté d'être une fois de plus un débutant qui distingue une carrière créative. Un de mes amis, maître en son domaine, s'est trouvé dans une position inconfortable après s'être engagé pour un travail qui allait durer des années. Sa situation professionnelle était enviable, mais elle est devenue de plus en plus dangereuse pour sa santé artistique. Quand la roue tourne et que le projet engagé il y a trois ans doit être exécuté, peut-on toujours le faire avec l'imagination et l'enthousiasme du départ ? Honnêtement, la réponse est souvent un non troublé. Et ainsi, à un coût financier élevé, il a commencé par rompre ses engagements futurs en investissant dans le bénéfice plus risqué – mais plus gratifiant – de l'intégrité artistique.

Il n'est pas permis à tous de pouvoir toujours rassembler tant de courage créatif face à la tentation de l'argent, mais nous pouvons essayer. Nous pouvons au moins en avoir le désir. Les artistes sont des voyageurs. Trop lourdement encombrés de notre dignité terrestre, trop pris par nos statuts et nos positions, nous sommes incapables de céder à nos appels spirituels. Nous insistons pour poursuivre sur un chemin droit et étroit alors que les « chemins de la créativité » sont en spirale. Attirés par les apparats extérieurs d'une carrière, nous pouvons placer cet investissement au-dessus de notre gouverne intérieure. En décidant de jouer par les nombres, nous rompons notre engagement en n'accordant aucune valeur à nous-mêmes et à nos objectifs.

La créativité n'est pas une affaire, bien qu'elle puisse en générer. Un artiste ne peut pas reproduire

> « *Aucune quantité d'invention habile ne peut remplacer l'élément essentiel de l'imagination.* »
> **Edward Hopper.**

indéfiniment un succès antérieur. Ceux qui essaient de travailler trop longtemps avec des formules, même s'il s'agit de leurs propres formules, finissent par se vider de leurs vérités créatives. Enfoncés comme nous le sommes souvent dans le milieu professionnel de notre art, il est tentant de garantir ce que nous ne pouvons pas remettre : du bon travail reproduisant un bon travail antérieur.

On s'attend que les films qui ont eu du succès en engendrent d'autres. Il en est de même pour les livres. Les peintres qui ont été reconnus à un moment donné peuvent être incités à en rester là. Pour les potiers, les compositeurs, les chorégraphes, le problème est le même. On demande à l'artiste de se répéter et d'exploiter au niveau commercial ce qu'il a construit. Parfois, cela nous est possible. À d'autres moments, cela ne l'est pas.

Si un artiste a du succès, il doit être vigilant et ne pas hypothéquer trop lourdement son avenir. Si la maison à Golfe-Juan coûte deux ans de souffrances créatives parce qu'on a accepté un projet uniquement pour de l'argent, cette maison est un luxe très cher.

Cela ne veut pas dire que les rédacteurs doivent arrêter de planifier les saisons ou que les studios doivent faire échouer le résultat financier de leurs affaires. Cela veut dire que les créateurs travaillant pour gagner de l'argent doivent avoir présent à l'esprit qu'ils s'engagent non seulement sur des projets sûrs financièrement, mais aussi sur des projets plus risqués qui font appel à leur âme créative. Vous n'avez pas besoin de renverser une carrière couronnée de succès pour vous réaliser sur le plan créatif. Il est nécessaire de modifier un petit peu votre emploi du temps pour ajuster votre trajectoire quotidienne qui, à la longue, modifiera le cours et les satisfactions de votre carrière.

Cela signifie écrire vos pages du matin, prendre rendez-vous avec votre artiste. « Mais je dirige un studio, dites-vous, ou quoi que ce soit d'autre que vous devez faire. Les gens dépendent de moi. » Je dis que c'est autant plus de raisons pour dépendre de vous-même et protéger votre propre créativité.

Si nous ignorons notre engagement intérieur, le coût se fait rapidement sentir. Un certain ton terne, une « inévitabilité » machinale évincent l'excitation créative de notre vie et, finalement, de nos finances. En voulant assurer le côté financier en jouant la carte de la sécurité, nous perdons notre caractère incisif. Comme les projets promis divergent de plus en plus de nos penchants intérieurs, une profonde lassitude artistique s'établit. Il faut secouer notre enthousiasme sous la menace du revolver au lieu de prendre du plaisir dans la tâche créative de chaque jour.

Les artistes peuvent répondre aux exigences de leurs partenaires professionnels et ils le font de façon très responsable. Ce qui est le plus difficile et le plus important pour nous artistes, c'est de continuer à satisfaire l'exigence intérieure de notre propre croissance artistique. En bref, il faut être vigilant quand le succès arrive. Tout succès érigé en principe sur un plateau artistique permanent nous condamne à l'échec.

> « *Vous êtes perdu dès l'instant où vous savez quel va être le résultat.* »
> **Juan Gris.**

3. Le zen des sports

La plupart des créateurs bloqués sont des êtres cérébraux. Nous pensons à tout ce que nous voulons, mais ne pouvons pas faire. Au début de notre reconquête, tout de suite après, nous pensons à tout ce que nous voulons faire très prochainement, mais que nous ne faisons pas. Afin d'effectuer une vraie reconquête, une qui dure, nous avons besoin de sortir de notre tête et d'entrer dans un corps de travail. Pour le réaliser, nous devons d'abord nous déplacer *dans notre corps*.

À nouveau, il faut savoir s'accepter. La créativité exige l'action, et une partie de cette action doit être physique. C'est un des défauts des Occidentaux d'adopter des techniques de méditation orientale pour se retrouver au septième ciel et se sentir nobles, mais complètement dysfonctionnels. Nous perdons notre enracinement et, avec lui, notre capacité à agir dans le monde. À la recherche d'une conscience plus élevée, nous nous rendons inconscients autrement. L'exercice combat ce dysfonctionnement induit de façon spirituelle.

En reprenant l'image qui nous décrit comme des équipements radio-spirituels, il faut une quantité suffisante d'énergie pour émettre un signal puissant. C'est ici que la marche à pied fait son entrée. Ce que nous

---

« N'étant plus conscient de mon mouvement, j'ai découvert une nouvelle unité avec la nature. J'avais trouvé une nouvelle source de puissance et de beauté, une source dont je n'avais jamais rêvé qu'elle puisse exister. »

Roger Bannister
(en dépassant le record du mile
de quatre minutes).

---

recherchons ici, c'est une *méditation en mouvement*. Cela signifie une méditation qui, grâce au mouvement, nous place dans le maintenant et nous aide à arrêter de tourner en rond. Vingt minutes par jour suffisent. Le tout, c'est d'étirer votre esprit plutôt que votre corps, donc là aucun accent n'est mis sur la forme, bien que ce soit probablement le résultat final.

Le but, c'est de se connecter à un monde situé à l'extérieur de nous-mêmes. C'est perdre notre fixation obsessionnelle de nous explorer constamment et de simplement explorer. On note rapidement que lorsque l'esprit est centré sur l'autre, notre Moi se focalise avec beaucoup plus de précision.

Il est 6 h 30 du matin quand le grand héron bleu sort des herbes basses où il se repose pour s'élever, au rythme de ses grandes ailes, au-dessus de la rivière. L'oiseau surplombe Jenny et la voit. Jenny, au sol, voit l'oiseau. Ses jambes en mouvement la transportent dans des foulées flottantes dénuées d'effort. Son esprit s'envole vers le héron et gazouille. « Bonjour, merveilleux, n'est-ce pas ? » À ce moment-là, à cet endroit, ce sont deux âmes sœurs. Tous deux sont sauvages, libres et heureux dans leurs mouvements, dans le mouvement des vents, des nuages et des arbres.

Il est 16 h 30 quand le patron de Jenny se profile dans l'embrasure de la porte du bureau. Le nouveau compte rendu est encore maladroit et des changements sont nécessaires. Peut-elle s'en charger ? « Oui », dit Jenny. Elle le peut parce qu'elle ressent encore en elle l'énergie joyeuse de la course du matin. Ce héron, le bleu acier qui projette une lumière d'argent en virant sur l'aile.

Jenny ne se considère pas comme une athlète. Elle ne participe pas à des marathons. Elle ne court pas dans des groupes joyeux de célibataires. Elle ne court pas pour la forme, même si les distances ont progressivement augmenté et que ses cuisses ont progressivement diminué. Jenny court pour son âme et non pour son corps. C'est son moral qui donne la tonalité à ses journées, où tout se fait sans stress et sans effort.

« Je cours pour la perspective », dit Jenny. Quand le client néglige son travail, Jenny se détache et s'élève au-dessus de sa frustration comme le grand héron bleu. Cela ne signifie pas que ça ne l'importune pas. C'est qu'elle a une nouvelle perspective – une vue d'ensemble de l'endroit de ses tribulations dans l'univers.

Eve Babitz est romancière et grande nageuse. Grande, blonde et aux courbes aussi généreuses que la feuille de trèfle de la voie rapide de son Los Angeles natal, Babitz nage pour diriger le flux trop dense qui circule dans son esprit. « Nager, dit-elle, c'est un sport merveilleux pour un écrivain. » Chaque jour, en nageant dans le bleu-vert oblong de la piscine de son quartier, son esprit plonge, très profond en lui, au-delà des mauvaises herbes et des épines de ses préoccupations journalières – un rédacteur en retard de paiement, pourquoi la dactylo continue-t-elle à faire tant de fautes ? – et descend dans la piscine verte, tranquille d'inspiration. Cette action répétitive, rythmique, fait passer l'énergie de son cerveau de l'hémisphère logique à l'hémisphère artistique. C'est là que l'inspiration bouillonne, libre des contraintes de la logique.

Martha est ébéniste et fait de longs parcours à bicyclette. L'ébénisterie lui lance un défi quotidien : elle doit trouver des solutions novatrices face à des problèmes de construction, elle doit résoudre une conception

---

« *Garder son corps en bonne santé est un devoir... Sinon, nous ne serons pas en mesure de garder notre esprit fort et clair.* »

Bouddha.

difficile, trouver une réponse simple à une question compliquée. « Comment puis-je construire dans l'espace de travail sans utiliser l'espace au sol quand j'ai fini de travailler ? », ou : « Est-ce qu'il y a un placard qui pourrait s'encastrer dans ce coin et le long du mur sans paraître trop moderne par rapport à mon mobilier ? » En pédalant sur le chemin qui la conduit de son domicile de banlieue à son travail en ville, Martha trouve les réponses à ces questions. Un peu de la même façon que le corbeau aux ailes rouges s'envole soudain et traverse son champ de vision, Martha sera en train de pédaler quand des « portes à claire-voie » surgiront comme étant la solution à cette conception. En pédalant sur sa bicyclette de façon rythmique et répétitive, Martha pompe aussi le puits de sa créativité. « C'est le moment où je laisse mon imagination errer et résoudre mes problèmes, dit-elle. Les solutions viennent simplement. Je ne sais trop comment, j'ai l'esprit libéré, ce qui me permet de faire des associations libres, et les choses commencent à se mettre en place. »

Les choses qui commencent à se mettre en place ne sont pas simplement un travail d'association. Quand elle fait du vélo, Martha a non seulement le sens de son propre mouvement, mais aussi du mouvement de Dieu dans l'univers. Elle se souvient qu'elle faisait du vélo sur la route 22 dans la partie nord de l'État de New York. Le ciel était d'un bleu azur. Les champs de maïs étaient vert et or. Le ruban de l'asphalte noir sur lequel Martha roulait lui paraissait se diriger droit dans le cœur de Dieu. « Silence, un ciel bleu, le ruban noir de la voie rapide, Dieu, et le vent. Quand je roule, surtout au crépuscule et tôt le matin, je ressens Dieu. Je suis capable de méditer davantage en mouvement que lorsque je suis assise, immobile. Seule, ayant la liberté d'aller où je veux, de sentir le vent qui souffle, de rouler seule dans ce vent me permet de me centrer sur moi. Je ressens Dieu si proche que mon esprit chante. »

L'exercice nous apprend à recevoir les récompenses du processus de la reconquête. Il nous apprend à être satisfaits des petites tâches bien faites. Jenny, en train de courir, va au-delà de ses possibilités et apprend à puiser dans des ressources intérieures insoupçonnées. Martha appellera ce pouvoir *Dieu* ; mais quelle que soit la question à laquelle il réponde, l'exercice semble nous faire aller de l'avant dans des circonstances où nous n'avons pas confiance en notre force personnelle. Plutôt que de réprimer un projet créatif quand il nous frustre, nous apprenons à nous mouvoir dans la difficulté.

« La vie est une série d'obstacles, dit Libby, peintre, dont le sport est la course à cheval. J'avais l'habitude de la voir comme une série d'obstacles et de barrages... Maintenant ce sont des obstacles et des défis. Est-ce que je les prends bien ? » Chaque jour, en entraînant son cheval, elle lui apprend à penser, avant de sauter, à prendre une allure adaptée. Libby a appris les mêmes compétences pour sa propre vie.

Cette patience créative s'acquiert en partie parce qu'il nous est possible de la rattacher à un sentiment de créativité universelle. « Quand je monte à cheval, mon esprit rationnel disjoncte, dit-elle. Je ne fais que sentir et participer. Quand vous chevauchez dans un champ d'herbe, sentir que de petites particules de duvet d'épis de blé flottent autour de vous fait chanter votre cœur.

« Ici, dans ce corps, se trouvent les rivières sacrées : ici, sont le soleil et la lune aussi bien que les lieux de pèlerinage... Je n'ai pas rencontré de temple aussi divin que mon propre corps. »
Saraha.

Quand la queue d'un coq de neige scintille au soleil dans votre sillage, cela aussi fait chanter votre cœur. Ces instants de sensation intense m'ont appris à accepter les autres moments de la vie, comme ils arrivent. Quand j'ai l'envie de chanter avec un homme et que je sais que j'ai déjà éprouvé ce sentiment dans un champ d'herbe ou de neige, alors je sais que c'est ma propre capacité à ressentir que je glorifie. »

Ce n'est pas seulement le sentiment de communion avec la nature qui nous donne envie de chanter. L'exercice en soi provoque une élévation naturelle de l'endorphine. Un coureur peut ressentir le même sentiment de gloire et de bien-être dans une rue sale de la ville que celui que ressent Libby quand elle suit une piste de campagne à un trot rythmé.

« Dieu est dans son paradis ; le monde va bien. » C'est de cette manière que Robert Browning caractérise ce sentiment dans son long poème narratif *Pippa Passes*. Ce n'est pas une coïncidence si Pippa a éprouvé ce sentiment en marchant. Il n'est pas donné à tout le monde de faire du cheval ou de la bicyclette à dix vitesses. Beaucoup doivent s'en remettre à leurs jambes pour le transport ou pour le divertissement. Comme Jenny, nous pouvons nous mettre à la course, ou alors faire de la marche notre sport. En tant qu'artiste, la marche offre le bénéfice supplémentaire de saturation sensorielle. Les choses ne défilent pas sous nos yeux. Nous les voyons vraiment. En un sens, la vision intérieure fait suite à la vue. Nous remplissons le puits et, plus tard, nous l'exploitons plus facilement.

Gerry est un citadin confirmé. Ses promenades à travers la campagne se bornent à regarder attentivement les jardinières et les jardins minuscules. Gerry a appris que « dans les villes, les gens forment le paysage ». Il a aussi appris à lever les yeux et non à les baisser, à admirer les sculptures et les frises qui souvent ornent les bâtiments et que le piéton ne remarque pas. Tout en vagabondant dans les canyons de la ville, Gerry a trouvé toute une série d'attractions scéniques. Il y a le chat couleur de confiture d'orange qui s'assoit sur le rebord de la fenêtre au-dessus de la jardinière aux géraniums rouges et roses. Il y a le toit en cuivre de l'église, qui est devenu vert sombre et qui brille d'une couleur argent pendant les orages. Par les portes d'un immeuble de bureaux situé au centre-ville, on peut apercevoir une entrée en marbre incrusté. Dans un autre bâtiment, un fer à cheval porte-bonheur a été logé dans le ciment. Une statue de la Liberté miniature s'élance au sommet d'une digne façade en brique. Gerry se sent libre aussi, errant dans les rues de la ville sur des jambes infatigables. Cette cour, ce passage pavé... Gerry rassemble ces délices visuelles urbaines de la même façon que ses ancêtres ont recueilli cette noix, cette baie. Eux rassemblaient de la nourriture. Lui rassemble de la nourriture pour ses pensées. Le sport, que certains intellectuels considèrent avec malice comme une activité ne faisant pas appel à la moindre réflexion, favorise l'acte de penser.

Comme nous l'avons dit plus tôt, nous apprenons en allant où nous devons aller. Faire du sport, c'est souvent ce qui nous fait passer de la stagnation à l'inspiration, du problème à la solution, de la pitié que l'on a de soi au respect de soi. Oui, nous apprenons en faisant de l'exercice. Nous apprenons que nous sommes plus forts que nous ne le pensions. Nous apprenons à regarder les choses selon une perspective nouvelle. Nous apprenons à résoudre nos problèmes en exploitant nos propres ressources intérieures et en écoutant l'inspiration, non seulement des autres, mais aussi la nôtre. Apparemment sans effort, nos réponses viennent tandis que nous nageons, courons, roulons ou marchons à grands

pas. Par définition, voici un des fruits de l'exercice :
« Exercice : le fait de transformer en jeu ou de réaliser
une action. » *(Webster's Ninth.)*

4. Construire l'autel de votre artiste

Les pages du matin constituent une méditation, une
pratique qui vous amène à votre créativité et à Dieu,
votre Créateur. Pour rester créatifs avec facilité et bonheur, nous devons rester centrés spirituellement. Cela
est plus facile à faire si nous nous permettons de centrer nos rituels. Il est important de les inventer nous-
mêmes à partir d'éléments qui nous sont sacrés et
joyeux.

Beaucoup de créateurs bloqués ont grandi dans des
familles qui avaient une vision punitive de la religion.
Pour rester créatifs dans la joie et la facilité, nous
avons besoin de guérir, en devenant spirituellement
centrés autour de rituels créatifs que nous instituons
nous-mêmes. Le meilleur moyen d'y parvenir, c'est
d'installer une pièce – ou ne serait-ce qu'un coin – em-
preinte de spiritualité ; c'est une façon excellente de
le faire.

Ce havre peut être le coin d'une pièce, un recoin sous
les escaliers, même un rebord de fenêtre. C'est se souvenir que notre Créateur déploie notre créativité et que
nous lui en sommes reconnaissants. Mettez-y des objets
qui vous rendent heureux. Souvenez-vous que votre artiste se nourrit d'images.

> « *Que Dieu bénisse les racines ! Le corps et l'âme
> ne font qu'un.* »
> **Theodore Roethke.**

Nous devons nous défaire de cette vieille notion qui dit que la spiritualité et la sensualité ne se mêlent pas. L'autel d'un artiste doit être une expérience des sens.

Nous sommes censés célébrer les bonnes choses de cette terre. De jolies feuilles, des cailloux, des bougies, des trésors de la mer – tout cela nous rappelle notre Créateur.

De petits rituels, que nous inventons, sont bons pour l'âme. Brûler de l'encens quand nous lisons des affirmations ou les écrivons, allumer une bougie, danser à la musique des tambours, tenir un caillou lisse et écouter des chants grégoriens... toutes ces techniques tactiles, physiques, renforcent notre croissance spirituelle.

Souvenez-vous, l'enfant artiste parle la langue de l'âme : musique, danse, odeurs, coquillages... L'autel de votre artiste érigé en l'honneur du Créateur pourrait être amusant à regarder, même bête. Souvenez-vous combien les petits enfants aiment les choses éclatantes. Votre artiste est un petit enfant, aussi...

5. Exercices de la semaine

1. Enregistrez votre propre voix en train de lire les « Principes de base » (voir p. 23). Choisissez un essai favori de ce livre et enregistrez-le aussi. Utilisez cette cassette pour méditer.

> « *L'art ne reproduit pas le visible ; plutôt, il le rend visible. La lune développe la créativité de la même manière que les produits chimiques révèlent les images photographiques.* »
>
> **Norma Jean Harris.**

2. Écrivez, de votre main votre prière d'artiste rédigée à la « semaine 4 ». Mettez-la dans votre portefeuille.

3. Achetez-vous un cahier spécial pour la créativité. Numérotez des pages de 1 à 7. Sur chaque page, inscrivez une des catégories suivantes : *santé, possessions, loisirs, relations, créativité, carrière* et *spiritualité*. Sans penser à l'aspect pratique, notez dix souhaits dans chaque domaine. D'accord, c'est beaucoup. Laissez-vous rêver un petit peu ici.

4. En travaillant avec la partie « Changements honnêtes » de la « semaine 4 », notez tous vos changements depuis le début de votre reconquête.

5. Citez cinq attitudes qui vont prolonger vos changements.

6. Prévoyez cinq manières de vous materner dans les six prochains mois : des cours que vous allez suivre, des fournitures que vous allez vous offrir, des rendez-vous avec l'artiste et des vacances juste pour vous.

7. Prenez un morceau de papier et planifiez une semaine de maternage. Cela signifie une action concrète, aimable chaque jour pendant une semaine : s'il vous plaît, amusez-vous !

8. Écrivez et postez une lettre d'encouragement à votre artiste intérieur. Cela paraît bête, mais recevoir une telle lettre fait du bien, beaucoup de bien. Souvenez-vous que votre artiste est un enfant qui aime les louanges, les encouragements et les projets festifs.

9. Une fois encore, réexaminez vos conceptions sur Dieu. Est-ce que votre système de croyance limite ou soutient votre expansion créative ? Êtes-vous prêt à modifier le concept que vous avez de Dieu ?

10. Citez dix exemples de synchronie personnelle qui soutiennent la possibilité d'une force créatrice maternante.

6. Contrôle de votre semaine

1. Combien de fois cette semaine avez-vous fait vos pages du matin ? Qu'avez-vous éprouvé ? Avez-vous recommandé à quelqu'un d'autre les pages du matin ? Pourquoi ?

2. Avez-vous pris votre rendez-vous avec l'artiste cette semaine ? (Avez-vous prévu une journée entière pour vous et votre artiste ? Hourra !) Qu'avez-vous fait ? Qu'avez-vous ressenti ?

3. Avez-vous ressenti une synchronie cette semaine ? Quelle était-elle ?

4. Y avait-il d'autres problèmes cette semaine que vous imaginiez significatifs pour votre reconquête ? Décrivez-les.

SEMAINE 12

Retrouver le sens de la foi

*P*ENDANT *cette dernière semaine, nous allons prendre conscience du cœur spirituel inhérent à la créativité. Nous verrons que la créativité a besoin de réceptivité et d'une profonde confiance, capacités que nous avons développées par notre travail tout au long de cette méthode. Nous nous fixerons des objectifs de création et porterons une attention particulière au sabotage de dernière minute. Nous renouvellerons notre engagement, qui consiste à utiliser ces outils.*

1. Avoir confiance

« *Les aventures ne commencent que lorsque vous vous trouvez au cœur de la forêt. Ce premier pas est un acte de foi.* »
Mickey Hart (percussionniste reconnaissant, décédé).

La créativité exige la foi. La foi exige que nous nous dessaisissions du contrôle. C'est effrayant et pourtant nous y résistons. Notre résistance face à notre créativité est une forme d'autodestruction. Nous nous barrons la route. Pourquoi ? Pour conserver l'illusion de contrôle.

La dépression, la colère et l'angoisse sont des résistances créant un malaise qui peut devenir une maladie. Cela se manifeste par de l'apathie, de la confusion, des « Je ne sais pas... ». La vérité, c'est que nous savons et que nous savons que nous savons.

Chacun de nous a un rêve intérieur que nous pouvons déployer si seulement nous avons le courage d'admettre ce qu'est notre rêve. Ensuite, il faut croire que nous l'avons admis et, très souvent, il est difficile à admettre. Une affirmation claire peut souvent ouvrir la voie, telle la suivante qui est excellente : « Je connais les choses que je connais. » Une autre pourrait être : « J'ai confiance en mon guide intérieur. » L'une ou l'autre finira par nous amener sur notre propre voie – à laquelle, souvent, nous résisterons alors rapidement !

Cette résistance est vraiment très compréhensible. Nous n'avons pas l'habitude de penser que la volonté de Dieu sera en accord avec la nôtre et nos rêves intérieurs. À la place, nous avons acheté le message véhiculé par notre culture : ce monde est une vallée de larmes où nous sommes censés faire notre devoir et ensuite mourir. La vérité, c'est que nous sommes censés être généreux et *vivre*. L'univers soutiendra toujours des actions positives. Notre rêve le plus authentique correspond toujours à la volonté que Dieu a pour nous.

Le héros et mentor de Mickey Hart, le dernier et grand écrivain de mythes, Joseph Campbell, a écrit : « Suivez votre félicité et les portes s'ouvriront là où auparavant il n'y avait pas de portes. » C'est en prenant l'engagement intérieur de se dire la vérité et de suivre ses rêves que se déclenche le soutien de l'univers. Tant que nous sommes ambivalents, l'univers nous paraîtra ambivalent et fantasque. Le flux passant dans notre vie se caractérisera par des jaillissements d'abondance et de longues périodes de sécheresse, jusqu'à ce que nos ressources diminuent pour ne former qu'un simple filet d'eau.

Si nous regardons en arrière, à une époque où le monde semblait être un lieu capricieux et indigne de confiance, nous voyons que nous étions nous-mêmes ambivalents et en conflit avec nos buts et nos conduites. Une fois que le oui intérieur est prononcé par l'affirmation de nos buts et de nos désirs les plus authentiques, l'univers nous renvoie l'image de ce oui en l'amplifiant.

Il y a un chemin pour chacun d'entre nous. Quand nous sommes sur le droit chemin, nous avons le pied sûr. Nous savons quelle prochaine bonne action engager – même si ce n'est pas nécessairement ce qui se trouve au prochain tournant. En croyant, nous *apprenons* à croire.

2. Le mystère au cœur de la créativité

La créativité – comme la vie humaine elle-même – naît dans l'obscurité. Nous devons l'admettre. Bien trop souvent nous ne pensons qu'en termes de lumière : « Et ensuite l'ampoule a été inventée et je l'ai eue ! » Il est vrai que la vision intérieure peut venir comme des flashs. Il est vrai que ces flashs peuvent être aveuglants. Il est vrai, cependant aussi, que de si brillantes idées peuvent être précédées d'une période de gestation intérieure, ténébreuse et tout à fait nécessaire.

Nous parlons souvent des idées que nous avons comme des enfants de notre cerveau. Ce que nous ne

> « *N'ayez pas peur des erreurs – il n'en existe pas.* »
>
> **Miles Davis.**

réalisons pas, c'est que les enfants de notre cerveau – comme tous les bébés – ne doivent pas être tirés prématurément des entrailles créatives. Les idées, comme les stalactites et les stalagmites, se forment dans la grotte sombre de la conscience. Elles se forment goutte à goutte et non pas par de grands blocs de construction. Nous devons apprendre à attendre que l'idée éclose. Ou, pour prendre une image de jardinage, nous devons apprendre à ne pas tirer sur les racines pour voir si nos idées grandissent.

Ruminer sur la page, c'est une forme d'art sans art. C'est perdre son temps. C'est du griffonnage. C'est la façon dont les idées prennent lentement forme jusqu'à ce qu'elles soient prêtes à nous aider à voir la lumière. Bien trop souvent, nous essayons de pousser, de tirer, d'en faire le contour et de contrôler nos idées au lieu de les laisser croître de façon organique. Le processus créatif est un processus de *reddition*, et non de *contrôle*.

Le mystère est au cœur de la créativité. C'est la surprise. Bien trop souvent, quand nous disons vouloir être créatifs, nous signifions que nous voulons être capables d'être productifs. Maintenant, être créatif, c'est être productif – mais en *coopérant* avec le processus créateur, non en le forçant.

En tant que canal créatif, nous avons besoin de faire confiance à l'obscurité. Nous avons besoin d'apprendre à ruminer gentiment au lieu de produire comme un petit moteur sur un sentier tout droit. Cette rumination sur la page peut être très menaçante : « Je n'aurai ja-

---

« *La plus belle chose dont nous pouvons faire l'expérience est le mystérieux.* »
Albert Einstein.

---

mais de vraies idées de cette façon ! » nous tracassons-nous.

Faire éclore une idée, cela ressemble beaucoup à faire cuire du pain. Une idée a besoin de lever. Si, au début, vous creusez trop ou si vous vérifiez constamment, elle ne lèvera jamais. Une miche de pain ou un gâteau en train de cuire doit rester un certain temps dans l'obscurité et la sécurité du four. Ouvrez ce four trop tôt et le pain retombe – ou le gâteau aura un trou au milieu parce que toute la vapeur s'en est échappée. La créativité exige une réticence respectueuse.

Il en est de même pour les idées : il faut les laisser un certain temps dans le noir et le mystère. Laissez-les se former au cœur de votre conscience. Laissez-les frapper la page sous forme de gouttelettes. En croyant en ce goutte-à-goutte à l'aveuglette, nous serons un jour étonnés par le flash : « Oh ! ça y est ! »

3. L'imagination à l'œuvre

Quand nous pensons à la créativité, il est bien trop facile de penser *art* avec un A majuscule. Pour nos buts, le A majuscule est une lettre écarlate, nous marquant au fer rouge comme si nous étions voués à l'échec. Pour nourrir notre créativité, nous avons besoin d'un sentiment de festivité, d'humour même : « L'art, c'est quelqu'un à qui ma sœur avait l'habitude de donner des rendez-vous ! »

Nous appartenons à une société ambitieuse, et il est souvent difficile de cultiver des formes de créativité qui ne nous soient pas utiles directement et qui ne servent pas nos objectifs de carrière. La reconquête nous pousse à réexaminer les définitions de la créativité et à les étendre pour y inclure ce que nous appelions par le passé des *hobbies*. L'expérience d'une vie créative affirme en effet que les hobbies sont essentiels à la joie de vivre.

Donc, ils ont aussi un bénéfice caché, celui d'être utiles à notre créativité. Avoir de nombreux hobbies, c'est posséder une forme de cerveau artiste qui conduit à d'énormes percées créatives. Quand certains de mes étudiants scénaristes sont bloqués au milieu de l'acte II, je leur demande d'aller raccommoder. Généralement, ils refusent obstinément et s'offensent d'une tâche aussi ordinaire, mais coudre est une manière agréable de raccommoder les intrigues. Le jardinage est un autre hobby que je prescris souvent aux étudiants en créativité. Quand quelqu'un est paniqué au beau milieu du pont qui le conduit à une nouvelle vie, rempoter des plantes dans de plus grands pots *enracine* presque littéralement cette personne, au sens littéral du terme, et lui donne un sens de l'expansion.

On reçoit des bénéfices spirituels de la pratique d'un hobby. Faire quelque chose machinalement produit un relâchement qui conduit à l'humilité. En servant notre hobby, nous sommes libérés des exigences de notre ego et cela nous permet de nous fondre dans une source plus grande. Ce contact conscient nous permet fréquemment de résoudre des énigmes créatives et des vexations personnelles frustrantes.

Le paradoxe de la reconquête créative, c'est de prendre au sérieux le fait de se considérer avec légèreté. Il faut travailler pour apprendre à jouer. La créativité doit se défaire des paramètres étroits de l'art avec un grand A et se reconnaître comme ayant un *jeu* beaucoup plus vaste (ce mot à nouveau).

> « *Qu'est-ce qui secoue l'œil, sinon l'invisible ?* »
> **Theodore Roethke.**

En travaillant avec nos pages du matin et nos rendez-vous avec l'artiste, beaucoup d'échantillons oubliés de notre propre créativité peuvent nous venir à l'esprit :

> — J'avais tout oublié à propos de ces peintures que j'avais réalisées au lycée. J'adorais peindre ces appartements en technologie de drame !
>
> — Je me suis souvenu soudainement que j'ai joué *Antigone* – qui pourrait l'oublier ? Je ne sais pas si je jouais bien, mais je me souviens que j'ai beaucoup aimé.
>
> — J'ai tout oublié à propos des sketches que j'avais écrits lorsque j'avais dix ans. Je les avais tous montés sur le *Boléro* de Ravel quel que soit leur thème. J'ai fait pâmer mes frères et sœurs dans la salle à manger.
>
> — J'avais l'habitude de faire des claquettes. Je sais que vous ne pouvez pas le croire maintenant, mais c'était quelque chose !

En écrivant, en fouillant en nous-mêmes pour extirper notre dénégation, notre mémoire, nos rêves et nos plans créatifs, tout remonte à la surface. Nous découvrons à nouveau que nous sommes un être créateur. L'impulsion mijote en nous tous, frémissant tout le temps – sans que nous le sachions, sans que nous l'encouragions, et même sans que nous l'approuvions. Cette impulsion se déplace en dessous de la surface de nos vies, apparaissant en flashs brillants, comme une pièce de monnaie dans la fontaine, dans notre courant de pensée – comme de l'herbe nouvelle sous la neige.

Notre but est de créer. Nous remeublons une cuisine démodée, nous essayons de faire une soupe qui soit meilleure. Le même enfant qui a préparé du parfum à partir d'un peu de ceci et d'une petite quantité de cela, la moitié d'un savon et une pincée de cannelle, grandit et achète des pots-pourris pour cuire un pot d'épices qui s'appelle « Noël ».

Si gris, si contrôlés, si peu rêveurs que nous nous efforcions d'être, le feu de nos rêves ne restera pas enfoui. Les braises sont toujours là, remuant dans notre âme gelée comme les feuilles en hiver. Elles ne s'en iront pas. Elles sont sournoises. Nous faisons un griffonnage loufoque dans une réunion ennuyeuse. Nous accrochons une carte bête sur le panneau de notre bureau. Nous donnons un surnom désagréable au patron. Nous plantons deux fois plus de fleurs que nécessaire...

Agités dans notre vie, nous aspirons à plus, nous désirons, nous nous irritons. Nous chantons dans la voiture, nous raccrochons le téléphone, nous faisons des listes, nous nettoyons les armoires, nous rangeons les étagères. Nous voulons faire quelque chose, mais nous pensons que ce doit être la bonne chose, c'est-à-dire *quelque chose d'important*.

Nous *sommes* ce qui est important, et ce que nous faisons peut être quelque chose de festif, même si c'est minime : les plantes mortes s'en vont ; des chaussettes dépareillées mordent la poussière. Nous sommes piqués par la perte, mordus par l'espoir. En travaillant sur nos pages du matin, une vie nouvelle – et tapageuse ? – prend forme. Qui a acheté cette azalée ? Pourquoi ce goût soudain pour le rose ? Est-ce que vous vous dirigez vers l'image que vous avez accrochée ?

> *« Pour moi, une peinture c'est comme une histoire qui stimule l'imagination et attire l'esprit dans un lieu empli d'attente, d'excitation, de merveilleux et de plaisir. »*
>
> **J. P. Hughston (peintre).**

Vos chaussures paraissent usées. Jetez-les. Il y a une vente d'objets usagés chez vous ; vous achetez une première édition, faites des folies pour de nouveaux draps. Un ami se préoccupe une fois de plus de ce qui vous est arrivé et vous prenez vos premières vacances depuis des années. La pendule marche et vous entendez son tic-tac. Vous vous arrêtez dans une boutique de musée, vous vous inscrivez à des cours de plongée sous-marine et vous vous engagez le samedi matin dans le grand bain.

Soit vous êtes en train de perdre votre esprit, soit vous gagnez votre âme. La vie est censée être un rendez-vous avec l'artiste. C'est la raison pour laquelle nous avons été créés.

4. Vitesse de fuite

Mon amie Michele a une théorie, une théorie née d'une longue expérience romantique enchevêtrée. En un mot, elle dit ceci : « Quand vous allez les quitter, *ils le savent.* »

Cette même théorie s'applique aussi à la reconquête créative. Cela survient quand vous atteignez ce que Michele appelle « la vitesse de fuite ». Comme elle dit : « Il y a ce temps pour le lancement, comme le lancement dans l'espace de la NASA, et vous vous y dirigez quand, boum ! vous avez attiré à vous le Test.
— Le Test ?
— Oui, le Test. C'est comme lorsque tout est prêt pour que vous épousiez le Prince Charmant, celui qui

---

« *Le jeu, c'est l'exultation du possible.* »
Martin Buber.

vous considère convenablement, et que M. Poison en a
vent et vous appelle.

— Ah ?

— Tout le tour consiste à esquiver le Test. Nous attirons tous à nous le seul test qui est notre némésis totale. »

Avocate de métier et écrivain par violon d'Ingres et
tempérament, Michele aime les théories de conspiration,
qu'elle étale dans tous leurs détails sinistres. « Pensez-y.
Vous êtes prête à aller sur la Côte pour un important
voyage d'affaires, et votre mari, soudainement, a besoin
impérativement de vous, sans aucune raison réelle...
Vous êtes prête à quitter ce mauvais travail, et le patron
vous donne soudainement votre première augmentation depuis cinq ans... Ne soyez pas dupe. Ne soyez pas
dupée. »

En écoutant Michele parler, il est évident que les années passées à plaider à l'audience comme avocate lui
ont permis de développer sa créativité. Elle, au moins,
n'est plus dupée. Mais est-ce vraiment si sinistre qu'elle
le soutient ? Est-ce vraiment nous qui attirons à nous
un Test ? J'ai pensé à tout ce que Michele m'avait dit et
j'en ai conclu que la réponse était oui.

J'ai pensé à toutes les fois où j'avais été dupée. Il y avait
l'agent qui parvenait à annuler des contrats signés, mais
qui s'était excusé si joliment... Il y avait le rédacteur qui
m'avait demandé réécriture sur réécriture jusqu'à ce qu'il
ne reste que du gruau, mais qui disait toujours que j'écrivais brillamment et que j'étais sa plus brillante étoile.

« *Personne ne découvre de nouvelles terres sans
consentir à perdre de vue le rivage pendant très
longtemps.* »

André Gide.

Une petite flatterie peut souvent nous empêcher de prendre la fuite. Un peu d'argent aussi. Plus sinistre que l'un ou l'autre cas est l'impact que peut avoir un doute bien placé, en particulier un qui signifiait : « Pour ton propre bien, juste pour m'assurer que tu y as pensé… », ce doute prononcé par l'un de vos plus proches et plus chers.

En tant que créateurs en reconquête, nombreux sont ceux qui trouvent que chaque fois que notre carrière s'échauffe, nous recherchons notre plus cher rabat-joie. Nous déversons notre enthousiasme sur nos amis les plus sceptiques – en fait, nous les appelons. Si nous ne les appelons pas, ils nous appellent. Voilà le Test.

Notre artiste est un enfant intérieur. Un jeune, quand il est effrayé, appelle maman. Malheureusement, beaucoup d'entre nous ont des mamans rabat-joie et toute une armée de mamans de remplacement qui sont tout aussi rabat-joie – ces amies qui ont nos seconde, troisième, quatrième pensées pour nous. L'astuce, c'est de ne pas leur permettre d'être ainsi. Comment ? *Cousez-leur la bouche. Boutonnez jusqu'en haut. Mettez un couvercle dessus. Ne gaspillez pas l'or.* Souvenez-vous toujours : la première règle magique, c'est l'indépendance. Vous devez garder pour vous vos intentions et la renforcer. Seulement à ce stade-là, vous serez capable de manifester ce que vous désirez.

Pour pouvoir prendre la fuite, nous devons apprendre à suivre nos propres conseils, en nous mouvant en silence parmi les sceptiques, à ne faire part de nos plans qu'à nos alliés, et à savoir qui ils sont.

Faites une liste des amis qui vous soutiendront. Faites une autre liste : celle des amis qui ne le feront pas. Appelez les rabat-joie pour ce qu'ils sont : des rabat-joie. Entourez-vous d'autre chose. De personnes optimistes. De chaudes serviettes duveteuses. N'acceptez ni ne tolérez quiconque qui vous jette de l'eau froide. Oubliez les bonnes intentions. Oubliez que ceux qui les ont ne sont pas sincères. Souvenez-vous de prendre en compte ce qui est bon chez vous. Pour fuir rapidement, il faut savoir combattre vos intentions avec inflexibilité et défendre votre détermination.

« Ils essaieront de vous avoir. N'oubliez pas ceci, avertit Michele : placez vos objectifs et fixez vos frontières. »

J'ajouterais : fixez vos objectifs et ne permettez pas à l'ogre qui surgit à l'horizon de dévier votre vol.

5. Exercices de la semaine

1. Notez toute résistance, colère et peur que vous éprouvez quand vous voulez aller de l'avant. Nous en avons tous.

2. Jetez un œil aux activités que vous avez tendance à remettre à plus tard. Quels bénéfices pensez-vous en retirer ? Localisez les peurs cachées. Faites-en la liste.

3. Jetez un coup d'œil furtif à la « semaine 1 » : « Convictions négatives élémentaires. » Riez. Oui, les méchantes créatures sont toujours là. Notez votre progrès. Lisez vous-même les affirmations des pages 76-77. Écrivez quelques affirmations sur votre persévérance à créer en terminant le cours.

4. Faites du raccommodage.

5. Rempotez des plantes qui s'étiolent et qui sont mal en point.

6. Sélectionnez un pot « Dieu ». Un quoi ? Un pot, une boîte, un vase, un conteneur… quelque chose dans lequel mettre vos peurs, vos ressentiments, vos espoirs, vos rêves, vos préoccupations aussi.

7. Utilisez votre pot « Dieu ». Commencez par votre liste de peurs à partir de l'exercice n° 1 cité ci-dessus. Quand vous êtes préoccupé, souvenez-vous que c'est dans le pot : « Dieu l'a. » Ensuite, passez à l'action suivante.

8. Maintenant, vérifiez comment, honnêtement, vous aimeriez le mieux créer ? En ayant l'esprit ouvert, quels sentiers excentriques oseriez-vous essayer ? À l'écoute de vos désirs, quelles apparences voudriez-vous abandonner pour poursuivre votre rêve ?

9. Faites la liste de cinq personnes auxquelles vous pouvez parler de vos rêves et avec qui vous sentez un soutien dans vos rêves et ensuite dans vos projets.

10. Relisez ce livre. Partagez-le avec un ami. Souvenez-vous que le miracle, c'est un artiste qui partage avec un autre. Croyez en Dieu. Croyez en vous-même.

Bonne chance et que Dieu vous bénisse !

6. Contrôle de votre semaine

1. Combien de fois cette semaine avez-vous fait vos pages du matin ? Les avez-vous acceptées comme une pratique spirituelle permanente ? Qu'avez-vous éprouvé ?

2. Avez-vous pris votre rendez-vous avec l'artiste cette semaine ? Vous y autorisez-vous de façon permanente ? Qu'avez-vous fait ? Qu'avez-vous ressenti ?

3. Avez-vous ressenti une synchronie cette semaine ? Quelle était-elle ?

4. Y avait-il d'autres problèmes cette semaine que vous imaginiez significatifs pour votre reconquête ? Décrivez-les.

En tant que créateur en reconquête, vous avez maintenant passé de nombreuses heures à reconquérir votre créativité pendant ces trois derniers mois, en changeant rapidement au fur et à mesure que vous grandissiez. Pour que votre reconquête continue, vous avez besoin d'un engagement pour des projets ultérieurs de création. Le contrat de la page suivante vous aidera à les réaliser.

Contrat de Créativité

Je m'appelle... Je suis en train de reconquérir ma créativité. Pour plus de croissance et de joie, je m'engage maintenant à me materner de la façon suivante :

Les *pages du matin* ont été une partie importante de mon maternage et de la découverte de moi-même. Moi, ..., je m'engage, par le présent document, à continuer à les faire durant les quatre-vingt-dix jours qui suivent.

Les *rendez-vous avec l'artiste* ont été partie intégrante de ma croissance dans l'amour que je me porte et dans l'approfondissement de ma joie de vivre. Moi, ..., je désire m'engager à quatre-vingt-dix jours supplémentaires de rendez-vous avec l'artiste pour mon propre bien.

En guérissant mon artiste intérieur grâce aux « chemins de la créativité », j'ai découvert que j'avais beaucoup d'intérêts créatifs. Comme j'espère en développer d'autres, mon engagement spécifique pour les quatre-vingt-dix jours à venir, c'est de m'autoriser à explorer davantage...

Mon engagement concret pour le plan d'action, c'est de materner intensément mon artiste. Durant les quatre-vingt-dix prochains jours, mon plan d'action créatif de maternage sera...

J'ai choisi ... comme collègue créateur et ... comme mon soutien créateur. Je suis engagé envers eux à un contrôle téléphonique hebdomadaire.

J'ai pris les engagements ci-dessus et je vais commencer mon nouvel engagement le...

Date :

Signature :

Les chemins de la créativité

E N terminant ce livre, j'aspire à une fin florissante, quelque dernier coup de fouet de l'imagination qui signerait ce texte. Je ressentais cette petite vanité inoffensive jusqu'au jour où je me suis souvenue du nombre de fois où j'avais aimé une peinture et avais été dérangée par la gigantesque signature artistique de son réalisateur. Donc, pas de fioritures finales ici.

La vérité, c'est que ce livre devrait probablement se terminer par une image empruntée d'un autre livre. Je me rappelle – et c'est peut-être mon imagination qui travaille, et non ma mémoire – l'une des premières éditions du livre de Thomas Merton : *Des montagnes de sept étages,* qui portait en couverture une image de montagne – la montagne aux sept étages, sans aucun doute.

Peut-être qu'il en fut ainsi ou peut-être que non. J'ai lu le livre il y a de nombreuses années, j'avais alors

---

« *J'ai finalement découvert la source de tout mouvement, l'unité à partir de laquelle naissent toutes les diversités de mouvement.* »

Isadora Duncan.

---

douze ans. Ce que je vois apparaître maintenant, c'est une montagne dont les proportions sont identiques à celles de l'Himalaya avec un sentier qui serpente jusqu'à son sommet. Ce sentier, un sentier en spirale, c'est ma manière de penser les chemins de la créativité. Au cours de notre ascension, nous revenons toujours aux mêmes vues, encore et encore, à des altitudes légèrement différentes. « J'étais là avant », pensons-nous, en tombant sur une période de sécheresse. Et, en un sens, nous y étions. La route n'est jamais rectiligne. La croissance est un processus en spirale qui revient sur ses pas, de réévaluation en regroupement. En tant qu'artiste, notre progrès est souvent entravé par un terrain accidenté ou par des orages. Le brouillard peut obscurcir la distance que nous avons couverte ou l'avancée que nous avons faite en direction de notre but. Tandis qu'un panorama occasionnel éblouissant peut nous honorer, il est vraiment mieux de faire un pas à la fois, en se concentrant sur le sentier en dessous de nos pieds autant que sur les hauteurs qui se dressent encore devant nous.

Les « chemins de la créativité », c'est un voyage spirituel, un pèlerinage à la maison du Moi. Comme tous les grands voyages, cela peut occasionner des dangers sur la piste ; j'ai essayé d'en énumérer certains. Comme tous les pèlerins, ceux d'entre nous sur les chemins de la créativité seront souvent honorés par des voyageurs compagnons et des compagnons invisibles. Ce que j'appelle mes « ordres de marche », d'autres peuvent entendre en eux une petite voix immobile, ou encore plus simplement avoir une intuition. L'essentiel, c'est d'en-

> « *La création n'est que la projection sous une forme de ce qui existe déjà.* »
> **Shrimad Bhagavatam.**

tendre quelque chose si vous écoutez cette voix. Gardez votre âme à l'affût de conseils.

Quand mon partenaire, Mark Bryan, a commencé à m'acculer à écrire ce livre, il venait de voir un film chinois sur le Tibet intitulé *Le Voleur de chevaux*. C'était pour lui un film inoubliable, un classique de l'école de Pékin, un film que depuis lors nous avons recherché dans les magasins vidéo chinois et les archives cinématographiques, sans résultat. Mark m'a parlé de l'image centrale du film : une autre montagne, un voyage de prières vers la cime de cette montagne, les genoux fléchis : avancer, s'allonger à plat ventre, se lever et se redresser, un autre pas, se coucher à plat ventre…

Dans le film, ce voyage évoquait la réparation qu'un voleur et sa femme devaient faire pour avoir porté atteinte à leur société en se déshonorant par le vol. Je me suis demandé, depuis lors, si la montagne que je vois quand je pense aux chemins de la créativité n'est pas une autre montagne que l'on gravit mieux dans l'esprit de réparation – non envers les autres, mais envers soi-même.

« *Une peinture n'est jamais finie – elle s'arrête simplement en des lieux intéressants.* »
Paul Gardner.

Des mots pour cela :

J'aimerais pouvoir prendre le langage
Et le plier comme des chiffons froids, humides.
Je poserais des mots sur ton front.
J'envelopperais des mots autour de tes poignets.
« Là, là », diraient mes mots,
Ou quelque chose de mieux.
Je leur demanderais de murmurer
« Chut » et « chut, chut, c'est bien ».
Je leur demanderais de te tenir toute la nuit.
J'aimerais pouvoir prendre le langage
Et enduire et calmer et refroidir
Quand la fièvre se boursoufle et brûle,
Quand la fièvre se retourne contre vous.
J'aimerais pouvoir prendre le langage
Et guérir les mots qui étaient des blessures
Pour lesquels vous n'aviez pas de nom.

J. C.

Formation d'un cercle sacré

Quand j'étais enfant, un de mes héros favoris était Johnny Appleseed. J'adorais cette idée d'un vagabond qui voyageait dans l'Amérique, des fleurs de pommier dans son sillage. J'espère que ce livre a aussi créé des floraisons, que les artistes et les cercles d'artistes vont surgir. En pensant que ce sera le cas, l'annexe ci-dessous a été rédigée pour vous aider à établir votre propre cercle d'artistes. Mon expérience, en tant que professeur, m'a montré qu'une atmosphère de sécurité et de confiance est essentielle à la croissance créative. J'ai trouvé ces directives utiles pour établir cette atmosphère.

1. Le cercle sacré

L'art est un acte de l'âme, non de l'intellect. Quand nous traitons avec les rêves des gens – leurs visions, vraiment – nous sommes dans le royaume du sacré.

> *« Dieu est glorifié dans le fruit de notre vie. »*
> **Joël S. Goldsmith.**

Nous sommes impliqués avec des forces et des énergies plus grandes que les nôtres. Nous sommes engagés dans une transaction sacrée de laquelle nous connaissons peu de chose : l'ombre, pas la forme.

Pour ces raisons, il est impératif que tout rassemblement d'artistes se fasse dans l'esprit d'une *confiance sacrée*. Nous invoquons le Grand Créateur quand nous invoquons notre propre créativité, et cette force créative a la puissance de modifier nos vies, de remplir nos destinées, de répondre à nos rêves.

Dans notre vie humaine, nous sommes souvent impatients, fâchés, inadéquats. Nous trouvons difficile de traiter nos intimes avec l'amour que nous avons vraiment pour eux. Malgré cela, ils nous supportent à cause du niveau plus grand, plus élevé qu'ils honorent même dans nos emportements. C'est leur engagement.

En tant qu'artistes, nous appartenons à la tribu ancienne et sacrée. Nous sommes les transporteurs de la vérité que l'esprit fait bouger par nous tous. Quand nous traitons ensemble, nous ne traitons pas qu'avec nos personnalités humaines, mais aussi avec la foule invisible mais toujours présente d'idées, de visions, d'histoires, de poèmes, de chansons, de sculptures, d'objets d'art qui peuplent le temple de la conscience en attendant leur tour pour naître.

Nous sommes censés accoucher des rêves l'un pour l'autre. Nous ne pouvons pas travailler à la place de l'autre, mais nous pouvons soutenir le travail que chacun doit entreprendre pour donner naissance à son art et le façonner jusqu'à maturité.

C'est pour toutes ces raisons que le cercle sacré doit exister dans tout lieu de création. C'est un anneau protecteur, cette frontière de l'âme qui nous égaie à notre plus haut niveau. En dessinant et en admettant le cercle sacré, nous déclarons que les principes se situent au-delà de notre personnalité. Nous invitons à un esprit de service pour le bien le plus élevé et une foi dans l'accomplissement de notre propre bien au milieu de nos proches.

L'envie, la médisance, les critiques n'ont pas de place dans notre milieu, ni le mauvais caractère, ni l'hostilité, ni les sarcasmes, ni le harcèlement pour obtenir une position. Ces attitudes peuvent appartenir au monde, mais elles ne nous appartiennent pas dans notre lieu en tant qu'artistes.

Le succès survient en groupe. Dessiner un cercle sacré crée une sphère de sécurité et un centre d'attraction pour notre bien. En remplissant ce formulaire fidèlement, nous attirons vers nous le mieux. Nous attirons les gens dont nous avons besoin. Nous attirons les dons que nous pourrons le mieux employer.

Le cercle sacré est construit sur le respect et la confiance. L'image est celle d'un jardin. Chaque plante a son nom et sa place. Il n'y a pas de fleur qui annule le besoin d'une autre. Chaque épanouissement détient son unique et irremplaçable beauté.

Que nos mains de jardinier soient de douces mains. Ne laissons pas déraciner les idées d'un autre avant qu'elles n'aient le temps de s'épanouir. Supportons patiemment le processus de croissance, de veille, de cycles, de maturité et de repiquage. Qu'il y ait toujours une place pour le bébé artiste qui commence à marcher, qui essaie, qui hésite, qui échoue et essaie à nouveau. Souvenons-nous que dans le monde naturel chaque perte a un sens. C'est aussi vrai pour nous. Tourné vers une bonne utilisation, un échec créatif peut être le compost qui nourrit le succès créatif de la saison prochaine. Souvenez-vous, nous y sommes pour la longue route, la maturité et la récolte, non pour la réparation rapide.

L'art est un acte de l'âme : le nôtre est une communauté spirituelle.

2. Règles du cercle sacré

1. La créativité fleurit dans un lieu de sécurité et d'acceptation.

2. La créativité grandit parmi les amis, se rétrécit parmi les ennemis.

3. Toutes les idées de création sont des enfants qui méritent notre protection.

4. Tout succès créatif nécessite l'échec créatif.

5. Réaliser notre créativité, c'est une confiance sacrée.

6. Violer la créativité de quelqu'un, c'est violer une confiance sacrée.

7. Le feed-back créatif doit soutenir l'enfant créateur, ne jamais l'humilier.

8. Le feed-back créatif doit se construire sur des forces, jamais se fixer sur les faiblesses.

« Ce n'est que lorsque nous accepterons que la vie en elle-même repose sur le mystère que nous pourrons apprendre quelque chose. »

Henry Miller.

9. Le succès survient en groupe et naît dans la générosité.

10. Le bien d'un autre ne peut jamais bloquer le nôtre.

Par-dessus tout : *Dieu est la source.* Aucune puissance humaine ne peut faire dévier notre bien, ni le créer. Nous sommes tous des conduits pour un Moi plus élevé qui travaille par nous. Nous sommes tous connectés au même plan à une source spirituelle. Nous ne savons toujours pas lequel d'entre nous nous enseignera le mieux. Nous sommes tous censés aimer et servir l'autre. Les « chemins de la créativité » sont banaux. L'esprit de service produit notre dharma : ce sentier droit que nous rêvons de suivre dans nos meilleurs moments de réalisation et de foi.

« *J'apprends en allant où je dois aller.* »
Theodore Roethke.

ANNEXE II

La prière d'un artiste

Ô Grand Créateur,
Nous sommes rassemblés en ton nom
Que nous puissions t'être du plus grand service
À toi et à nos compagnons
Nous nous offrons à vous comme des instruments.
Nous nous ouvrons à votre créativité dans nos vies ;
Nous vous abandonnons nos vieilles idées.
Nous accueillons vos idées nouvelles et plus larges.
Nous croyons que vous nous conduirez.
Nous croyons qu'il est sûr de vous suivre.
Nous savons que vous nous avez créés et que cette créativité
Est votre nature et la nôtre.
Nous vous demandons de déployer nos vies
Selon votre plan, non pas selon la basse estime que nous avons de nous.
Aidez-nous à croire qu'il n'est pas trop tard
Et que nous ne sommes pas trop petits ou trop imparfaits
Pour être guéris
– Par vous et par chacun d'entre nous – et rendus entiers.
Aidez-nous à nous aimer les uns les autres

Pour nourrir l'épanouissement de chacun,
Pour encourager la croissance de chacun
Et comprendre les peurs de chacun
Aidez-nous à savoir que nous ne sommes pas seuls,
Que nous sommes aimés et aimables.
Aidez-nous à créer comme si c'était un acte d'adoration
à votre égard.

BIBLIOGRAPHIE

Mon expérience de professeur m'a enseigné qu'il serait préférable, pour les lecteurs de cette méthode, de passer à l'action plutôt que de lire d'autres livres. Toutefois, j'y ai inclus la plupart de mes ouvrages préférés dans le cas où vous vous sentiriez poussé à approfondir votre recherche. Ces ouvrages sont les meilleurs dans leurs domaines respectifs.

Anzieu, D., Mathieu, M. et Besdine, N., *Psychanalyse du génie créateur*, Dunod, Paris, 1974.

Anzieux, Didier, *Le Corps de l'œuvre*, Gallimard, 1981.

Augros, Robert M., et Stanciu, George N., *La Nouvelle Histoire de la science*, Griffon d'Argile, 1986.

Bachrach, Arthur, *Psychological Research*, Random House, New York, 1962.

Beattie, Melody, *Vaincre la codépendance*, Jean-Claude Lattès, 1991.

Becker, Ernst, *The Denial of Death*, Free Press, New York, 1973.

Bennett, Hal Zina et Sparrow, Susan, *Les Secrets de la perception*, Jouvence, 1990.

Berloquin, Pierre, *Développer la créativité*, L.G.F., 1991.

Bolen, Jean Shinoda, *Le Tao de la psychologie*, Revue de France, 1983.

Bolles, Richard Nelson, *N'oubliez pas votre parachute !*, Éditions N. Saint-Vincent, 1984.

Bradshaw, John, *S'affranchir de la honte*, Le Jour, 1993.

— . *Retrouver l'enfant en soi*, Le Jour, 1992.

Brande, Dorothea, *Becoming a Writer*, Jeremy P. Tarcher, Los Angeles, 1981.

Brown, Barbara, *Le Pouvoir de votre cerveau*, Le Jour, 1985.

Butterworth, Eric, *Le Devoir de vivre*, Astra, 1973.

Cameron, Julia et Bryan, Mark, *L'Argent apprivoisé. De la dépendance à la liberté d'être*, Dangles, 1994.

Chasseget-Smirgel, Janine, *Pour une psychanalyse de l'art et de la créativité*, Payot, 1971.

Dhiravamsa, V.-R., *L'Attention, source de plénitude*, Dangles, 1983 (épuisé).

Edwards, Betty, *Vision, dessin, créativité*, Madarga, 1988.

Estrade, Patrick, *Vivre sa vie : comprendre, décider et agir*, Dangles, 1988.

Fankhauser, Jerry, *The Power of Affirmations*, Colemena Graphics, Farmingdale, New York, 1983.

Fassel Diane : *Working ourselves to Death*, Harper Collins, San Francisco, 1990.

Ferucci, Piero, *La Psychosynthèse*, Retz, 1982.

Fields, Rick, Taylor, Peggy, Weyler, Rex et Ingrasci, Rick, *Chop Wood Carry Water*, Jeremy P. Tarcher, Los Angeles, 1984.

Gaudin, Thierry, *Les Dieux intérieurs*, Sophon, 1985.

Gawain, Shakti, *Techniques de visualisation*, Vivez Soleil, 1986.

— . *Vivez dans la lumière*, Vivez Soleil, 1986.

— . *Un instant, une pensée*, Le Souffle d'Or, 1986.

Grof, Cristina et Stanislav, *Psychologie transpersonnelle*, Le Rocher, 1984.

— . *Les Nouvelles Dimensions de la conscience*, Le Rocher, 1984.

— . *À la recherche de soi*, Le Rocher, 1996.

Guillaumin, Jean, *Corps et Création : entre Lettres et Psychanalyse*, Presses Universitaires, Lyon, 1980.

Hart, Mickey, *Voyage dans la magie des rythmes*, Robert Laffont, 1993.

Haynal, André, *Dépression et créativité, le sens du désespoir*, Cesura Lyon Édition, 1987.

Houston, Jean, *Psychologie sacrée*, Dangles, 1990 (épuisé).

James, William, *The Varieties of Religious Experience*, Mentor Books, Boston, 1902.

Jannelle, Chantal, *La Création et le petit enfant*, Éditions de l'Aube, 1933.

Jeffers, Susan, *Feel the Fear and Do It Anyway*, Fawcett Columbine, New York, 1987.

Julien, Patrice, *Cette vie, dont vous êtes le héros…*, Dangles, 1990 (épuisé).

Keyes, Ken, *Bonjour bonheur !*, Vivez Soleil, 1988.

Lambert, Michèle, *Être créatif au quotidien*, Retz, 1991.

Larsen, Earnie, *Stage II Recovery: Life beyond Addiction*, Harper and Row, New York, 1985.

Leonard, Jim, *Manuel pour une conscience supérieure*, Éditions Universelles du Verseau, 1987.

— . *Le Livre de ma vie*, Le Souffle d'Or, 1992.

Lewis, C. S., *Miracles*, Macmillan, New York, 1947.

Maltz, Maxwell, *Psychocybernétique. Comment changer l'image de soi pour transformer sa vie*, Dangles, 1994 (épuisé).

Miller, Alice, *Le Drame de l'enfant doué*, PUF, 1993.

— . *Images d'une enfance*, Aubier, 1987.

— . *Abattre le mur du silence*, Aubier, 1991.

Milner, Marion, *L'Inconscient et la peinture*, PUF, coll. « Le Fil rouge », 1976.

Morel, Denise : *Porter un talent, porter un symptôme, les familles créatrices*, Éditions Universitaires, 1988.

Nachmanovitch, Stephen, *Free Play*, Jeremy P. Tarcher, Los Angeles, 1991.

Norwood, Robin, *Ces hommes et ces femmes qui aiment trop*, Éditions de l'Homme, 1993.

Osborn, Carol, *Enough is Enough: Exploding the Myth of Having it All*, G.P. Putnam's Sons, New York, 1986.

Ostrander, Sheila, et Schroeder, Lynn, *Les Étonnants Pouvoirs de la mémoire*, Robert Laffont, 1992.

Pagels, Elaine, *Les Évangiles secrets*, Flammarion, 1989.

— . *Adam, Eve et le Serpent*, Gallimard, 1982.

Parfitt, Will : *Comment abattre nos murs intérieurs*, Dangles ; 1993.

Peck, M. Scott, *Le Chemin le moins fréquenté*, J'ai lu, 1990.

Pierrakos, Eva, *Le Chemin de la transformation*, Dangles, 1993 (épuisé).

Rich, Adrienne, *Les Femmes et le sens de l'honneur ; quelques réflexions sur le mensonge*, Remue-Ménage, 1982.

Roethke, Theodore, *Collected Poems*, Doubleday, New York, 1975.

Roman, Sanaya, et Packer, Duane, *Manuel de la communication spirituelle*, Vivez Soleil, 1989.

Rose, Dennis, *Zen management. Être efficace autrement*, Dangles, 1992 (épuisé).

Russ, Joanna, *L'Autre Moitié de l'homme, dans l'écriture féminine*, Robert Laffont, 1977.

Schaef, Anne Wilson : *S'épanouir dans des relations non dépendantes*, Le Souffle d'Or, 1993.

— . *Meditations for Women Who Do Too Much*, Harper and Row, New York, 1992.

Sidelsky, René, *Le Pouvoir créateur de votre pensée*, Dangles, 1989.

Spira, Marcelle, *Créativité et Liberté psychique*, préface Serge Lébovici, Lyon Césura, Lyon, 1985.

Starhawk, *The Spiral Dance*, Harper and Row, New York, 1979.

Vetter, Gabriela, *L'Âme sous la glace. Pour comprendre la dépression et en sortir*, Dangles, 1993 (épuisé).

Von Franz, Marie-Louise, *Les Mythes de la création*, La Fontaine de Pierre, 1982.

Wegscheider-Cruse, Sharon, *Choicemaking: For Codependents, Adults Children and Spirituality Seekers*, Health Communications, Pompano Beach. Fl., 1985.

Whitfield, Charles, *Healing the Child Within*, Health Communications, Deerfield Beach, Fl., 1987.

Winn, Marie, *The Plug-in Drug: Television, Children, and the Family*, Viking-Penguin Books, New York, 1977.

Woititz, Janet, *Home Away from Home: the Art of Self-Sabotage*, Health Communications, Pompano Beach, Fl., 1987.

Woititz, Janet, *Struggle for Intimacy*, Health Communications, Pompano Beach, Fl., 1985.

Zilsel, Edgar, *Le Génie*, Éditions de Minuit, 1993.

— . *La Sublimation. Les Sentiers de la Création*, Tchou, Paris, 1979.

TABLE DES MATIÈRES

8169

Composition
NORD COMPO

Achevé d'imprimer en Slovaquie
par NOVOPRINT SLK
le 31 mars 2021

1er dépôt légal dans la collection : décembre 2006
EAN 9782290355084

ÉDITIONS J'AI LU
87, quai Panhard-et-Levassor, 75013 Paris

Diffusion France et étranger : Flammarion